almanaque da TV Globo

Marcel Souto Maior
pesquisa: Memória Globo

EDITORA GLOBO

a força da criação

Mais do que um álbum de recordações, coletânea de curiosidades, este *Almanaque da TV Globo* é um documento sobre a força da criação.

Organizado por décadas, ano a ano, desde a inauguração da TV Globo até hoje, este livro reconstitui, com a leveza e a irreverência típicas dos bons almanaques, os melhores momentos e os principais marcos de mais de quatro décadas de história.

A cada capítulo, um retrato do quanto é poderosa a combinação de imaginação e tecnologia, ousadia e responsabilidade social, e do quanto é imbatível a união de esforços e talentos em torno de um objetivo comum: o de oferecer ao público, sempre, o melhor.

Fotos e informações preciosas pontuam cada página deste *Almanaque da TV Globo*. Elas vêm sendo reunidas desde 1999 pelo projeto Memória Globo, que também produziu os livros *Dicionário da TV Globo – Dramaturgia e Entretenimento* e *Jornal Nacional – A Notícia Faz História*.

Este almanaque é uma emocionante viagem no tempo, do preto-e-branco à TV digital, dos folhetins rasgados aos *reality shows*. Um painel histórico, sim, mas principalmente afetivo, emocional.

Porque esta História nós escrevemos juntos, a cada cena de novela, cada notícia de telejornal, cada estréia e cada último capítulo.

Que você se reconheça nestas páginas e reencontre aqui as histórias e personagens que fazem parte da sua vida.

Um abraço,

Memória Globo
Central Globo de Comunicação

introdução

O homem na Lua, as torres gêmeas no chão, Senna no topo do pódio, Gabriela no alto do telhado e nós, milhões de brasileiros de todos os cantos, debruçados sobre a mesma janela: a televisão.

Ao vivo e em videoteipe, em cores e preto-e-branco, via satélite e em rede nacional, o mundo em polegadas.

Pelas antenas e microondas, chegam as últimas notícias, os próximos capítulos, cenas e personagens inesquecíveis do nosso imaginário.

Magdas e Ofélias, Lineus e Agostinhos, Pedros e Binos, Topo Gigios e Louros José, Shazans e Xerifes, Didis e Mussuns, Odetes e Nazarés, Hildas e Anitas, Emílias e Anastácias – pedaços de nós, retratos da gente, cacos deste imenso inconsciente coletivo chamado Brasil.

O Brasil que pára a cada Copa do Mundo, a cada Natal de Roberto Carlos, a cada "boa noite" do *Jornal Nacional,* a cada plantão extraordinário, a cada fim de novela.

O bebê de proveta, a ovelha Dolly, a mulher do rosto transplantado – milagres do show da vida.

O formigueiro de Serra Pelada, o cemitério do Carandiru, o ônibus crematório – tragédias do nosso dia-a-dia.

Anos rebeldes, dourados, selvagens.

São esses fragmentos da história, personagens de carne e osso ou de ficção que carregamos conosco – *flashes* e ecos de nós mesmos – que vamos lembrar e revisitar neste livro.

Um almanaque que, no fim das contas, é também um retrato (ou auto-retrato) destes últimos 40 anos. Um álbum de recordações.

Porque nós não seriamos quem somos se não fosse esta caixa mágica chamada televisão.

Globo e você – tudo a ver.

E vale a pena ver de novo.

sumário

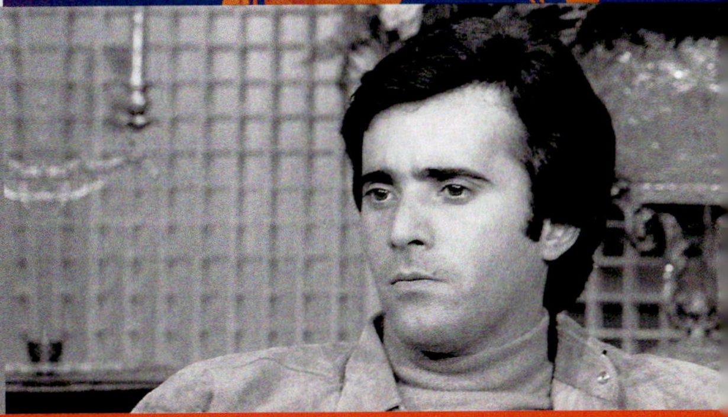

década 1

NO AR, A REVOLUÇÃO

26 de abril de 1965.

Quando a TV Globo entrou no ar – oito anos depois da concessão do canal, assinada pelo presidente Juscelino Kubitschek –, a televisão era em preto-e-branco e o cenário político, também. Um tom verde-oliva tingia o Brasil dos militares, e cores fortes embalavam uma outra revolução, psicodélica e esfuziante, no Brasil e no mundo.

Uma revolução embalada por Beatles e Rolling Stones, Jovem Guarda e Tropicália, Che Guevara e Luther King, minissaia e pílula anticoncepcional, biquíni e calças *saint-tropez* (aquelas com a cintura lá embaixo), Cinema Novo e Roda Viva, Mutantes e Secos e Molhados, protestos estudantis e *happenings hippies*.

"Abaixo a ditadura" ou "Paz e amor, bicho"?

De que lado você estava?

No Brasil, o governo do marechal Castelo Branco festejava o primeiro aniversário da "Revolução", o golpe que derrubou o presidente João Goulart e implantou uma ditadura militar no país impedido de ir às urnas.

Em dez anos, seriam três os governos militares no país (Castelo Branco, Costa e Silva e Médici) e muitas as vítimas da repressão.

Anos trágicos.

Tempos radicais aqueles em que tudo – absolutamente tudo – era possível...

O homem foi à Lua.

A mulher foi à luta.

Pelé marcou o milésimo gol.

Emerson Fittipaldi foi campeão mundial na Fórmula 1.

A seleção conquistou o "tri" no México.

A Globo entrou no ar no Rio de Janeiro e, em dez anos, se espalhou pelo Brasil. As imagens em preto-e-branco ganharam cor e o país entrou em "rede", via satélite.

De repente, lá estávamos nós, distantes uns dos outros e tão próximos, tão ligados, ao mesmo tempo. O imigrante alemão do interior gaúcho, o ribeirinho da Amazônia, o metalúrgico do ABC paulista.

Nós e eles – os personagens do nosso imaginário.

Topo Gigio, Odorico Paraguaçu, Shazan e Xerife, a Grande Família, Jeannie e a Feiticeira, a Simone de *Selva de Pedra*, a Ofélia que só abre a boca quando tem certeza – essa turma toda, que surgiu na primeira década da Globo e nos acompanha até hoje, com seus bordões, sonhos, paixões, vexames e saudades.

Povo de Sucupira, chegou a hora.

Vamos botar de lado os "entretanto" e partir "pros finalmente".

NO AR

a globo sai do chão

O prédio do ano 2000. A primeira emissora de TV do Brasil com estúdios e instalações planejados para abrigar a produção e exibição de programas. Nada de improviso.

A sede da TV Globo, canal 4, Rio de Janeiro, foi erguida num terreno no bairro do Jardim Botânico, a partir de um modelo de construção copiado da emissora americana WFBM. Já ouviram falar?

Pois é... Ficava lá em Indianápolis, uma pacata cidade do interior americano.

De acordo com a planta importada dos Estados Unidos, o prédio da Globo teria três andares. Todos prestes a ficar superlotados.

contagem regressiva Antes da grande estréia era preciso ensaiar para reduzir ao mínimo os erros e os sustos no dia da inauguração. Os testes dos equipamentos e das transmissões se repetiram ao longo de todo o mês de março de 1965. Inclusive na noite do dia 31, quando os militares comemoraram o primeiro aniversário do golpe de 1964 com uma mensagem transmitida em rede nacional por todas as emissoras de TV. Todas, menos a novata TV Globo, ainda em fase de testes.

O prédio da Globo em construção

Enquanto o marechal Castelo Branco lia seu discurso, a Globo exibia a imagem de um barco navegando ao som da canção *Moon River*, de Henry Mancini.

No dia seguinte, jornais saudaram a ousadia da estreante: "A Globo começa muito bem – boicotando o pronunciamento militar".

o teste final

Na véspera da estréia, a equipe da TV Globo – a maior parte dela sem qualquer experiência em televisão – realizou os últimos testes, desta vez em circuito fechado. *Slides* projetados de cabeça para baixo, locuções trocadas, tudo deu errado. Era melhor começar a rezar... Para Santa Clara, de preferência.

ANOTE NA AGENDA

11 de agosto – aniversário da morte de Santa Clara – é o Dia da Televisão.

MÚSICA

CANTE COM A GENTE

Santa Clara, padroeira
da televisão
Que a televisão não seja o
inferno, interno, ermo
Um ver no excesso o eterno
quase nada..."

(*Santa Clara, padroeira da televisão*, Caetano Veloso)

VOCÊ SABIA?

Santa Clara de Assis é a "celeste padroeira da televisão". Palavras do papa Pio XII, proferidas em 14 de fevereiro de 1958. Segundo o nobre pontífice, a santa iria "promover o uso correto da TV e garantir a boa recepção de imagens nos aparelhos". Reza a lenda que, em 1252, Santa Clara conseguiu descrever em detalhes tudo o que aconteceu na missa de Natal de sua igreja, apesar de estar doente, de cama, a quilômetros do local da cerimônia. Ela viu tudo à distância, como quem assiste a um programa de TV.

ACREDITE SE QUISER

Era preciso esperar o tubo de imagem da TV esquentar após ligar o aparelho. Para espantar os "chuviscos" e "fantasmas" que assombravam as imagens, muita gente espetava palha de aço no alto da antena do televisor. Parece mentira, mas, de vez em quando, o truque funcionava.

e chegou o grande dia

Eram 11 horas e 35 segundos da manhã de 26 de abril de 1965 quando a ZYD-81, TV Globo, canal 4, entrou no ar, no Rio de Janeiro, ao som do Hino Nacional.

O diretor-geral da nova emissora, Rubens Amaral, foi o primeiro a aparecer na tela da Globo. Vinte e um anos depois de inaugurar a Rádio Globo, coube a ele a missão de ler a mensagem de Roberto Marinho dirigida aos telespectadores:

– É com orgulho que entregamos à Cidade do Rio de Janeiro a TV Globo – disse, após segundos de suspense.

– Eis o Canal 4. Vamos todos participar de seu começo – convocou Rubens, já no fim do discurso.

Era a "deixa" para a exibição do primeiro programa da TV Globo: o infantil *Uni-Duni-Tê.*

A PRIMEIRA LOGOMARCA

E aí está a primeira logomarca da Globo: um singelo cata-vento, formado por quatro números 4, o canal da emissora, desenho do consagrado Aloísio Magalhães Só durou um ano. Em 1966, o globo terrestre, com seus meridianos, já entraria em cena.

destaques da programação

leite e giz Todas as manhãs, de segunda a sexta-feira, a partir das 11h, lá estava ela: a professora Fernanda Barbosa Teixeira (a Tia Fernanda) e seus alunos. O cenário do programa era uma típica sala de aula, com quadro-negro, giz e aquelas boas e velhas carteiras escolares de madeira. Na sala de aula do *Uni-Duni-Tê*, Tia Fernanda e os alunos estudavam, brincavam e... rezavam. Tudo isso antes de tomar um revigorante copo de leite no lanche. Os telespectadores mirins participavam enviando cartas e desenhos à produção. Foram seis anos de aulas, leite e reza. Bons meninos...

capitão furacão e seus grumetes Às 17h, quando as crianças voltavam do colégio, Capitão Furacão (Pietro Mário) levantava âncoras e assumia o leme da programação infantil da Globo. Ao vivo, durante duas horas, lá ia ele, quepe na cabeça, mãos no timão, jaqueta azul, longa barba branca, a bordo de seu navio. Cada viagem era embalada por histórias de marujos, conselhos aos marinheiros iniciantes, desenhos animados e filmes curtos. Os telespectadores mirins que quisessem fazer parte da tripulação recebiam uma carteirinha de grumete. Bastava enviar para a produção uma foto e o rótulo do produto de um dos patrocinadores – a Confeitaria Gerbô ou as calças Furacão. Em um mês, 3 mil grumetes cadastrados embarcaram no programa, primeiro sucesso de audiência da Globo. No segundo ano de viagem, o Capitão Furacão ganhou uma companheira de navegação: a atriz Elizângela.

a primeira novela

Em *Ilusões Perdidas*, surge o primeiro par romântico da TV Globo: Reginaldo Faria e uma estonteante Leila Diniz, aos 20 anos. Leila, na época, ainda não era a lenda, o mito, o escândalo, mas já tinha muita história para contar. E contava. Saiu de casa e perdeu a virgindade aos 15 anos, começou a fazer análise aos 16 (pagava as sessões com o salário de professora de jardim-de-infância) e, com essa idade, foi morar com o cineasta Domingos de Oliveira. Reginaldo Faria sofria enquanto realizava o sonho de boa parte da população masculina do Rio de Janeiro: beijar Leila Diniz. A timidez o matava.

ASPAS

Para mim tanto faz representar Shakespeare ou Glória Magadan, desde que eu me divirta e ganhe dinheiro."

(Leila Diniz)

POR FALAR EM DOMINGOS DE OLIVEIRA...

Era o companheiro de Leila Diniz quem assinava os roteiros do primeiro seriado policial exibido pela Globo: o *22-2000 Cidade Aberta*. A trama contava as aventuras de Márcio Moura (interpretado por Jardel Filho), repórter polícial do jornal *O Globo*, dedicado a investigar uma série de crimes: "O rapto de miss Brasil" e "O roubo da coroa imperial", por exemplo. O tal número 22-2000 do título tinha uma boa explicação: era o telefone do jornal *O Globo* na época.

"sorria, você está no câmera indiscreta!"

O cineasta Roberto Farias (consagrado na época por seu filme *O assalto ao trem pagador*) dirigiu as primeiras "pegadinhas" exibidas pela TV Globo. A versão brasileira do enlatado *Candid Camera* (sucesso inventado pelo norte-americano Allen Funt e exibido na ABC desde 1948) estreou no dia 2 de maio com outro nome – *Câmera Indiscreta* – e um slogan devidamente adaptado: "Sorria, você está no *Câmera Indiscreta*!". Quem aplicava o golpe nos incautos eram Renato Consorte, Gracinda Freire e Don Rossé Cavaca.

tragédia nos bastidores

Numa sexta-feira, 13 de agosto, o apresentador do primeiro programa de auditório da TV Globo, o *Show da Noite*, exibido ao vivo a partir das 22h30, começou a passar mal durante a exibição, deitou-se no sofá do estúdio e morreu, aos 33 anos, no auge da popularidade. O nome dele: Gláucio Gil, ator e autor teatral, responsável por sucessos de público da comédia carioca como *Toda Donzela Tem um Pai que é Uma Fera*. A TV Globo saiu do ar imediatamente e, pouco depois, uma multidão apareceu na porta da emissora para saber o que tinha acontecido... Quatro meses depois, o programa foi cancelado.

som na caixa, dj

Todo sábado, a partir das 16h, era assim: os telespectadores ligavam para pedir uma música e os discotecários mais famosos do Rio de Janeiro (Luiz de Carvalho, Jonas Garret e Mário Luiz Barbato) tocavam os *hits* da semana no programa *Tevefone*.

Sucessos do Tevefone

- Roberto Carlos: *Que tudo mais vá para o inferno, Querem acabar comigo* e *Eu sou terrível*
- Wanderléia: *Pare o casamento* e *Ternurinha*
- Os incríveis: *Era um garoto que, como eu, amava os Beatles e os Rolling Stones*
- Erasmo Carlos: *Festa de arromba* e *Vem quente que eu estou fervendo*
- Jerry Adriani: *Querida*
- Golden Boys: *Alguém na multidão*

Ou seja: a Jovem Guarda estava com tudo e um pouco mais.

silvio santos vem aí...

... Mas só em São Paulo, nesta primeira fase. O ex-camelô e futuro proprietário do SBT alugava horário na TV Paulista aos domingos, quando Roberto Marinho comprou o canal em 1965. Silvio Santos continuou na emissora com seu festival de jogos e prêmios, o mesmo sorriso de sempre e um retumbante microfone preso ao colarinho do terno.

Um dos quadros mais concorridos do *Programa Silvio Santos* era o "Cuidado com a buzina", o bom e velho programa de calouros. As principais atrações estavam no júri formado por personagens extravagantes, como Elke Maravilha, Pedro de Lara e Décio Piccinini (até hoje na ativa) e os irascíveis Aracy de Almeida e José Fernandes. Era de José Fernandes, aliás, o bordão que marcou época: "Zero. Nota zero".

VOCÊ SABIA?

O nome verdadeiro de Silvio Santos é Senor Abravanel. A mãe dele é quem o chamava de Silvio. O sobrenome artístico surgiu de repente, quando Senor foi participar do programa de calouros comandado pelo apresentador Jorge Cury e o produtor, Mário Ramos, perguntou seu nome. "Silvio", ele disse. "Silvio de quê?" E Senor Abravanel respondeu: "Silvio Santos – porque os santos ajudam". E ajudaram.

O céu é o limite A partir de 27 de julho de 1969, o *Programa Silvio Santos* passaria a ser transmitido ao vivo também no Rio de Janeiro, diretamente da capital paulista.

concertos para a juventude

Popularizar a música erudita e levar sonatas e sinfonias ao grande público. Com essa missão, *Concertos para a Juventude* estreou numa manhã de domingo, no dia 24 de outubro. Ficaria 19 anos no ar e seria apontado pela Unesco como um programa modelo para a divulgação da música clássica. Na batuta, anos depois, um maestro que virou estrela: Isaac Karabitchevsky.

Yoná Magalhães e Carlos Alberto: o casal 20

1966

Eu compro essa mulher

O governo Castelo Branco cassava direitos políticos pelo país afora e tentava calar à força qualquer voz dissonante, enquanto a novelista Glória Magadan, exilada cubana vinda dos Estados Unidos, se dedicava a seu ofício: "fabricar evasão".

Contratada por Walter Clark a peso de ouro e com plenos poderes, Glória deixou a Colgate Palmolive (onde era a responsável pelas novelas patrocinadas pela empresa) para assumir a direção do departamento de telenovelas da Globo, onde estreou em 1965 à frente de *Paixão de Outono.*

Com status de "Dama de Ferro", ela passou a dar as cartas – mirabolantes – na dramaturgia.

Em 1966, entrou no ar mais um folhetim rasgado, que Glória assinou e supervisionou sem medo de ser feliz (ou infeliz, também): *Eu Compro Essa Mulher,* adaptação do rocambolesco romance *O Conde de Monte Cristo,* de Alexandre Dumas.

A novela exibiu o primeiro encontro do principal par romântico da época: Yoná Magalhães e Carlos Alberto. Os dois, coitados, enfrentariam a perversidade da implacável Úrsula (Leila Diniz).

Deu certo. Em um mês, graças a esse triângulo amoroso, a Globo alcançou o primeiro lugar em audiência no Rio de Janeiro.

efeitos especiais Um dos destaques de *Eu Compro Essa Mulher* – além dos figurinos de época e das beldades em cena – era o navio no qual nossos intrépidos heróis enfrentavam inclementes tempestades em alto-mar. O navio foi construído no terraço da sede da Globo, no Jardim Botânico. Nos dias de tormenta, os contra-regras sacudiam a embarcação e jogavam água nos atores.

Doze Mil Pessoas Desabrigadas Pelo Temporal

O GLOBO

MIL DESABAMENTOS E CÊRCA DE 200 MORTOS

Assim Ficou a Rocinha

VAGÕES-VOADORES TRARÃO SOCORROS

A Catástrofe

Em Favor Das Vítimas

O Balanço da Tragédia

GOVÊRNO QUER VER ARENA PRONTA ATÉ 31 DE JANEIRO

as enchentes

Em janeiro, cinco dias de temporal provocaram cerca de mil desabamentos e quase 200 mortes no Rio de Janeiro. Mais de 12 mil pessoas ficaram desabrigadas e centenas, feridas. No dia 10 – uma noite de segunda-feira – Walter Clark, novo diretor-geral da TV Globo, deu início a uma cobertura histórica.

Enviou para as ruas inundadas equipes de reportagem munidas de mastodônticas câmeras Auricom (equipamentos "portáteis" gigantescos se comparados com as versões atuais) e instalou sobre as escadarias nos fundos da emissora duas câmeras fixas, deslocadas dos estúdios. Dali, Hilton Gomes passou a dar as últimas notícias sobre a tragédia.

Uma das câmeras ficou ligada dia e noite, apontada para um morro de onde desaguava uma cascata alimentada pelas chuvas. A imagem, exibida regularmente durante as transmissões, se transformou num símbolo da inundação e funcionou como uma espécie de vinheta "ao vivo" da cobertura jornalística.

Era só o começo. Além de documentar a tragédia, a TV Globo promoveu uma campanha de solidariedade e convocou os moradores do Rio de Janeiro a doarem alimentos, cobertores e remédios às vítimas das enchentes. Os estúdios ficaram lotados de doações vindas de todos os cantos.

Resultado: graças à cobertura e à campanha, a Globo conquistou o público do Rio e passou a ser considerada a mais carioca das emissoras.

sheik de agadir

Mais uma loucura da Era Glória Magadan, o *Sheik de Agadir* foi inspirado no romance *Taras Bulba*, de Gogol. Um grande mistério movia a trama: quem seria o misterioso Rato? Sempre com luvas negras, ele surgia de repente, entre uma cena de amor e outra, para estrangular agentes nazistas e deixar sua "assinatura" sobre cada corpo: uma tarântula negra.

Quem era o assassino? A TV Globo promoveu um concurso entre os telespectadores, mas ninguém acertou a resposta. Uma resposta, aliás, impossível de acertar. O Rato era a frágil princesa árabe Eden, vivida por uma jovem atriz de 19 anos, Marieta Severo, em seu primeiro papel numa telenovela.

Como alguém tão *mignon* poderia ter assassinado tantos galalaus? Era um absurdo completo, mas o que importava? Glória Magadan não fazia a menor questão de ser verossímil.

ASPAS

Meu ofício é fabricar evasão."
(Glória Magadan)

Yoná Magalhães e Amilton Fernandes no "deserto do Saara"

Marieta Severo

Haja loucuras...

I A trama de *Sheik de Agadir* se passava na Arábia e na França ocupada pelos nazistas. As cenas do deserto do Saara eram gravadas nas dunas da Restinga da Marambaia, no Rio de Janeiro.

I Para realizar as seqüências de combate com cavalos, foram usados animais e equipamentos do Exército. Dezenas de alunos de equitação da Hípica atuaram como figurantes.

I O comunista de carteirinha Mário Lago também fazia papel de nazista, mas o mais odiado da trupe SS era o personagem de Emiliano Queiroz, o implacável Hans Stauben. O ator chegou a ser atacado a golpes de guarda-chuva por uma espectadora enfurecida numa loja em Copacabana, um dia depois da exibição da cena em que seu vilão havia assassinado o personagem de Cláudio Marzo, muito querido pelo público. "Assassino", gritavam os telespectadores quando viam Emiliano Queiroz pelas ruas do Rio.

dercy espetacular

Um ano depois da inauguração da Globo, a "sem-papas-na-língua" Dercy Gonçalves passou a ocupar o horário nobre da emissora, das 19h às 21h, aos domingos. Entrevistas, shows, irreverência de sobra e prestação de serviço: esta era a receita do programa mais popular do canal 4. Um dos quadros mais concorridos do *Dercy Espetacular* era o *Consultório Sentimental*, freqüentado por telespectadores em busca de parentes desaparecidos, bolsas de estudos, cadeiras de rodas e casas para morar. Eram imensas as filas na porta da emissora. Mas nenhuma delas ultrapassou o tamanho da fila de interessados no remédio feito de casca de ipê roxo, capaz de curar o câncer. O inventor da suposta fórmula mágica – destaque nos jornais sensacionalistas da época – foi ao programa e apresentou dois pacientes "curados" pelo elixir. Mais de cem carros estacionaram nos fundos da Globo, em busca da salvação. *Dercy Espetacular* daria lugar, um ano e meio depois, ao *Dercy de Verdade*.

ASPAS

Dizem que eu falo muito palavrão. Não é palavrão, é apelido."

(Dercy Gonçalves)

NELSON RODRIGUES

Um terreno baldio (reproduzido em estúdio), uma cabra ruminando capim (de verdade) e, ali do lado, sentado num banquinho, o cronista e dramaturgo mais polêmico do país: Nelson Rodrigues.

"A Cabra Vadia" era um dos quadros mais inusitados do programa *Noite de Gala*, exibido pela Globo às segundas-feiras, a partir das 20h. A cabra, segundo Nelson, era a única testemunha de suas entrevistas. Só diante dela – que "não trai nem sai por aí fazendo inconfidências" –, o convidado diria verdades que não confessaria "nem ao padre, nem ao psicanalista, nem ao médium depois de morto". Palavras de Nelson.

O primeiro entrevistado de "A Cabra Vadia" foi o então presidente da Confederação Brasileira de Desportos, João Havelange.

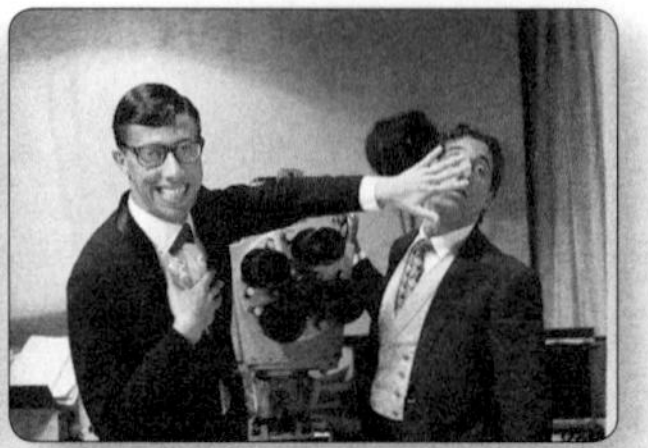

Paulo Silvino e Agildo Ribeiro

tvO – tv1

A dupla de gênios do humor Max Nunes e Haroldo Barbosa levou para a televisão, pela primeira vez, uma fórmula já consagrada por eles nos tempos áureos da Rádio Nacional: a de fazer paródias dos próprios programas, ou seja, rir do próprio umbigo. O alvo das imitações, agora, eram os sucessos da TV. Os títulos dos quadros já davam o tom:

- *Biscoiteca do Chapinha*
- *Bebe Camargo Show*
- *A Praça da Alergia*
- *O Homem do Sapato Quase Branco*

jornal de vanguarda

As cabeças mais criativas e combativas das redações de jornais e revistas do país estavam no *Jornal de Vanguarda.* O humor cáustico de Sérgio Porto e Millôr Fernandes, os comentários políticos de Villas-Boas Corrêa, as tiradas futebolísticas de João Saldanha, as notícias internacionais de Newton Carlos, a coluna "de mulher para mulher" de Gilda Muller...

Quem tinha o que dizer – e coragem de dar opinião no país da ditadura – marcava ponto no programa criado por Fernando Barbosa Lima, uma mistura de show e informação que se tornou um marco do telejornalismo, ao sair da pauta e do tom empostados de noticiários como o *Repórter Esso.*

Com sua linguagem informal – e conteúdo sempre crítico – o *Jornal de Vanguarda* estreou na TV Excelsior em 1962 e passou pela TV Tupi e pela TV Globo, antes de voltar para a Excelsior em 1967 e se extinguir em 1968, sufocado pelo AI-5.

Quando o *Jornal de Vanguarda* saiu da Globo, uma parte da equipe ficou na emissora e criou um similar global: o *Jornal de Verdade,* que conseguiu sobreviver às intempéries da censura até dezembro de 1969.

na vanguarda Célio Moreira, irmão de Cid Moreira, era o "Sombra", locutor misterioso que aparecia apenas em silhueta para dar informações "confidenciais" em primeira mão.

- Moacir Lopes, cujo rosto nunca era mostrado, fazia o "Mão com cigarrilha" e gesticulava nervosamente enquanto "interpretava" a notícia.

Ibrahim Sued repórter

"Sorry, periferia", mas quem não conheceu o colunista social Ibrahim Sued não sabe o que perdeu. Ele errava na gramática, falhava na sintaxe, mas era imbatível ao farejar notícias exclusivas e cunhar expressões como a que abriu este parágrafo.

Aos críticos e detratores, Ibrahim respondia com um antigo ditado árabe: "Os cães ladram e a caravana passa". Aos incautos e distraídos, um alerta: "Olho vivo que cavalo não desce escada". Antes de dar as últimas, muitas vezes em primeira mão, no programa *Ibrahim Sued Repórter*, Ibrahim preparava o clima com um anúncio retumbante: "Bomba, bomba!".

E lá vinha "chumbo grosso". Como a notícia, proibida pela censura, da trombose do presidente Costa e Silva. Enquanto caçava notas e personagens, Ibrahim Sued dava seu grito de guerra: "Gigi, eu chego lá". Ele chegou. É considerado por muitos o inventor do colunismo social moderno.

"De leve..."

a língua de ibrahim

Algumas expressões lançadas por ele na década de 1960:

- Niver: Aniversário.
- Su: Sucesso.
- Shangai: Brega, cafona.
- Bola branca/bola preta: Aprovado ou reprovado, tudo dependia da cor da bola.

VOCÊ SABIA?

Das colunas de Ibrahim saíram vários títulos de novelas da Globo: *O Cafona, O Rebu, Brega & Chique* e *Locomotivas.*

▌Geração pão-com-cocada: A juventude carioca. "Cocada" fazia referência à pele bronzeada das moças ao sol; "pão" era como as "cocadinhas" chamavam os rapazes bonitos. Deu nisto: pão-com-cocada.
▌Bonecas: Belas mulheres.
▌Deslumbradas: Novas-ricas, que só queriam aparecer.
▌Belacap: Abreviatura de "bela capital", palavra criada pelo jornalista para homenagear o Rio de Janeiro. Perdeu a validade com a inauguração de Brasília.
▌"Panteras e panterinhas, bonecas e deslumbradas": Era assim que ele cumprimentava seu fã-clube feminino.

ACREDITE SE QUISER

▌Na redação do jornal *O Globo* – onde assinou uma coluna durante 41 anos –, Ibrahim Sued criou um carimbo com a seguinte inscrição: "Favor esquecer Camões. Proibido mexer no meu estilo. Merci".

▌Antes de entregar os textos aos revisores, Ibrahim carimbava o recado.

▌Seus erros de português viraram marca registrada.

otto zero hora

No ar, um dos ídolos, ou melhor, uma das obsessões de Nelson Rodrigues: o jornalista Otto Lara Resende. Os dois trabalharam juntos em *O Globo* e – desde então –, Otto virou personagem assíduo das crônicas de Nelson.

Até título de peça Otto rendeu: *Bonitinha, mas ordinária – ou Otto Lara Resende*, tascou Nelson nos letreiros de seu espetáculo, para espanto e pânico do mineiro Otto.

Em *Otto Zero Hora*, o jornalista fazia entrevistas com personalidades da época, quase sempre políticas, quatro vezes por semana, a partir da meia-noite. Conversa era a especialidade dele... Frases certeiras e geniais também.

Nelson não cansava de repetir: "Deviam botar um taquígrafo atrás do Otto, anotando tudo para depois vender ou alugar numa loja de frases".

pérolas de otto

"O Nelson Rodrigues, vocês sabem, a gente mata ou ama. Como o Código Penal pune assassinato, só nos resta amá-lo."
"O único erro humano que merece a pena de morte é o de revisão."
"Deus é humorista."
"Ultimamente passaram-se muitos anos."
"A morte é, de tudo na vida, a única coisa absolutamente insubornável."
"Escrever é de amargar."

na zona do agrião

MÁXIMAS DE JOÃO SALDANHA

"Se macumba ganhasse jogo, o campeonato baiano terminaria sempre empatado."

"Se concentração ganhasse jogo, o time da penitenciária não perdia um."

Enquanto as mulheres acompanhavam as tramas lacrimejantes de Glória Magadan, os homens se dedicavam à paixão nacional, o futebol. A bola precisava rolar. Para conquistar a imensa torcida masculina, entrou no ar o programa de comentários esportivos *Na Zona do Agrião*.

O título – assim como a própria expressão – foi cunhado pelo ilustre apresentador da nova atração global: João Saldanha, um craque da crônica esportiva.

"Zona do agrião" era como João chamava a grande área – verde e ardida –, cenário dos grandes lances e chutes a gol.

grande resenha facit

Foi a primeira mesa-redonda sobre futebol realizada na TV. O programa estreou na TV Rio em 1963 com outro nome – *Grande Revista Esportiva* – e se transferiu para a Globo, devidamente patrocinado e rebatizado em 1966.

Cabia ao mediador Armando Nogueira, auxiliado pelo âncora Luís Mendes, "tourear" as feras: o tricolor roxo Nelson Rodrigues, o flamenguista doente José Maria Scassa, o botafoguense João Saldanha e os vascaínos Vitorino Vieira e Ademir, ex-artilheiro do time.

Isenção? Imparcialidade? Nem pensar. Cada um tratava de fazer as defesas mais apaixonadas do próprio time. Armando (botafoguense discreto) ficava no meio do tiroteio, postura sempre ereta, como um estranho no ninho: o único a tentar emitir opiniões equilibradas, enquanto a casa caía...

os dribles de nelson Nelson Rodrigues era o artilheiro do *Grande Resenha Facit*. Quando o videoteipe exibia um impedimento no gol do Fluminense, ele decretava: "O videoteipe é burro!". Outra de suas máximas levava os adversários ao chão: "Se os fatos estão contra mim, pior para os fatos". Míope confesso e avesso aos óculos, Nelson costumava ir ao Maracanã com amigos como Armando Nogueira. Quando o jogo acabava, ele encarava o companheiro e disparava: "O que nós dois achamos desse jogo?". Armando o chamava de "Nosso Homero". Por não enxergar, Nelson "transcendeu" o fato esportivo com a genialidade de ficcionista.

DISQUE
TV GLOBO

1967

Roda, roda, roda e avisa!

E lá vem ele: José Abelardo Barbosa de Medeiros.

Bacalhau para a platéia, Troféu Abacaxi para os calouros, chacretes estonteantes por todos os lados – tudo isto e muito mais ao som da buzina mais famosa do Brasil.

No dia 5 de julho de 1967 – quarta-feira, 20h30 –, Chacrinha desembarcou na Globo (depois de passar pela Tupi, Excelsior e TV Rio) com sua discoteca psicodélica e as roupas mais espalhafatosas da televisão brasileira.

Ficaria cinco anos no ar, sempre em dose dupla... ou quádrupla. Apresentava *A Discoteca* e *A Buzina* às quartas e domingos no Rio e às quintas e sábados na TV Paulista.

Em 1972, Chacrinha iria embora da Globo, passando dez anos fora até a volta triunfal nos anos 80.

ASPAS

O Ibope é meu santo padroeiro."

(Chacrinha)

VOCÊ SABIA?

❙ Em suas primeiras aparições na TV, Chacrinha já exibia o disco de um telefone gigante pendurado no pescoço e um boné de jockey na cabeça. Com essa fantasia, o "disc-jockey" ganhou sua versão televisiva.

❙ Um dos principais bordões de Chacrinha, "Roda, roda, roda e avisa!", foi inspirado por Régis Cardoso. Era esta a instrução repetida pelo diretor aos câmeras durante as gravações da novela *A Sombra de Rebecca*. Chacrinha ouviu, repetiu e transformou a frase em chamada de intervalo comercial. "Roda, roda, roda e avisa... um minuto pro comercial..."

era um barato a buzina do chacrinha...

❙ Chacrinha promoveu alguns dos concursos mais bizarros do Brasil: distribuiu prêmios para a galinha que botasse ovo mais rápido e para o cachorro com o maior número de pulgas.

❙ As datilógrafas mais rápidas do Brasil, o garçom mais simpático, a Miss Vovó e a mais bela comerciária também entraram no páreo.

❙ O concurso mais disputado foi o da mais bela estudante do país. Chacrinha apresentou a finalíssima no estádio do Maracanãzinho lotado, em 1969.

❙ A cada programa, Chacrinha oferecia também prêmios a quem acertasse quantas vezes ele usaria a buzina durante o show de calouros. A cada buzinada, um concorrente era eliminado.

Buzinadas

❙ Abelardo Barbosa começou a virar Chacrinha na rádio, em 1943. O primeiro programa apresentado por ele foi *O Rei Momo na Chacrinha*, transmitido pela Rádio Clube de Niterói, onde havia uma pequena chácara – a "Chacrinha".

❙ Quem o via na sala vazia – e sombria – da emissora levava um susto. Cercado por pratos, panelas, latas, apitos e chocalhos, ele usava toda e qualquer bugiganga à mão para fazer barulho. Em casa, a impressão que se tinha é de que Chacrinha estava acompanhado por uma multidão.

❙ Sucesso no rádio, Chacrinha estreou na TV Tupi carioca em 1956, ou seja, 11 anos antes de trabalhar na Globo.

❙ Chacrinha foi o primeiro apresentador da TV a romper os limites do palco e revelar as câmeras e os técnicos nos bastidores.

❙ Já em 1959, ele havia trocado o terno, a gravata-borboleta e outros adereços exóticos por fantasias bem mais extravagantes. A comediante Leda Maria foi uma das incentivadoras da metamorfose.

MÚSICA

CANTE COM A GENTE

**Abelardo Barbosa / Está com tudo e não está prosa
Menino levado da breca / Chacrinha é mais Chacrinha
Com *A Buzina* e *A Discoteca* / Ó, Terezinha, ó Terezinha
É um barato a *Discoteca do Chacrinha*"**

(*Música-tema do Chacrinha*, Miguel Gustavo)

a rainha louca

Este era o título da nova loucura assinada por Glória Magadan, a "Dama de Ferro" da dramaturgia: uma adaptação de *Memórias de um Médico,* de Alexandre Dumas. A história se passa em meio às guerras de anexação travadas por Napoleão no século 18. Ou melhor: passava. Por ordem de Boni, recém-chegado à emissora, a trama foi transferida para o século 19. Era o início de uma queda-de-braço entre o novo diretor e a antes intocável diretora do Departamento de Novelas.

VOCÊ SABIA?

- *A Rainha Louca* foi a primeira novela dirigida por Daniel Filho na Globo.
- *A Rainha Louca* marcou também a estréia de Paulo Gracindo e Zilka Salaberry em novelas da Globo.

sayonará, yoná

Mais uma adaptação rocambolesca assinada por Glória Magadan, *A Sombra de Rebecca* foi inspirada na ópera *Madame Butterfly*, de Giacomo Puccini, e no romance *Rebecca*, de Daphne du Maurier. Essa mistura gerou a triste história de amor não correspondido entre a oriental Suzuki – interpretada por Yoná Magalhães – e o jovem galã Felipe (Carlos Alberto). Uma tragédia. . . japonesa.

Preterida por seu amante – e contrariando todas as tradições do Japão –, Suzuki comete suicídio num ritual de haraquiri, restrito aos homens. Tudo ao som da ópera *Madame Butterfly*, é claro.

anastácia, a mulher sem destino

Sem destino mesmo ficaram os personagens da novela escrita pelo ator "promovido" a autor Emiliano Queiroz. Baseada no folhetim francês *A Touti Negra do Moinho* e supervisionada por Glória Magadan, a história se passava na Rússia logo depois do czarismo. Anastácia – interpretada por Leila Diniz – era uma moça pobre atormentada por um drama: quem seria seu pai? Abandonada na floresta, fruto de uma paixão proibida, ela foi encontrada por um velho lenhador e penou como "mulher sem destino" até descobrir a lancinante verdade: era a filha caçula do último czar russo, Nicolau II.

A profusão de personagens em cena e o emaranhado de histórias paralelas deram um nó na trama. Para tentar desatar esse nó – enquanto a audiência desabava –, foi convocada às pressas uma novelista da Rádio Nacional e da TV Tupi: Janete Clair.

Sua primeira medida na Globo foi...

... um terremoto

Janete Clair apertou o botão de sua máquina de escrever e, de repente, sumiram de cena 100 personagens da novela de Emiliano Queiroz. Um terremoto providencial dizimou a ilha vulcânica das Antilhas onde Anastácia tinha se refugiado no meio da confusão. Vinte anos se passaram... e a novela começou de novo, com alguns poucos sobreviventes e muito mais clareza.

Entre mortos e feridos, resgatou-se a paciência do público e salvou-se a audiência da novela.

Foi a primeira mágica de Janete Clair na Globo. Glória Magadan estava com os dias contados.

O Homem Proibido

"demian esteve aqui"

O nome dele era Kim (personagem de Carlos Alberto). Kim amava Surama (Yoná Magalhães), mas foi afastado do amor de sua vida pelos poderosos da cidade de Canchibur, na Índia. Estamos, é claro, no território de Glória Magadan.

Kim não levou desaforo para casa e – no melhor estilo Zorro – decidiu se vingar de todos os adversários de sua paixão. Por onde passava, ele "fazia justiça" e deixava sua marca: "Demian esteve aqui".

Em pouco tempo, muros da cidade do Rio de Janeiro foram pichados com a marca do vingador. A frase ganhou tanta força que, entre o público, a novela passou a ser conhecida como "Demian, o Justiceiro".

VOCÊ SABIA?

- A cidade de Canchibur foi construída no terraço da emissora. Nos pilotis onde antes ficara "ancorado" o navio de *Eu Compro Essa Mulher* surgiram ruas típicas da Índia, com direito a camelos alugados de um circo.
- Pela primeira vez, uma atriz cortou o cabelo em cena. Foi Norma Blum, no papel de uma personagem internada num hospício. Ou seja: Norma foi precursora de Carolina Dieckmann (a Camila, que teve os cabelos raspados, em *Laços de Família*).

que venham os touros

Com vocês, Glória Menezes e Tarcísio Meira. O casal de protagonistas da primeira telenovela diária do Brasil – *25499 Ocupado*, exibida pela Record em 1963 – desembarcou na Globo para dar vida ao toureiro Juan Gallardo e à irresistível Doña Sol em *Sangue e Areia*, adaptação do romance de Blasco Ibanez assinada por Janete Clair, sob a supervisão – ou seja, crivo feroz – de Glória Magadan.

acredite se quiser No concorrido terraço da TV Globo (ele de novo...) foi construída uma arquibancada para simular uma praça de touros. O público – composto por 25 gatos-pingados – ficava sentado sobre praticáveis de 1,5 m por 3,5 m.

Nas cenas em que Juan Gallardo duelava com um touro miúra, o papel de touro era desempenhado por uma roda de bicicleta com chifres guiada pelo ator Fernando José.

O clímax da história acontecia quando Sol arrancava os próprios olhos para provar seu amor por Juan Gallardo.

Olé!

o mago da maquiagem Em *Sangue e Areia*, entrou em cena também, nos bastidores, o maquiador polonês Eric Rzepecki (pronuncia-se Gepéski). Cabia a ele a missão de transformar a jovem Arlete Salles, então com 22 anos, numa mulher de 45. Eric aproveitava o preto-e-branco da televisão da época para carregar nas tintas. A espanhola Doña Sol, de Glória Menezes, ganhava um "colorido" todo especial graças às mágicas de Eric.

VOCÊ SABIA?

❙ Janete foi convocada para escrever a novela por Daniel Filho, que conseguiu persuadir Glória Magadan. Daniel assumiu a direção de *Sangue e Areia* enquanto ainda dirigia *O Homem Proibido*, mas tratou de usar um pseudônimo: Carlos Ferrer, combinação de seu segundo nome com o sobrenome da avó paterna.

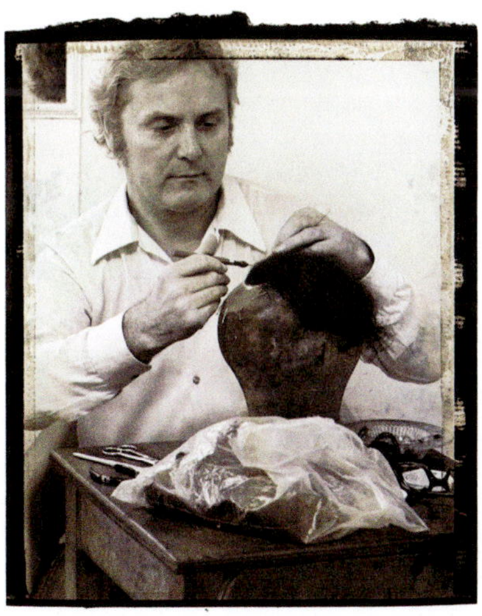

Curriculum Vitae

❙ Eric nasceu na Polônia e chegou a ser prisioneiro dos alemães na Segunda Guerra Mundial, antes de migrar com a família para o Brasil.

❙ Quando estreou na Globo, em outubro de 1966, ninguém sabia direito sua função. "Achavam que eu era um barbeiro melhorado", dizia Eric.

❙ No final da década de 1980, ele se tornaria chefe do Departamento de Caracterizações da Globo, responsável por mais de 120 maquiagens por dia.

Ted Boy Marino em mais uma vitória

com vocês, os reis do ringue

♦ O anúncio da nova atração da Globo – o *Telecatch Montilla* – já dizia tudo. Os "reis do ringue" se enfrentariam, todos os sábados, a partir das 20h, em combates eletrizantes. Façam suas apostas:

♦ O galã Beto X O traiçoeiro Mongol

♦ O exótico Leopardo X O veterano e perigoso Touro de Bronze

♦ A técnica de Sérgio X A eficiência de Scomparim

♦ Bem-vindos ao mundo encantado das lutas livres mais absurdas do planeta.

♦ Valia tudo no *Telecatch*: dedo no olho, mordida na orelha, tijoladas na cabeça. Até bater no juiz era permitido.

♦ Mas tudo de "mentirinha", como mandava a cartilha do espetáculo-marmelada. O *Telecatch* era puro circo. E era um fenômeno de audiência.

As "regras" do *Telecatch*

♦ As lutas colocavam, frente a frente, o "bonzinho" e o "malvado".

♦ O golpe mais espetacular era a "tesoura voadora". O lutador se lançava com os dois pés contra o peito do adversário e o arremessava na lona.

♦ Com o "soco-inglês" (de mentira, é claro), os "malvados" batiam até tirar sangue dos bonzinhos. O sangue espirrava na lona e arrancava urros da platéia. As câmeras só não mostravam o momento em que os "malvados" pegavam saquinhos de plástico com groselha no córner e os escondiam embaixo do soco-inglês, instantes antes de desfecharem seus golpes cruéis.

E o vencedor é... Ted Boy Marino

Com seu cabelo louro escorrido sobre a testa, Ted Boy Marino (nome artístico do italiano Mario Marino) foi o grande herói do *Telecatch*. Ninguém era páreo para ele, nem os misteriosos Fantomas e Mister X. Na Globo, durante os dois anos em que o programa ficou no ar, Ted chegava a receber mais de duas mil cartas por semana e precisava de guarda-costas para entrar na emissora.

ACREDITE SE QUISER

Ted Boy Marino foi um dos Trapalhões na primeira formação do grupo. Ele era o "personagem estourado" do quarteto completado por Renato Aragão (o palhaço) e os cantores Ivon Cury (o diplomata do grupo) e Wanderley Cardoso (o galã).

bendita grávida

Mulheres de um lado do palco. Homens do outro. No centro, o diretor e apresentador do programa *Casamento na TV*, Raul Longras.

– Como você imagina o homem ideal? – perguntava o cupido.

– Sincero, bonito, honesto e trabalhador – respondiam as candidatas.

– E como você imagina a mulher ideal? – Longras repetia aos homens.

– Sincera, fiel e que viva para mim e para os nossos filhos...

Exibido ao vivo, todo domingo, a partir das 19h, o programa estreou em agosto com audiência abaixo das expectativas. Até o dia em que irrompeu no palco – com a devida autorização da produção – uma jovem grávida e furiosa.

Ela avançou na direção de um candidato a noivo e, com o dedo em riste, acusou o "oferecido" e "sem-vergonha" de ser o pai de seu filho. No dia seguinte, o caso estava em todos os jornais: "Escândalo na TV".

Graças à grávida, o *Casamento na TV* virou notícia e caiu nas graças do público.

sopa de letrinhas

NTSC (americano), PAL (alemão) ou SECAM (francês)? Qual o sistema de TV em cores ideal para o Brasil? Era esta a charada a ser resolvida pelo governo brasileiro antes de inaugurar a era da televisão colorida no país. Para decidir a peleja, nomeou-se uma comissão de quatro engenheiros e especialistas em eletrônica da USP. Em março, saiu o veredito: o país adotaria o PAL – com uma pequena adaptação. Como a transmissão do PAL era de 625 linhas e o padrão brasileiro de preto-e-branco tinha 525 linhas, foi criado o "PAL-M", ou seja, o PAL com "M", de "Modificado". Cinco anos depois da decisão, seria realizada a primeira transmissão oficial em cores no Brasil.

Antológico!

A Globo entrou no ritmo dos festivais musicais em 1967, quando transmitiu o *II Festival Internacional da Canção*.

Chegou na hora certa. A terceira edição do evento, em 1968 – a segunda exibida pela Globo – entrou para a história da MPB e do Brasil.

Maracanãzinho lotado. Trinta mil espectadores vêem o jovem Geraldo Vandré, sozinho no palco, colocar o pé numa banqueta, tirar alguns acordes do violão e disparar, quase à capela:

"Caminhando e cantando
E seguindo a canção
Somos todos iguais
Braços dados ou não (...)"

O silêncio tomou conta do estádio e, em minutos, deu lugar a um coro, uma ovação. A multidão passou a exigir, aos berros, a vitória do hino contra a ditadura militar.

Começava a peleja.

De um lado, entre as finalistas, estava a incendiária *Para não dizer que não falei de flores*, de Vandré, e de outro, a um tanto enigmática *Sabiá*, de Tom Jobim e Chico Buarque de Hollanda:

"Vou voltar
Sei que ainda vou voltar
Para o meu lugar (...)"

Poucos no estádio, além dos jurados, entenderam a mensagem dessa nova *Canção do Exílio*. Era difícil "ler nas entrelinhas" em tempos tão radicais.

Interpretada por Cynara e Cybele, *Sabiá* foi a mais votada pelo júri e a mais vaiada pela multidão revoltada, ávida por músicas de protestos sem meios termos nem meios tons.

Dias depois, em artigo publicado no jornal *Correio da Manhã*, o coronel Otávio Costa exigia a prisão de Geraldo Vandré por subversão.

FRANCA DECADÊNCIA... E UMA REVELAÇÃO

Na edição de 1971, nada menos que 25 das 36 músicas classificadas para o *Festival Internacional da Canção* foram censuradas. No ano seguinte, poucos dos grandes nomes inscreveram canções. A maior revelação do evento foi Maria Alcina, com seu vozeirão a serviço de *Fio Maravilha*, de Jorge Ben.

Lúcio Mauro, Sônia Mamede, Tião Macalé, Brandão Filho, Wellington Botelho, Paulo Gracindo, Lilico e Carlos Leite

1968

Mestres do riso

Em cena, as confusões vividas pelos moradores de um mesmo edifício, o *Balança Mas Não Cai.*

Fenômeno de audiência nos tempos da Rádio Nacional, na década de 1950, o humorístico entrou no ar, ao vivo, na TV Globo, em 1968. Em pouco tempo, repetiu o sucesso do rádio.

O Rio de Janeiro inteiro passou a repetir os bordões de personagens inesquecíveis como o Primo Rico (Paulo Gracindo) e o Primo Pobre (Brandão Filho) e o casal Fernandinho (Lúcio Mauro) e Ofélia (Sônia Mamede).

"Eu só abro a boca quando tenho certeza!", Ofélia dizia e o público fazia coro. Rir era o melhor remédio.

Primo Rico e Primo Pobre

BALANÇA MAS NÃO CAI

Ofélia e Fernandinho

O PRIMO RICO E O PRIMO POBRE

Primo Rico: Olha aqui, primo, de uma coisa eu me orgulho. Nesta casa ninguém passa fome.

Primo Pobre: Mas eu estou passando.

Primo Rico: Mas será por pouco tempo. Principalmente você, que é meu primo, não vai passar fome aqui em casa.

Primo Rico (chamando o mordomo): Charles!

Charles: Yes, sir!

Primo Rico: Leva o primo lá para fora. Aqui em casa você não passa fome. Vai passar fome na sua.

Primo Pobre: Primo, você é ótimo.

Primo Rico: Primo, você também é ótimo!

COM A PALAVRA, OFÉLIA

Fernandinho (apresentando Bibi Ferreira à Ofélia): Minha querida, quanto prazer. Vem cá que eu vou te apresentar à minha mulher. Esta é a Ofélia.

Bibi: Muito prazer. Bibi.

Ofélia: Ah, eu também já bebi, sabe? Mas parei. Começaram a me aparecer uns problemas no "figo".

Bibi: Problemas onde?

Ofélia: No "figo". Aqui perto dos "rinzes". Do lado do "estombugo". Aí, fiquei com medo de pegar aquela doença que tem nome de flor.

Bibi: Doença que tem nome de flor?

Ofélia: Cirrosa.

festival de confusões

De tédio ninguém morria na novela *Passo dos Ventos*, de Janete Clair. A trama e os bastidores foram marcados por uma série de confusões.

de costas O ator Mário Lago, comunista de carteirinha, foi preso pelos militares durante as gravações. Seu personagem – Dubois – passou a ser interpretado pelo diretor da novela, Régis Cardoso. Para disfarçar, Régis aparecia sempre de costas...

escândalo A trama causou polêmica ao exibir o "namoro inter-racial" entre os personagens de Djenane Machado e Jorge Coutinho.

troca de casais O casal romântico da novela era formado por Glória Menezes e... Carlos Alberto. Um disparate para o público acostumado a ver Glória e Tarcísio juntos. Pior: Tarcísio estava "traindo" Glória em *A Gata de Vison,* exibida na mesma época. E adivinhem com quem? Com Yoná Magalhães, o par mais constante de Carlos Alberto. O suingue, é claro, não deu certo.

amaral neto, o repórter

O Brasil conheceu a pororoca – encontro das águas do mar com o rio Araguari, em Macapá – graças a este repórter de cabelos brancos, apaixonado pelo "Brasil Grande" e admirado pelos militares.

A bordo de helicópteros, com o apoio da Aeronáutica, Amaral Neto percorreu as regiões mais longínquas e monumentais do país para mostrar o Brasil aos brasileiros, numa série de documentários ufanistas, sim, mas reveladores também. Foram mais de dez anos de aventuras.

VOCÊ SABIA?

- Para filmar as imagens da pororoca, a equipe do programa enfrentou uma viagem de nove horas de barco.
- *Amaral Neto, o Repórter* seria o primeiro programa fixo da Globo exibido em cores, em 1972.
- O diretor do programa, Chucho Narvaez, foi o responsável pela montagem da primeira equipe de cinegrafistas da Globo.

made in usa

Eles vieram dos Estados Unidos e se tornaram estrelas da TV brasileira. Os seriados importados – os chamados "enlatados" – chegaram a ocupar metade da programação das emissoras de TV na década de 1960. Era bem mais barato e muito menos arriscado (em tempos de censura) comprar os produtos *made in USA*.

E aqui estão eles – nossos super-heróis e anti-heróis mágicos, cômicos, sedutores, irresistíveis.

Você se lembra? É claro que sim...

os bons e velhos super-heróis

Eles saíram dos quadrinhos e desembarcaram na TV para proteger o planeta de vilões da pior espécie. Sorte nossa poder contar com Super-Homem, Zorro, Batman e Robin, Homem-Aranha e esta turma toda que nos acompanha – e nos salva – até hoje.

OS INTOCÁVEIS O agente Eliot Ness (Robert Stack) descarregava munição contra os gângsteres em *Os Intocáveis*. Bat Masterson, o gatilho mais rápido do Oeste, não deixava ninguém de pé em seus duelos eletrizantes. Mas ninguém era páreo para ele, o Agente 86.

AGENTE 86 James Bond que nos perdoe, mas jamais existiu um espião como Maxwell Smart.

VOCÊ SABIA?

Para ilustrar as brigas e reproduzir os sons dos golpes trocados entre Batman e Robin e os incansáveis vilões, a equipe de roteiristas do programa produzido pela ABC criou nada menos do que 87 onomatopéias. Além de "Crash!", "Zing!" e "Pow!", outros sons – bem mais extravagantes – entravam em cena entre um soco e outro: Eee-yow!, Zowie!, Zamm!, Whammm!, Splatti!, Awk! Santa imaginação, Batman!

Ele fazia tudo, absolutamente tudo, errado e – no fim das contas – tudo dava certo. Essa era a marca registrada do nosso herói, o espião mais desastrado de todos os tempos, Maxwell Smart (Dom Adams), codinome Agente 86.

Para cumprir suas missões a serviço da organização secreta Controle, comandada pelo misterioso "Chefe" (Edward Platt), Maxwell Smart contava com a valiosa ajuda de sua fiel esposa, a bela e competente Agente 89 (Barbara Feldon).

A serviço da dupla, recursos tecnológicos de "última geração" como o famoso "sapatofone", usado pelo Agente 86 para contatar o quartel-general.

VOCÊ SE LEMBRA?

- "Mais rápido do que uma bala. Capaz de saltar sobre um edifício. Cruzando veloz os céus de Metrópolis. Será um pássaro? Um avião? Não! É o Super-Homem."
- O verdadeiro nome de Zorro era Dom Diego de La Vega e seu principal inimigo era o tirânico Capitão Monastério, sempre "auxiliado" pelo atrapalhado Sargento Garcia.
- "Santa surpresa, Batman!" "Santa engenhosidade, Batman!" Quanta empolgação, Robin!

que famílias!

FAMÍLIA MONSTRO Antes dos Addams, Herman Munster (Fred Gwynne) e sua prole constituíam a família mais excêntrica e exótica do planeta. Herman, o patriarca, havia sido criado pelo Dr. Frankenstein e, apesar de sua aparência, digamos, monstruosa, agia como bom marido e pai devotado. O melhor de tudo na série: acompanhar a relação da Família Monstro com a doce e bem-educada Marilyn (Pat Priest) – sobrinha adotada pela vampira Lily (Yvonne De Carlo), esposa de Herman –, tão humana quanto nós e considerada o "patinho feio" da casa.

FAMÍLIA BUSCAPÉ Outra trupe nada convencional naqueles anos 60 era a família Buscapé. Eles viviam na beira de um pântano lá na Louisiana, na mais pacata miséria, até o dia em que Jed Clampett (Buddy Ebsen) descobriu um poço de petróleo em suas terras. Depois de vender sua descoberta por 25 milhões de dólares para uma companhia petrolífera, os Buscapé se mudaram para uma mansão em Beverly Hills, em Los Angeles. E começaram as confusões.

OS TRÊS PATETAS Sai de baixo porque aí vêm eles: Moe (Moe Howard), Larry (Larry Fine) e Curly (Jerome Lester Horwitz), três irmãos atrapalhados, em conflito com o mundo e sempre prestes a se lambuzarem em guerras de tortas. Em 1966, o trio já consagrava o gênero "pastelão" na TV brasileira. Haja glacê.

Família Monstro

e que mundos!

TERRA DE GIGANTES Um planeta 12 vezes maior do que a Terra, habitado por seres humanos 12 vezes maiores do que a gente. Esta era a *Terra de Gigantes,* onde a espaçonave Spindrift foi parar depois de ser atingida por uma misteriosa tempestade magnética.

Que o governo militar não nos escute, mas os habitantes do tal planeta viviam sob uma ditadura cruel, submetidos à represssão da polícia política (a SID). Tudo a ver com o Brasil do SNI, mas ninguém nos quartéis percebia. Nem mesmo quando entravam no ar episódios como "Guerrilheiros" e "Lavagem cerebral", repletos de cenas de luta armada contra o regime opressor.

NATIONAL KID O programa era muito, muito ruim, e fazia muito, muito sucesso. Efeitos especiais abomináveis e atores precários embalavam as aventuras do impagável National Kid, um super-herói de capa esvoaçante e capacete equipado com radar, vindo do Planeta Alfa Centauro para defender a Terra da ameaça de inimigos extravagantes, como os Incas Venusianos, os Seres Abissais, os Zarrocos e os Homens Subterrâneos.

National Kid estreou na Globo em 1972 e foi o primeiro super-herói japonês a se tornar celebridade no Brasil.

MÚSICA

CANTE COM A GENTE

Será nuvem, tempestade ou raio?
Lutando pela paz do mundo
Levantando alto as duas mãos
Voando pelo cosmo o nosso herói
Oh! O seu nome é Kid!
Hey! National Kid! Ele é o nosso herói, Kid!
National Kid!"

TÚNEL DO TEMPO Um túnel capaz de transportar pessoas e objetos através do tempo. E dentro dele – batendo cabeça de época em época, em meio a uma pane sem fim – os dois inventores da engenhoca: os cientistas Tony (James Darren) e Doug (Robert Collbert). Com a máquina em reparo, eles vagavam no tempo e no espaço e se intrometiam em momentos históricos, enquanto nós torcíamos para a viagem não acabar nunca.

jeannie ou feiticeira?

De um lado, a bela feiticeira Samantha (Elizabeth Montgomery), capaz de fazer mágicas incríveis com a ponta do nariz. De outro, a trepidante "gênia da lâmpada" Jeannie (Barbara Eden), com sua barriga impecável sempre à mostra.

Meninos de todas as idades sonhavam ser chamados de "amo" pelas duas.

VOCÊ SABIA?

Jeannie foi criada por encomenda dos executivos da rede de TV NBC para enfrentar *A Feiticeira*, da ABC. O encarregado de desenvolver o roteiro do novo seriado foi um jovem novelista iniciante chamado Sidney Sheldon.

e um ilustre representante nacional

É ele. O *Vigilante Rodoviário*. A bordo do seu reluzente Simca Chambord ou de sua tonitruante moto Harley-Davidson, o vigilante rodoviário – Carlos era o nome dele – enfrentava todos os perigos para manter a lei e a ordem nas rodovias de São Paulo. O seriado, criado e dirigido pelo cineasta Ary Fernandes, foi lançado em 1961 pela TV Tupi e estreou na Globo em 1972.

VOCÊ SABIA?

- O vigilante Carlos tinha um companheiro fiel: Lobo, um vira-lata com pose de pastor alemão.
- Quando deixou de fazer o papel de *Vigilante Rodoviário*, o ator Carlos Miranda prestou concurso público e se tornou… policial rodoviário!
- O cachorro costumava fugir de casa para ficar com a equipe de filmagem. Numa dessas escapadelas, morreu atropelado.

testando

1. O destemido Lobo que nos perdoe, mas o melhor amigo das crianças era o pastor alemão Rin Tin Tin, mascote de um órfão que perdeu os pais num ataque indígena. Qual o nome do menino?

a) Bob
b) Rusty
c) Billy

2. O ator Johnny Weissmuller (o mais famoso Tarzan do cinema) foi escalado para dar vida a *Jim das Selvas* na TV. Qual o nome da macaca que o acompanhava nas novas aventuras selvagens?

a) Chita, como nos tempos de Tarzan
b) Jane, homenagem dos roteiristas à paixão de Tarzan
c) Tamba – ninguém sabe por quê

3. Sonso e dissimulado, ele era um risco para a tripulação da nave Júpiter 2 em *Perdidos no Espaço*. Qual o nome do espião encarregado de transformar a vida da Família Robinson num inferno intergalático?

a) Zachary Smith
b) Harold Smith
c) Barth Smith

4. Com seu chapéu gigantesco e o corpo franzino, a *Noviça Voadora* (Sally Field) levantava vôo quando o vento soprava mais forte – e nos arrastava com ela em suas aventuras. Antes de se tornar noviça, ela tinha outra ocupação. Qual?

a) costureira
b) professora
c) surfista

5. Em *Kung Fu*, qual era o apelido ou nome de guerra do personagem zen – mestre em artes marciais – vivido pelo ator David Carradine?

a) Gafanhoto
b) Mestre Kan
c) Kway Chang

6. "Boa noite, John Boy." "Boa noite, Mary Helen (...)." Este diálogo entre dois irmãos encerrava sempre o seguinte seriado:

a) *Família Buscapé*
b) *Os Waltons*
c) *Família Dó-Ré-Mi*

Respostas: 1-b / 2-c / 3-c / 4-a / 5-a / 6-b

Via satélite

No dia 26 de fevereiro, o jornal *O Globo* anunciou em página inteira: "Dia 28 de fevereiro (anote esta data histórica), a televisão brasileira estará ligada ao mundo inteiro em transmissões diretas através do satélite Intelsat III".

Um Brasil via satélite – ligado ao mundo – começava a entrar no ar... E na hora certa: o momento em que a nave Apolo 9 seria testada antes do envio de astronautas à Lua.

O anúncio festejava os dois feitos ao mesmo tempo:

"Você assistirá a todos os lances do espetacular vôo da Apolo 9, desde o seu lançamento em Cabo Kennedy, o audacioso acoplamento no espaço, até a sua emocionante descida no Pacífico. Você estará participando de todos esses acontecimentos no mesmo instante em que eles estarão ocorrendo."

Uma nova era estava começando neste ano revolucionário para a TV Globo. Um ano de virada em todas as áreas.

Cid Moreira e Hilton Gomes

direto de roma O vôo da Apolo 9 foi adiado por problemas técnicos, mas a TV Globo concluiu sua "missão espacial" via satélite sem astronautas mesmo. No dia 28, a estação da Embratel começou a operar. Às 11h, Hilton Gomes apresentou ao vivo, "direto de Roma", uma entrevista com o papa Paulo VI, gravada na véspera:

"Esta é a primeira reportagem internacional via satélite para o Brasil, inaugurando, oficialmente, o Intelsat III, numa transmissão em cadeia para todo o Brasil, comandada pela Embratel".

o céu não é mais o limite No dia 20 de julho de 1969, o inacreditável aconteceu: a nave espacial americana Apolo 11 pousou na planície lunar. Mais de 600 milhões de pessoas, em todo o mundo, assistiram ao espetáculo, exibido ao vivo pela TV. Eram 23h56, horário de Brasília, quando Neil Armstrong, o comandante da missão, pisou na Lua e pronunciou a frase histórica:

"É um pequeno passo para o homem, um salto gigantesco para a humanidade".

O repórter Hilton Gomes narrou o desembarque dos astronautas na Lua direto dos estúdios da TV Globo no Jardim Botânico.

sem café A nitidez das imagens geradas do espaço via satélite era tanta que muitos telespectadores duvidaram da chegada do homem à Lua. Ao tomar um café no bar da esquina, Hilton Gomes ouviu da moça que sempre o atendia: "Você é um mentiroso! O homem não foi à Lua coisa nenhuma!".

Como outros fregueses também o encaravam desconfiados, Hilton desistiu do café e saiu de fininho.

deu certo... para a NASA e para a Globo.

Graças à transmissão da chegada do homem à Lua, a TV Globo conquistou pela primeira vez a liderança na audiência em São Paulo, de ponta a ponta, de manhã até a noite. Um milagre para a emissora que, até pouco tempo, era a quinta colocada no *ranking* paulista.

liderança Em setembro do mesmo ano, quando o *Jornal Nacional* entrou no ar, a TV Globo já era líder absoluta de audiência no Rio de Janeiro e exibia três dos dez programas mais vistos em São Paulo. Dois anos depois, a emissora passaria a exibir os dez campeões de audiência nas duas capitais.

VOCÊ SABIA?

Os astronautas Neil Armstrong e Michael Collins desfilaram em carro aberto pelas ruas do Rio de Janeiro em outubro de 1969, pouco mais de dois meses depois de terem desembarcado no solo lunar.

"arrancada para unir o país"

No dia 30 de agosto, revistas e jornais passaram a estampar o anúncio de mais um feito tecnológico: "Vamos lançar um telejornal para que 56 milhões de brasileiros tenham mais coisas em comum. Além de um simples idioma".

O subtítulo explicava: "A partir do dia 1° de setembro, a Edição Nacional do Telejornal da Rede Globo irá ao ar de segunda a sábado, às 19h40, simultaneamente nos estados do Rio Grande do Sul, Paraná, São Paulo, Guanabara, Minas Gerais e Distrito Federal".

A primeira frase do anúncio arrematava:

"A Rede Globo inicia sua arrancada para unir o país pela TV".

Dito e feito.

Nos bastidores, Armando Nogueira e Alice-Maria se preparavam para a decolagem.

a grande escalada nacional Primeiro de setembro de 1969. Faltam quinze minutos para as oito da noite. O apresentador Hilton Gomes anuncia:

"O *Jornal Nacional,* da Rede Globo, um serviço de notícias integrando o Brasil novo, inaugura-se neste momento: imagem e som de todo o Brasil".

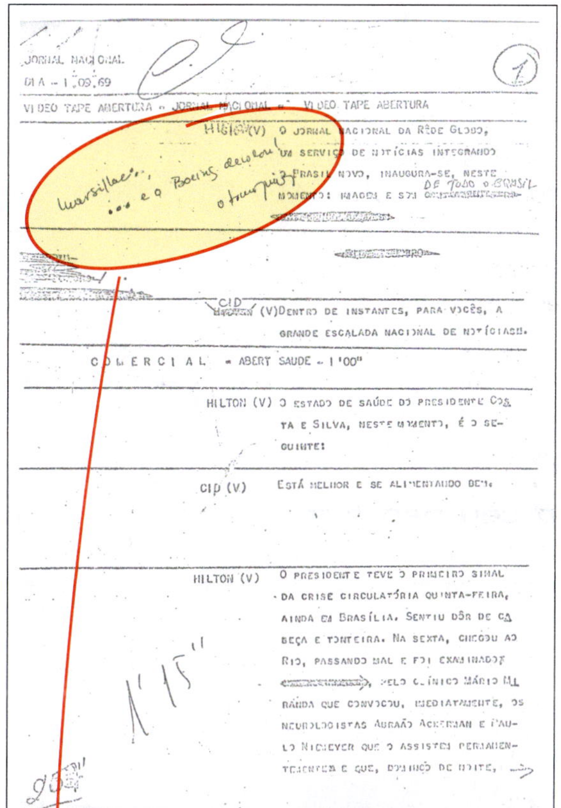

JORNAL NACIONAL
DIA – 1.09.69

VIDEO TAPE ABERTURA – JORNAL NACIONAL – VIDEO TAPE ABERTURA

HILTON (V) O JORNAL NACIONAL DA RÊDE GLOBO, UM SERVIÇO DE NOTÍCIAS INTEGRANDO O BRASIL NOVO, INAUGURA-SE, NESTE MOMENTO: IMAGEM E SOM DE TODO O BRASIL

CID (V) DENTRO DE INSTANTES, PARA VOCÊS, A GRANDE ESCALADA NACIONAL DE NOTÍCIAS.

COMERCIAL – ABERT SAUDE – 1'00"

HILTON (V) O ESTADO DE SAÚDE DO PRESIDENTE COSTA E SILVA, NESTE MOMENTO, É O SEGUINTE:

CID (V) ESTÁ MELHOR E SE ALIMENTANDO BEM.

HILTON (V) O PRESIDENTE TEVE O PRIMEIRO SINAL DA CRISE CIRCULATÓRIA QUINTA-FEIRA, AINDA EM BRASÍLIA. SENTIU DÔR DE CABEÇA E TONTEIRA. NA SEXTA, CHEGOU AO RIO, PASSANDO MAL E FOI EXAMINADO, PELO CLÍNICO MÁRIO MIRANDA QUE CONVOCOU, IMEDIATAMENTE, OS NEUROLOGISTAS ABRAÃO ACKERMAN E PAULO NIEMEYER QUE O ASSISTEM PERMANENTEMENTE E QUE, DOMINGO DE NOITE,

Cid Moreira, ao lado dele na bancada, completa:

"Dentro de instantes, para vocês, a grande escalada nacional de notícias".

No canto superior da primeira página do *script* do primeiro telejornal em rede exibido no país, o diretor de telejornalismo da Globo, Armando Nogueira, escreveu para o diretor de imagens, Alfredo Marsillac, em letra miúda: "E o boeing decolou".

O vôo inaugural foi um sucesso.

a pauta da estréia Deu no primeiro *Jornal Nacional* da história.

Manchete do dia: o presidente Costa e Silva "recuperava-se" de uma crise circulatória e o governo estava entregue a uma junta militar formada pelos ministros Augusto Rademaker, da Marinha, Lira Tavares, do Exército, e Mário de Souza Melo, da Aeronáutica.

Direto de Porto Alegre: Hilton Gomes repercutia, da cidade natal de Costa e Silva, o Ato Institucional número 12, que transferia os poderes de governo à Junta Militar e não ao sucessor legal, o vice-presidente civil Pedro Aleixo.

Destaques internacionais: morria o boxeador campeão mundial de pesos-pesados Rocky Marciano. Notícias e imagens de agências, enviadas da Líbia, Paquistão e Japão, também entraram no ar.

Outras notícias: o litro da gasolina azul (especial) passava a custar 48 centavos de cruzeiro novo e a gasolina comum, 39,1 centavos. Garrincha iria depor no processo pelo acidente em que morreu a mãe da cantora Elza Soares, sua mulher. E mais: as primeiras imagens das obras de alargamento da praia de Copacabana e a previsão do tempo para Espírito Santo, Rio de Janeiro e Niterói.

Para encerrar: gol do Brasil! Era o gol número 979 da carreira de Pelé e garantia a classificação da seleção brasileira para a Copa de 1970, no México.

números

- A primeira equipe do *Jornal Nacional* era formada por quase **30** pessoas.
- O "boa noite" do *Jornal Nacional* seria repetido mais de **8 mil** vezes por Cid Moreira ao longo dos 27 anos seguintes.
- **15** minutos: esta era a duração inicial do *Jornal Nacional*.
- Embalado pelo *slogan* "A notícia unindo **6 milhões** de brasileiros", o *Jornal Nacional* exibia, na vinheta de abertura, imagens de acontecimentos e personalidades marcantes do país.

nitroglicerina pura No primeiro ano de *JN* foi preciso negociar com os censores a divulgação de notícias como:

- O derrame de Costa e Silva e sua substituição por uma junta militar.
- O seqüestro do embaixador norte-americano Charles Elbrick.
- O assassinato do guerrilheiro Carlos Marighella, líder da Aliança Libertadora Nacional (ALN), por forças militares. A versão oficial falava em "morte em combate", mas a verdade divulgada pelo *JN* era outra: execução. Com vários tiros desferidos pelas costas.

ACREDITE SE QUISER

Como não existiam fotocopiadoras na época, os textos dos programas eram mimeografados e entregues aos locutores. Resultado: a tinta azulada se soltava do papel e lambuzava mãos, rostos e roupas do apresentador e de quem estivesse pela frente.

Dias Gomes

a última valsa

Este foi o título da última novela assinada por Glória Magadan na Globo. Em cena, na Áustria do século 19, um duque acusado de espionagem em favor da Alemanha. Pobre Cláudio Marzo.

Glória Magadan foi fundamental, sim, para implantar e consolidar as telenovelas na emissora, mas era duro mudar o canal e ver, logo ali ao lado, o malandríssimo e brasileiríssimo Beto Rockfeller.

Com a saída de Glória, começaria uma nova era na dramaturgia global. A era de Daniel Filho, Janete Clair e Dias Gomes – um recém-chegado, incumbido de assumir a sinopse de *A Ponte dos Suspiros*, herança da ex-Dama de Ferro.

a ponte dos suspiros

Veneza, século 19. Os últimos suspiros da Era Glória Magadan. Quem assinava a novela era a ilustre desconhecida Stela Calderón.

Só quem trabalhava na Globo sabia. Aquele era o pseudônimo adotado por Dias Gomes – autor de peças premiadas e engajadas, como *O Pagador de Promessas* – para assumir a missão inglória sem se expor demais. Para aliviar a consciência, Dias introduziu sutilmente no "enredo alienante" uma crítica à deposição de João Goulart e uma mensagem de esperança em tempos melhores.

Nos anos 70, ele daria de presente ao Brasil personagens impagáveis como o coronel Odorico Paraguaçu e o "capitão" Zeca Diabo.

Antes disto, era preciso arrumar a casa. Ou melhor, a cabana.

a cabana do pai tomás

Pai Tomás (Sérgio Cardoso) e Tia Cloé (Ruth de Souza): casados na novela

Escrita por Hedy Maia no início e recauchutada aqui e ali por mais quatro roteiristas ao longo dos capítulos, a novela teve ao todo quatro diretores. Ou seja: foi um caos completo do início ao fim.

o branco mais preto do brasil A pedido da agência de publicidade Colgate-Palmolive, principal patrocinadora das novelas do país, Sérgio Cardoso foi escalado para protagonizar *A Cabana do Pai Tomás.*

Seria uma boa escolha, não fosse um detalhe: Sérgio era branco e o personagem, um escravo negro em luta contra latifundiários do sul dos Estados Unidos, na época da Guerra de Secessão. Para resolver esse pequeno problema, nosso galã pintava o corpo de negro, usava peruca e instalava rolhas no nariz...

O dramaturgo Plínio Marcos comandou manifestações contra essa "atitude racista" em sua coluna no jornal *Última Hora.*

nem tudo estava perdido

No dia 14 de outubro, finalmente, o "Beto Rockfeller" da Globo entrou no ar: *Véu de Noiva,* de Janete Clair.

As masmorras e calabouços da era Glória Magadan deram lugar a um Rio de Janeiro luminoso, com os bares e boates de Ipanema, casas de campo em Petrópolis e frenéticas corridas de Fórmula 1.

A inspiração para a novela – concebida por Janete para a Rádio Nacional – veio de um anúncio publicado num jornal carioca: "Vende-se um véu de noiva".

Nada de romances mirabolantes do século 19. A trama, dirigida por Daniel Filho, surgiu da realidade e arrebatou o público.

casamento feliz A novela consagrou a união entre Janete Clair e Daniel Filho. A ordem era inovar. E todos obedeceram. Trama ágil, linguagem coloquial... e generosas doses de folhetim apaixonado, que Janete preparava como ninguém.

Cláudio Marzo e Regina Duarte

som na caixa

▌*Véu de Noiva* foi a primeira novela a ter uma trilha sonora feita sob encomenda. Coube a Nelson Motta preparar a seleção musical e transformar a trilha em disco.

▌Entre os *hits* da trilha sonora estavam *Irene* (última canção composta por Caetano Veloso antes do exílio na Inglaterra) e *Gente Humilde*, de Garoto, Vinicius de Moraes e Chico Buarque – que ajudou a compor a canção a partir da Itália, onde também vivia exilado.

▌O disco vendeu mais de 100 mil "bolachas" em 1970. Um mega-sucesso embalado por *Teletema*. Você se lembra?

MÚSICA

CANTE COM A GENTE

Rumo, estrada turva, sou despedida
Por entre lenços brancos
de partida
Em cada curva sem ter você
vou mais só."

(*Teletema*, Tibério Gaspar e Antônio Adolfo)

VOCÊ SABIA?

▌*Véu de Noiva* marcou a estréia na Globo da futura "namoradinha do Brasil": Regina Duarte. Fizeram "pontas" na novela, a convite de Janete Clair, o poeta Vinicius de Moraes, o cronista Carlinhos de Oliveira e o piloto escocês Jackie Stewart, de passagem pelo Brasil.

▌O ator Cláudio Marzo fazia o papel de um piloto de corridas, Marcelo Monserrat. Na época, Emerson Fittipaldi se tornava o primeiro grande campeão brasileiro no circuito de Fórmula 1.

▌No mesmo período, Dias Gomes, marido de Janete Clair, escrevia a novela das 22h na Globo, *Verão Vermelho*. Já que a ordem era inovar, os dois criaram a seguinte cena: num dos capítulos, Flor (Myrian Pérsia), de *Véu de Noiva*, se consultava com o médico Flávio (Paulo Goulart), de *Verão Vermelho*.

silêncio no tribunal O enredo contava a triste história de Andréa (Regina Duarte), que terminou seu noivado com Luciano (Geraldo del Rey) no dia do casamento, depois de descobrir que ele tinha um caso com a irmã dela, Flor.

Flor teve um filho com Luciano, mas, sem qualquer vocação para a maternidade, entregou a criança à generosa irmã. Tudo ia bem até o dia em que Flor descobriu que não podia mais ter filhos, passando a exigir que Andréa devolvesse o menino. Resultado: uma dramática disputa que terminou nos tribunais.

Foi aí, então, que Daniel Filho teve uma idéia radical: exibir o capítulo final da novela ao vivo e pôr no estúdio um juiz de verdade, Eliézer Rosa, para julgar a causa.

Com quem deveria ficar o menino? Eis a questão.

Nem Janete nem Daniel sabiam como o capítulo terminaria. O juiz era soberano para julgar. Ao vivo, sem cortes.

Com a audiência nas alturas, o juiz bateu o martelo: a mãe adotiva – a doce, meiga e generosa Andréa – ficaria com a criança.

topo gigio

Criado na Itália, o simpático ratinho falante desembarcou no Brasil em 1969 e logo se tornou ídolo nacional. "Chove chuva, chove sem parar...", ele cantava e dançava, como bom marionete, ao lado de Agildo Ribeiro, companheiro de palco no programa de auditório *Mister Show*.

Trinta centímetros de altura, oito centímetros de orelha, Topo Gigio fora concebido na Itália por Maria Perego, em 1958, e acabou se transformando em celebridade internacional.

Os hits de Topo Gigio

- *Meu limão, meu limoeiro*
- *Cai, cai balão*
- *Capelinha de melão*
- *Sonho de papel*
- *Chove chuva*

o pasquim não perdoou No segundo ano de vida de Topo Gigio no Brasil, a turma do *Pasquim* começou a chamar o ratinho falante de homossexual. Para tentar acabar com as insinuações, a Globo escalou uma terceira apresentadora para o programa: Regina Duarte. Resultado: o *Pasquim* passou a chamar Topo Gigio de bissexual.

A Globo acabou tirando o personagem do ar.

No episódio final de *Mister Show*, Topo Gigio foi embora com uma trouxinha no ombro. De vez em quando, para a tristeza das crianças, ele se voltava para a câmera e acenava, enquanto se afastava...

VOCÊ SE LEMBRA?

- Durante o programa, Topo Gigio ensinava as crianças a cumprir suas obrigações diárias: escovar os dentes, lavar as orelhas, rezar...
- Ao se despedir das crianças, ele sempre pedia um "beijinho de boa noite".

VOCÊ SABIA?

Na Itália, Topo Gigio batia papo com celebridades como a atriz Gina Lollobrigida e, nos Estados Unidos, fazia parte do elenco do popularíssimo programa de Ed Sullivan.

1970

irmãos coragem

Em cena, as duas duplas mais populares da Globo na época: Tarcísio Meira e Glória Menezes, Cláudio Marzo e Regina Duarte. Nos bastidores, a novelista Janete Clair e o diretor Daniel Filho.

No dia 8 de junho, entrava no ar – para durar longos 326 capítulos – um fenômeno de audiência, um dos maiores sucessos da fase em preto-e-branco da TV brasileira.

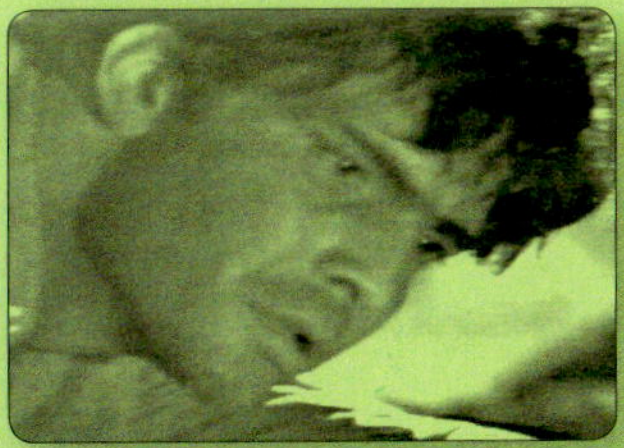

a torcida pela miscigenação Na novela, o personagem de Emiliano Queiroz, Juca Cipó, estupra a bela Cema (Suzana Faini), casada com o negro Brás (Milton Gonçalves). Para não perder o marido e protegê-lo de Juca, um bandido perigoso, ela decide esconder seu terrível segredo.

Ao longo da trama, Janete Clair fez questão de mostrar a evolução da gravidez da personagem. A barriga de Suzana crescia e a torcida do público por um final feliz, também. Se o filho de Cema nascesse mulato, o casamento seria salvo...

Sem perceber, o Brasil passou a torcer pela miscigenação.

Jerônimo e Potira

Ritinha e Duda

Juca Cipó

João Coragem e Lara

VOCÊ SABIA?

▌A novela foi inspirada em *Os Irmãos Karamazov*, de Dostoiéviski, e *Mãe Coragem*, de Bertolt Brecht. Misture os títulos e pronto: surge *Irmãos Coragem*.

▌Outro livro, *As Três Faces de Eva*, de Cobert H. Thigpen e Hervey M. Checkley, inspirou a personagem interpretada por Glória Menezes.

▌Para dar vida e credibilidade à personagem, uma mulher com três personalidades (Lara, Diana e Márcia), Glória inventou um código. Antes de "trocar de personalidade", ela estalava a língua: "tsc, tsc". Era a senha para o público perceber a mudança.

▌*Irmãos Coragem* foi a primeira novela da Globo a ter uma cidade cenográfica exclusiva, construída sob encomenda. O lendário terraço do Jardim Botânico (cenário de tantas estripulias) perdia a vez, sendo substituído por uma área de 5 mil metros quadrados na Barra da Tijuca. Ali, num terreno baldio, nasceu a cidade de Coroado. Oito ruas, prefeitura, praças, delegacia, igreja, pensão, farmácia, bares e mercearia – o maior empreendimento cenográfico da televisão brasileira até então, projeto assinado por Mário Monteiro.

▌A cidade parecia tão real que enganou até os repórteres do jornal carioca *O Dia*. Durante uma enchente, eles sobrevoaram "Coroado" de helicóptero, fotografaram as inundações no local e publicaram o flagrante na primeira página, ao lado da manchete: "O Rio está inundado".

▌Um dos personagens mais populares da novela, além de João Coragem (Tarcísio Meira), era o jogador de futebol Duda, camisa 10 do Flamengo, interpretado por Cláudio Marzo. Para retratar as angústias do jovem do interior transformado em ídolo, Janete pediu socorro a um ilustre consultor: o jornalista João Saldanha.

▌*Irmãos Coragem* atraiu o público masculino para a televisão e derrotou sua resistência a telenovelas. Os homens não tinham vergonha de acompanhar a saga.

▌A novela daria mais audiência do que a final da Copa de 70. O jogo entre Brasil e Itália foi exibido num domingo, tendo sido menos assistido do que o capítulo de *Irmãos Coragem* apresentado no dia seguinte.

▌No dia primeiro de janeiro, parte do elenco e da direção da novela participou da procissão marítima do Senhor dos Navegantes, em Salvador. De repente, a multidão reconheceu Tarcísio Meira no barco, e a baía inteira começou a cantar: "Irmão, é preciso coragem..."

▌Pela primeira vez, uma novela estourou de ponta a ponta no Brasil.

irmão, é preciso coragem A letra da música-tema da novela, encomendada a Nonato Buzar, resultou tão forte que foi guardada na manga até a exibição de uma cena decisiva para a história: a seqüência em que João Coragem (Tarcísio Meira) encontra o diamante capaz de mudar a vida de sua família. Até aquele momento, o público ouvia apenas o arranjo instrumental da melodia. Só quando a pedra surgiu, reluzente, a voz potente de Jair Rodrigues entrou em cena: "Irmão, é preciso coragem...". Lembram?

MÚSICA

CANTE COM A GENTE

Manhã despontando lá fora
Manhã, já é sol, já é hora
E os campos se abrindo em flor
E é preciso coragem
Que a vida é viagem
Destino do amor (...)
Irmão, é preciso coragem."

(*Irmãos Coragem*, Paulinho Tapajós e Nonato Buzar)

Outra música que passou a ser cantada em todo o Brasil – *Menina*, de Paulinho Nogueira – embalava as cenas de amor proibido entre a índia Potira (Lúcia Alves) e seu irmão de criação, Jerônimo (Cláudio Cavalcanti): "Menina, que um dia conheci criança/Me aparece assim, de repente/Linda, virou mulher".

Pigmalião 70

A novela de Vicente Sesso, primeira comédia da Globo no horário das 19h, lançou moda no Brasil: o penteado exibido por Tônia Carrero no papel da milionária Cristina Guimarães. Com suas mechas repicadas, o corte de Tônia ficou conhecido como "Pigmalião" e virou mania nos melhores cabeleireiros do país.

Osmar Prado, Djenane Machado e Carlos Vereza

Renata Sorrah

assim na terra como no céu

Exibida às dez da noite, a novela de Dias Gomes pôs a praia de Ipanema – com seus modismos, sua "juventude dourada" e sua "esquerda festiva" – no centro das atenções. A praia era a principal locação da trama, o espaço onde o grupo de cafajestes liderado por Renatão (Jardel Filho) e Samuca (Paulo José) se reunia para "curtir as gatas" e passar dos limites.

assim na terra como no céu era uma coletânea de ousadias inéditas:

- Ary Fontoura interpretou um dos primeiros personagens homossexuais da televisão brasileira, o costureiro Rodolfo Augusto.
- Pela primeira vez, as drogas foram tema de uma telenovela.
- O voto de castidade também entrou em pauta graças ao personagem Vitor (Francisco Cuoco), que abandona a batina para se casar com Nívea (Renata Sorrah).
- O enredo também inovou ao exibir o assassinato da personagem principal – ela mesma, Nívea – no início da trama. O crime aconteceu no capítulo 20, lançando a pergunta fatídica: Quem matou Nívea?
- O público não gostou da novidade, e Nívea teve de aparecer em *flashbacks* ao longo da novela.

que medo... Dias Gomes recebeu um abaixo-assinado das alunas do Colégio Pedro II, do Rio de Janeiro. No texto, as meninas rogavam praga: o fantasma de Nívea iria acompanhar o novelista pelo resto de sua vida.

faça humor, não faça guerra

Piadas curtas e certeiras, 55 minutos de humor rápido e, muitas vezes, inusitado. Os quadros fixos dos tempos do rádio deram lugar, neste humorístico, a surpresas preparadas e encenadas por Jô Soares e Renato Corte Real.

O desafio da dupla – e da equipe de redatores encabeçada por Max Nunes e Haroldo Barbosa – era evitar repetições e dar aos personagens fixos liberdade para reagir de forma imprevisível.

Estava inaugurado o "humor moderno", precursor de outras ousadias de Jô Soares, como *Satiricon*, *Planeta dos Homens* e *Viva o Gordo*. "Norminha", interpretada por Jô a partir de 1971, seria uma das estrelas do programa, sempre às voltas com situações novas – e absurdas.

VOCÊ SABIA?

I A música de abertura do programa também virou hit nacional: "Vai dizer que sim/Vai dizer que não/Vai ficar assim/Sem opinião?". Era quase uma provocação naqueles anos de censura.

COPA DO MUNDO DO MÉXICO

Félix, Carlos Alberto, Brito, Piazza, Everaldo, Clodoaldo, Gérson, Rivelino, Jairzinho, Tostão, Pelé.

Com este time antológico, a seleção levou a Taça Jules Rimet para casa.

O Brasil Grande – que vai para frente, que ninguém segura – se tornou tricampeão mundial de futebol na Copa do Mundo do México.

Durante toda a campanha, um torcedor ilustre posou para fotos com o radinho de pilha no ouvido e arriscou até cabecear uma bola. O nome dele: presidente Médici.

Era difícil, quase impossível, escapar do ufanismo diante da melhor seleção de todos os tempos.

Foi um momento histórico para o futebol... e para a televisão.

MÚSICA

CANTE COM A GENTE

Noventa milhões em ação
Pra frente, Brasil
Do meu coração
Todos juntos, vamos
Pra frente, Brasil
Salve a Seleção!"

(*Pra Frente, Brasil*, Miguel Gustavo)

VOCÊ SABIA?

▌A Copa do Mundo do México foi o primeiro grande evento esportivo internacional exibido ao vivo para o Brasil.

▌Nada menos que 25 milhões de telespectadores, distribuídos em 4 milhões de domicílios, torceram pelos jogadores de cabelo bem aparado, no estilo militar – e por um Pelé insuperável, aos 29 anos, então calouro da Faculdade de Educação Física de Santos.

▌O jogo do Brasil contra a Inglaterra, exibido pela Globo no dia 10 de junho, teve mais audiência do que a transmissão da chegada do homem à Lua, no ano anterior.

▌Os jogos foram narrados na Globo pelo locutor Geraldo José de Almeida, inventor de bordões memoráveis como "Vamos, minha gente!", "Linda, linda, linda!" e "Que bola, bola", além do inesquecível "Foi por pouco, pouco, muito pouco mesmo!".

▌Nos estúdios da Globo, um comentarista esportivo dava show de bola: João Saldanha. Técnico da seleção desde fevereiro de 1969, ele havia sido substituído por Zagalo três meses antes da Copa. Um boato sobre o motivo da demissão se espalhou: a decisão teria sido do presidente Médici, que exigia a convocação o atacante Dadá Maravilha.

▌Durante o evento, realizaram-se as primeiras transmissões experimentais em cores no país. Algumas sessões VIP foram promovidas na Globo, no gabinete lotado de Walter Clark. A pressão do governo Médici aumentava: era preciso colorir a televisão no país. O preto-e-branco, com seus chuviscos e fantasmas, não estava à altura do "Brasil Grande".

Márcia Mendes, Big Boy, Scarlet Moon e Marisa Raja Gabaglia: irreverência e inovação

1971

jornal hoje

Apresentado por Léo Batista e Luís Jatobá, entrou no ar, no dia 21 de abril, o jornal *Hoje*, exibido só no Rio de Janeiro, de segunda a sexta-feira, às 13h. Na fase inicial, a nova "revista eletrônica" da Globo – mistura bem temperada de noticiário e variedades – funcionava como um laboratório de linguagens e um centro de treinamento de profissionais. A ordem era inovar. E eles inovavam:

- A repórter Sônia Maria comandava um quadro sobre serviço e utilidade pública.
- Nelson Motta, especialista em música da emissora e apresentador dos festivais internacionais da canção, tinha um quadro sobre as novas tendências musicais.
- Cabia a Ligia Maria garantir espaço para a moda e a cultura no telejornal diário.

deu certo Em junho de 1974, o *Hoje* passou a ser transmitido para todo o Brasil e ganhou uma edição especial nas tardes de sábado.

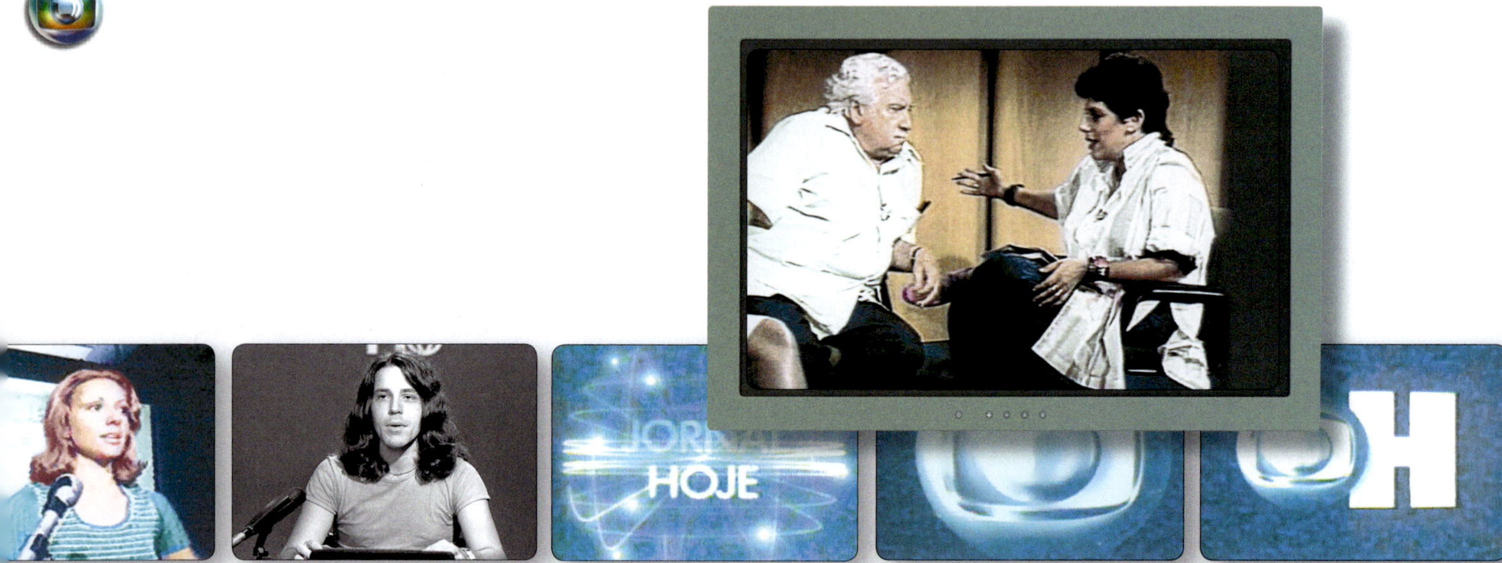

e que sábados! O telejornal de sábado era ainda mais descontraído e experimental do que as edições dos "dias úteis". Além de revisitar as principais notícias da semana, o *Hoje* trazia um número maior de matérias de cultura e comportamento.

- Em 1974, Rubens Ewald Filho, atual *expert* em Oscar, já informava sobre os lançamentos do cinema.
- Luciano do Valle apresentava uma seção pioneira sobre esportes amadores.
- Otto Lara Resende entrevistava escritores e fazia comentários sobre literatura brasileira.
- Som na caixa, DJ. No estúdio, o trepidante Big Boy assumiu o lugar de Nelson Motta como "antena musical" da Globo. No ano seguinte, o *disc-jockey* mais alucinado teria um programa só dele.
- Receitas culinárias e previsões astrológicas também faziam parte do pacote semanal de atrações.
- E o que fazer com as crianças no fim de semana? O *Hoje* também dava dicas infantis.
- Em 1975, o *Hoje* de sábado já teria merecidos 60 minutos de duração.

mulheres na linha de frente A partir de 1979, o *Hoje* passaria a investir no público jovem feminino. Para conquistar as telespectadoras, entrou em campo, na direção do telejornal, um trio de jornalistas – Ligia Maria, Márcia Mendes e Sonia Maria – e uma bela entrevistadora: Marisa Raja Gabaglia.

testando

1. Qual o nome da astróloga responsável pelas previsões de cada signo para a semana seguinte?
   a) Cigana Laura
   b) Luna Maria
   c) Zora Yonara

2. Quem apresentava as dicas de leitura e diversão para as crianças no *Hoje*, aos sábados?
   a) Neide Aparecida
   b) Paula Saldanha
   c) Capitão Asa

3. Nos anos 80, ela encerrava as edições de sábado do *Hoje* conduzindo conversas descontraídas com entrevistados de primeiríssima linha. Quem era esta entrevistadora?
   a) Marília Gabriela
   b) Leda Nagle
   c) Marisa Raja Gabaglia

4. Quem passou a escrever crônicas para o *Hoje* a partir de 1982?
   a) Antônio Maria
   b) Carlos Drummond de Andrade
   c) Rubem Braga

Respostas: 1-c / 2-b / 3-b / 4-c

estranho....

Uma novidade importada dos Estados Unidos desembarcou nos estúdios do telejornalismo da Globo: o *teleprompter*, aparelho capaz de projetar em letreiros, logo abaixo da câmera, os textos a serem lidos pelo locutor. Graças ao *teleprompter*, o apresentador poderia ler com mais naturalidade as notícias do dia, sem desviar os olhos do telespectador.

Quando a engenhoca chegou à emissora, ninguém sabia direito como ela funcionava. Na montagem do equipamento, os técnicos se esqueceram de instalar os espelhos necessários para que as notícias fossem projetadas na altura dos olhos dos locutores. Resultado: o texto era projetado no alto e, para ler as notícias, os apresentadores precisavam olhar para cima. O branco dos olhos de Cid Moreira e de Sérgio Chapelin passou a ser exibido ao vivo para todo o Brasil.

Os telespectadores reclamaram, os diretores exigiram mais naturalidade dos apresentadores e nada... O drama só terminou quando o erro foi descoberto e os espelhos foram finalmente instalados.

o cafona

O autor de *Beto Rockfeller,* Bráulio Pedroso, estreou na Globo nesta novela, uma sátira ao movimento *hippie*, ao Cinema Novo e à alta sociedade, exibida às dez da noite.

Francisco Cuoco era o "cafona" do título, o primeiro personagem cômico de sua carreira: Gilberto Athayde, "homem simples e rude" que enriquece como dono de uma cadeia de supermercados. Ao ficar viúvo, ele resolve realizar o sonho de se casar com uma grã-fina e ser aceito pela alta sociedade.

O festival de gafes cometidas pelo novo-rico incluía, por exemplo, beber lavanda num jantar de milionários.

qualquer semelhança... A novela tinha tantos pontos em comum com a realidade (e com seus tipos absurdos e ridículos) que, pela primeira vez, para evitar problemas, a Rede Globo exibiu, logo depois da apresentação dos créditos, o aviso: "Qualquer semelhança com pessoas vivas ou mortas ou fatos acontecidos terá sido mera coincidência".

mera coincidência? Era impossível considerar "meras coincidências" personagens como:

I ***Shirley Sexy*** – interpretada por uma impagável Marília Pera, a louríssima Shirley era secretária de Gilberto, moradora de uma república hippie em Santa Teresa, no Rio de Janeiro, e apaixonada pelo patrão. Ela acaba escolhida por três jovens cineastas para estrelar o filme mais radical do cinema brasileiro: *Matou o Marido e Prevaricou com o Cadáver* (paródia deslavada do famoso longa de Bressane, *Matou a Família e Foi ao Cinema,* de 1967).

I ***Os três jovens cineastas*** – Cacá (Osmar Prado), Rogério (Carlos Vereza) e Julinho (Marco Nanini). Nem dava para disfarçar: os três eram caricaturas divertidíssimas dos diretores Cacá Diegues, Rogério Sganzerla e Júlio Bressane.

I ***Lúcia Esparadrapo*** – *Hippie* interpretada por Djenane Machado.

som na caixa No embalo da trilha-sonora de *O Cafona,* entrou no circuito uma nova gravadora, a Som Livre, fundada a duras penas por João Araújo. Nessa fase inicial, nem sala Araújo tinha no prédio do Jardim Botânico. A solução era ocupar uma mesa no restaurante da Globo logo depois do almoço – quando clientes e garçons iam embora – e preparar ali os contratos do primeiro disco lançado pela gravadora. Muitas vezes, era ao som dos bifes sendo martelados na cozinha que João Araújo criava sua seleção musical.

bandeira dois

Mais uma vez, a realidade entrava em cena na ficção de Dias Gomes. *Bandeira Dois* retratava a disputa entre os bicheiros Tucão (Paulo Gracindo) e Jovelino Sabonete (Felipe Carone) pelo controle dos pontos do jogo do bicho no subúrbio de Ramos, no Rio de Janeiro.

Tucão caiu nas graças do público e consagrou Paulo Gracindo na TV. Mas as contravenções do personagem foram condenadas pela censura, que decidiu decretar sua "morte".

Dias Gomes teve de eliminar seu protagonista. E começou a confusão.

a morte de tucão O jornal carioca *Luta Democrática* estampou a manchete em letras garrafais: "Morreu Tucão". Na gravação do enterro, foi preciso reforçar o número de seguranças no cemitério para conter as cerca de 3 mil pessoas aglomeradas entre as lápides. A comoção foi produzida pelo boato de que Paulo Gracindo tinha morrido de verdade.

❙ No dia em que o último capítulo foi ao ar, no jogo do bicho deu "macaco", mesmo número da sepultura fictícia de Tucão.

❙ *Bandeira Dois* fez sucesso entre os bicheiros da cidade e Paulo Gracindo virou ídolo dos contraventores. Quando souberam que uma peça encenada pelo ator atraía pouco público, os "banqueiros do bicho" resolveram comprar 120 lugares para uma única apresentação.

VOCÊ SABIA?

❙ *Bandeira Dois* marcou as estréias dos atores José Wilker e Milton Moraes na Globo.

❙ Para interpretar o jogador de futebol Mingo, o ator Osmar Prado teve a assessoria técnica de ninguém menos do que Garrincha.

PLIM, PLIM

Neste ano foi criada a vinheta para marcar a passagem de ida e volta dos intervalos comerciais.

Idéia de Boni, executada por Mauro Borja Lopes, o Borjalo.

O Plim Plim nasceu da necessidade de demarcar o instante exato para as praças da Globo – sete ao todo, naquele ano – entrarem juntas no intervalo comercial, durante a transmissão do *Festival Internacional da Canção*.

Antes, a "entrada em rede" era sincronizada pelo telefone – um risco absoluto.

Para dar movimento ao logo da Globo, Borjalo usou a técnica dos "papéis sobrepostos". Bastava ele puxar uma lingüeta de papel para o Globo ganhar movimento e formar a rede de emissoras.

REDE GLOBO

MÚSICA.

CANTE COM A GENTE

Hoje é um novo dia
De um novo tempo
Que começou
Nesses novos dias
As alegrias
Serão de todos
É só querer
Todos nossos sonhos
Serão verdade
O futuro já começou
Hoje a festa é sua, hoje
a festa é nossa
É de quem quiser, quem vier"

A música *Um novo tempo*, de Marcos Valle, Nelson Motta e Paulo Sérgio Valle, foi gravada pela primeira vez pelo elenco da Globo em dezembro de 1971.
Regina Duarte e Elis Regina não puderam estar presentes naquele dia e, para não ficar de fora da vinheta, gravaram depois, com suas imagens sendo inseridas na versão final.
Sorte delas. A música se tornou um marco.

1972

Shazan e xerife

Escrita por Walther Negrão, a novela *O Primeiro Amor*, exibida às sete da noite, conquistou o público infantil graças a dois personagens inesquecíveis: Shazan (Paulo José) e Xerife (Flávio Migliaccio). A dupla comandava uma oficina de bicicletas mambembe e alimentava um sonho: construir uma bicicleta voadora.

a famosa camicleta Shazan e Xerife viajavam a bordo da "camicleta", mistura de caminhão e bicicleta, sonho de consumo de todas as crianças e adolescentes da época (e de alguns adultos também). Entre os acessórios do carro encantado, estavam uma foto de Santos Dumont – guru da dupla de inventores – e um chuveiro.

programa-solo A novela acabou e Shazan e Xerife ganharam vida própria, para alegria das crianças. O seriado *Shazan, Xerife & Cia* entrou no ar no fim do ano.

tudo premeditado Os personagens fizeram tanto sucesso na novela que acabaram rendendo o seriado, certo? Errado.

VOCÊ SABIA?

▌A camicleta foi construída numa oficina em Bonsucesso, subúrbio do Rio de Janeiro. Era inspirada nos "treme-treme", os carrinhos de circo que explodem e levam as crianças às gargalhadas enquanto as portas caem e o capô levanta vôo.

▌Paulo José e Flávio Migliaccio participaram de todo o projeto, dos figurinos aos acessórios para o carro. Eles se metiam em tudo e costumavam chegar duas horas antes das gravações para garimpar o almoxarifado da Globo, levando à loucura o contra-regra, responsável pelos objetos de cena.

Desde o início, Shazan e Xerife nasceram com a missão de virar protagonistas de um seriado. Era uma encomenda de Daniel Filho a Paulo José e Flávio Migliaccio, parceiros no filme *Como Vai, Vai Bem?*, coletânea de historietas curtas encenadas pela dupla.

A novela terminou com um bom gancho para o seriado: Shazan e Xerife teriam de ir a São Paulo para construir a bicicleta voadora. Uma aventura quase impossível para a dupla e para a combalida camicleta.

Começou então um seriado *road movie*, na estrada, a caminho da capital paulista. A cada episódio, Shazan e Xerife eram desviados do seu destino por um algum contratempo.

E a gente ficava lá, torcendo por eles.

primeiras pedaladas Uma fábrica de bicicletas chegou a lançar um modelo na trama. Foi o início do *merchandising* na teledramaturgia brasileira.

ASPAS

Em qualquer lugar que eu vá, invariavelmente encontro um motorista de táxi que me diz: 'O senhor foi a Xuxa da minha infância'. Ou 'Eu não via a hora de chegar do colégio, largar a pasta em cima da mesa e ligar a televisão para ver Shazan e Xerife.'" (Paulo José, o Shazan)

"Foi tão incrível. Parece que durou dez anos." (Flávio Migliaccio, o Xerife)

VOCÊ SE LEMBRA?

▌Uma das rádios mais ouvidas por Shazan e Xerife era a rádio Jaburu, "a única que não dá chabu". O bordão passou a ser repetido em todo canto.

▌Em 1998, a dupla Shazan e Xerife voltou à ativa, a bordo da Camicleta, na novela *Era Uma Vez*, também de Walther Negrão. O *revival* durou dois capítulos. Flávio Migiliaccio levou um susto ao encontrar no estúdio uma réplica da camicleta quase idêntica à original, inventada por eles 25 anos antes.

Francisco Cuoco e Regina Duarte

selva de pedra

Dirigida por Daniel Filho e Walter Avancini (em sua estréia na TV), a novela conquistou a maior audiência da história da televisão brasileira até então. Mais uma mágica de Janete Clair. No ar, a sofrida história de amor do novo casal 20 da TV brasileira: Francisco Cuoco e Regina Duarte

quanta maldade... Ele era Cristiano Vilhena, moço simples do interior acusado de um crime que não cometeu. Ela era Simone, jovem escultora que dá abrigo ao fugitivo e se apaixona por ele. Os dois se casam, mudam-se para o Rio e o moço simples do interior é traído por sua "ambição desmedida".

Essa ambição faz com que Cristiano se envolva com Fernanda, interpretada por Dina Sfat, acionista do estaleiro em que o moço trabalha, e com o mau-caráter Miro (um impagável Carlos Vereza).

Miro seria totalmente cômico se não alimentasse um plano cruel: o de matar Simone para que Cristiano, casando-se com Fernanda, assumisse o controle do estaleiro. Miro, é claro, se daria bem com a ascensão do "amigo".

Carlos Vereza e Dina Sfat

audiência máxima O país parou para ver o capítulo 152 de *Selva de Pedra.* No ar, a cena em que Rosana Reis admitia sua verdadeira identidade a Cristiano.

e vejam só quem chegou Glória Pires, então com 8 anos de idade, brilhou em *Selva de Pedra,* depois de ter participado da novela *A Pequena Órfã,* produzida pela Excelsior e exibida na Globo em 1970. Kadu Moliterno também estreou na Globo nesta trama de Janete.

amizadinha Miro, o vilão, caiu nas graças do público. Fã de Ângela Maria, malandro do começo ao fim, o Miro de Carlos Vereza tornou popular em todo o país a gíria "amizadinha". No final da novela, Miro morria atropelado enquanto fugia da polícia.

censura O casamento de Fernanda com Cristiano só não se concretizou na novela por imposição da Censura Federal, que considerava a cena um estímulo à bigamia. Embora o personagem de Francisco Cuoco acreditasse que a mulher estava morta, o público sabia a verdade – e era este o argumento dos censores devotados à moral e aos bons costumes.

TODAS AS ARMAS

Para arrebatar o público, Janete usou vários truques infalíveis do bom e velho folhetim.

A carta: Simone descobre uma carta em que Miro incita o marido a matá-la. Apavorada, ela foge de carro e, perseguida por Miro, acaba capotando na estrada Rio-Niterói. Por milagre, sobrevive ao acidente, mas decide se fingir de morta e fugir para o exterior, onde se consagra como artista plástica.

Porta da igreja: Mesmo sem culpa, Cristiano sente-se responsável pela "morte" da esposa. Angustiado, ele abandona Fernanda, com quem iria se casar, na porta da igreja. Transtornada, a empresária promete vingança e passa a perseguir o ex-noivo.

Dupla identidade: Depois de algum tempo, Simone reaparece com nova identidade. Agora ela é Rosana Reis. Cristiano a reconhece, mas ela demora a admitir a verdade. Tem medo do marido.

Uma música irresistível: A música-tema de Simone e Cristiano fazia o coração dos brasileiros bater mais forte: *Rock-and-roll lullaby*, na voz de B.J. Thomas. Lembram?

JK Um dos telespectadores assíduos de *Selva de Pedra* era o ex-presidente Juscelino Kubitschek. Em um encontro com Regina Duarte, JK desabafou: "Minha filha, não agüento mais ver você sofrendo tanto naquela casa. Quando é que isto vai terminar?"

nem tudo era alegria em o primeiro amor

O ator Sérgio Cardoso morreu de ataque cardíaco aos 47 anos, no dia 18 de agosto, quando faltavam 28 capítulos para o fim da novela. A morte do ator causou comoção entre o público e o elenco, mas o show não podia parar. O personagem de Sérgio passou a ser interpretado por Leonardo Villar, e a substituição foi feita com toda a equipe reunida no estúdio para um capítulo especial e inesquecível.

Sérgio Cardoso aparecia saindo por uma porta – em sua última aparição na novela. Em seguida, com a cena congelada no vídeo, um texto lido pelo ator Paulo José explicava o que tinha acontecido e relembrava a trajetória do ator e seus grandes sucessos na Globo.

Logo depois da homenagem, alguém batia na porta por onde Sérgio tinha passado. E, quando a cena recomeçava, entrava Leonardo Villar, recebido por todo o elenco.

finalmente em cores

Agora é oficial. No dia 10 de fevereiro, a TV Globo exibiu ao vivo, com todas as cores – aos poucos proprietários de televisões coloridas do Brasil –, as imagens da Festa da Uva na cidade de Caxias do Sul, no Rio Grande do Sul.

Na avenida, convidados muito especiais, como Francisco Cuoco, Tônia Carrero... e a filha do então ministro das Comunicações, Hygino Corsetti, vestida de verde no alto de um carro alegórico, distribuindo beijos coloridos para a multidão.

A transmissão do evento foi uma exigência do pai-coruja, o ministro gaúcho.

reportagens coloridas Só a partir de 1973 as reportagens do *Jornal Nacional* passariam a ser produzidas regularmente em filme colorido. A primeira matéria em cores seria gravada em Brasília, no dia 19 de julho: os funerais do senador Filinto Muller. O ex-chefe da polícia de Getúlio Vargas morreu num acidente aéreo junto com outras 122 pessoas, entre elas o jornalista Júlio De Lamare, o piloto de Fórmula 3 Antônio Scavone e o cantor Agostinho dos Santos.

marque na agenda *8 de fevereiro de 1972* – vendido o primeiro aparelho de TV em cores no Brasil. O preço: Cr$ 7.719,90.

coitados... Com a TV colorida, os locutores esportivos perderiam uma frase de estimação, repetida a cada peleja: "Ah, amigos telespectadores, pena que a TV não seja em cores...".

arco-íris TV em cores no Brasil era luxo para poucos, mas restava um consolo aos simples mortais: eles podiam cobrir a tela do aparelho preto-e-branco com uma película de plástico transparente, repleta de faixas verticais coloridas. A novidade, importada do Japão, virou moda por aqui.

NÚMEROS

- Quando as transmissões coloridas começaram no Brasil, havia, no máximo, **68 mil** aparelhos capazes de reproduzir imagens em cores.
- Cada câmera para captação de imagens em cores custava **150 mil** dólares. O equipamento similar em preto-e-branco saía por **25 mil** dólares.
- Em dez anos, o país passaria a ter **10 milhões** de televisores em cores.

vila sésamo

Gugu e Garibaldo

Aracy Balabanian e Gugu

As crianças não tinham mais o Topo Gigio, mas já podiam contar com Garibaldo, Gugu, Funga-Funga e outros moradores da *Vila Sésamo*.

Os bonecos inventados nos Estados Unidos desembarcaram no Brasil para contracenar com brasileiros de carne-e-osso, como Aracy Balabanian, Paulo José, Flávio Migliaccio, Milton Gonçalves, Sônia Braga e Armando Bogus (os dois últimos viriam a formar o "casal 20" de *Gabriela*).

Sucesso total.

VOCÊ SE LEMBRA?

Garibaldo – Mistura de galinha e pato, alto e desengonçado, Garibaldo adorava aprender coisas novas e vivia brigando com o mal-humorado Gugu. Era o mais simpático da turma.

Gugu – Sempre ranzinza, não saía do barril onde morava. O ator Roberto Orozco dava vida e movimento ao personagem.

Funga-Funga – Meio rato, meio elefante, era um "amigo imaginário" de Garibaldo e das crianças. Como não existia para os adultos, estava sempre disposto a escutar as histórias fantasiosas contadas pelas crianças. Interpretado por Marcos Miranda, o personagem foi criado pela equipe brasileira da TV Cultura, responsável pela direção e produção do programa.

ACREDITE SE QUISER

O intérprete do Garibaldo brasileiro era o ator Laerte Morrone. Na versão produzida nos Estados Unidos, o ator norte-americano usava um monitor de TV dentro da roupa para poder se orientar. No Brasil, Laerte teve de apelar para o famoso "jeitinho": arrancou algumas penas de avestruz do figurino criado por Naum Alves de Souza para poder enxergar e se movimentar sem tropeços.

De trança, na primeira fila, Sônia Braga

MÚSICA

CANTE COM A GENTE

Todo dia é dia, toda hora é hora.
De saber que este mundo é seu.
Se você for amigo e companheiro,
Com alegria e imaginação!"

(*Alegria da Vida* – tema de abertura de *Vila Sésamo*,
Paulo Sérgio Valle, Nelson Motta e Marcos Valle)

Vianinha

a grande família

"Esta família é muito unida/E também muito ouriçada..." Em 26 de outubro de 1972, entrou no ar a primeira comédia de costumes da Rede Globo.

Inspirada na série americana *All in the Family*, já no segundo ano de exibição, *A Grande Família* se tornou brasileiríssima e ousadíssima. Méritos dos novos redatores do programa, o dramaturgo Oduvaldo Vianna Filho, o Vianinha, e Armando Costa, escalados para dar voz aos dramas e comédias de uma típica família da classe média baixa brasileira.

alienados x engajados Nenê e Lineu tinham três filhos na primeira versão. Além de Tuco e Bebel – preservados na versão do século 21 –, havia Júnior (Osmar Prado), que levava a família à loucura. Era um personagem típico daqueles tempos: um estudante contestador, engajado e indignado com a postura alienada do irmão Tuco (Luiz Armando Queiroz), *hippie* colorido e desligado, outra figura típica daqueles tempos.

Como os militantes da vida real, Júnior pagou caro por seu "comportamento". Perseguido e patrulhado pela censura, o personagem teve várias falas e cenas cortadas.

fim de festa. por enquanto... Foi um sucesso absoluto enquanto durou. Em março de 1975, depois da morte de Vianinha e sob a pressão dos censores, o programa saiu do ar.

Mas em 2001, atendendo a muitos e muitos pedidos de uma legião de fãs saudosos, *A Grande Família* voltaria com novo elenco, novos personagens, o mesmo sucesso... e sem censura.

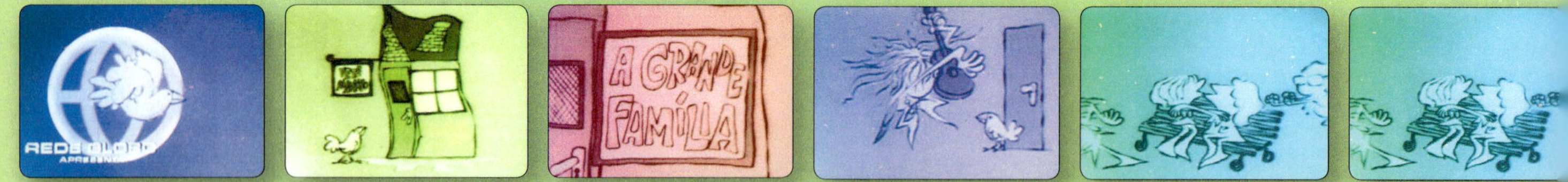

A família reunida - Júnior (Osmar Prado), Tuco (Luiz Armando Queiroz), Seu Flor (Brandão Filho), Lineu (Jorge Dória), Nenê (Heloísa Mafalda), Bebel (Cristina Nunes) e Agostinho (Paulo Araújo) com a convidada (Elza Gomes)

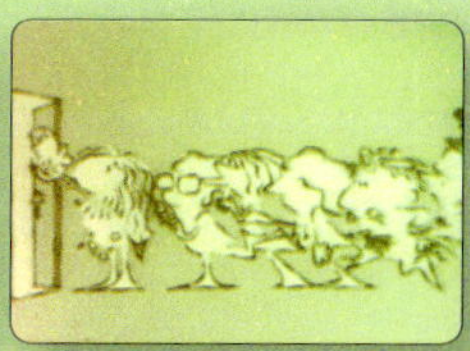

BIG BOY

"Heeeeellllllloooooooooooo, feeeeeellloooows! Aqui fala Big Boy! Apront vag tug! Mane cori tisck! Voomp! Pan! Tung! Diretamente para todos ustedes. Vamos agora tiiiiiiinchck, porque é chegada a hora da nossa conversa. Crack! Vulf! Mac zarem trusky! É isso aí, bichos! Todo mundo quietinho que o ouriço é comigo mesmo. Não tem hora pra começar, muito menos para acabar!"

Era neste estranho dialeto – uma mistura de gírias da década de 1970, grunhidos indecifráveis e palavras em inglês e espanhol – que o radialista carioca Newton Duarte saudava seus ouvintes na Rádio Mundial quando se transformava no *disc-jockey* Big Boy.

O telespectador teve uma amostra de seu estilo, digamos, "tresloucado" no quadro musical do jornal *Hoje*, mas só foi entender mesmo quem era o Big Boy de verdade no *Hello Crazy People*, apresentado por ele aos sábados, a partir das 13h30.

Era com um esfuziante "hello crazy people" que Big Boy saudava seu público.

curriculum vitae

I Newton Duarte ganhou de um produtor o apelido de "Big Boy" ao apresentar o programa *Super Quente*, em 1967, na Rádio Mundical AM. O motivo: Newton pesava quase 100 quilos.

I Na Mundial, ele se consagrou pelo estilo absolutamente informal, desvairado mesmo, sem a empostação exibida pelos locutores da época.

I Big Boy foi um dos principais responsáveis pela divulgação do rock, do *funk* e da *soul music* no Brasil.

I Um dos seus maiores orgulhos: ter tocado em rádio no Brasil, pela primeira vez, em 1967, o álbum *Sgt. Pepper's Lonely Hearts Club Band*, dos Beatles. No programa semanal *Cavern Club*, Big Boy só apresentava músicas dos quatro garotos de Liverpool.

I No auge da carreira, em 7 de março de 1977, Big Boy morreu num quarto de hotel em São Paulo, vítima de infarto. Deixou mulher, um filho de oito meses e uma das maiores coleções de discos das décadas de 1950, 1960 e 1970, com cerca de 18 mil gravações.

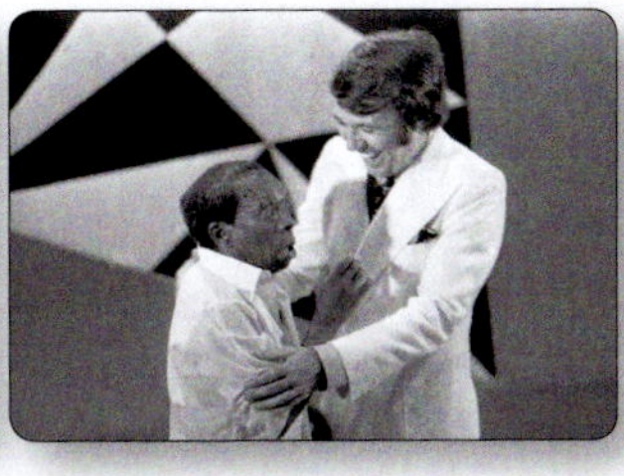

moacyr franco show

Ele também marcou presença na Globo durante longos cinco anos, com quadros humorísticos, números musicais, entrevistas, sempre com a presença de convidados especiais. Moacyr Franco fazia as honras da casa e obtinha muito sucesso também com um quadro campeão de audiência: a remontagem de entrevistas com pessoas famosas, em que as respostas eram preservadas, mas com as perguntas trocadas.

globo de ouro

Foram 18 anos no ar. Quase duas décadas de *hits* musicais. O programa estreou em dezembro de 1972 com o nome *Globo de Ouro – a Super Parada Mensal* e embalou o país até dezembro de 1990.

Nesse período, as músicas, cantores e compositores mais cantados e tocados no Brasil passaram pelo *Globo de Ouro,* que começou mensal e se tornou semanal no início de 1989.

olimpíada via satélite... e com computador

A Olimpíada de Munique foi a primeira apresentada pela Globo. Os direitos de transmissão do evento foram comprados da TV alemã. No ar, para todo o Brasil, um show de efeitos e imagens até então nunca visto pelo público brasileiro.

A torcida vibrava com:

- Câmeras posicionadas nos mais diversos ângulos, até mesmo embaixo da água, nas piscinas olímpicas.
- Imagens captadas em *slow motion* (a famosa câmera lenta).
- Informações processadas por computadores, que comparavam tempos e distâncias de cada prova e recordes anteriores.
- Substituição da cronometragem manual nas competições de atletismo pela instalação de três câmeras, na linha de chegada, responsáveis por registrar a passagem dos vencedores e marcar seus respectivos tempos.

e uma tragédia Quinze dias depois do início dos Jogos Olímpicos, oito guerrilheiros da organização terrorista palestina Setembro Negro invadiram o prédio da delegação de Israel e fizeram 11 atletas reféns. Os terroristas exigiram a libertação de 250 presos palestinos, mas o governo israelense recusou-se a atender à reivindicação. Os reféns foram executados.

watergate...

Comprovado: na campanha pela reeleição, o presidente dos Estados Unidos Richard Nixon autorizou a instalação de grampo telefônico ilegal no edifício Watergate, onde funcionava a sede do Comitê do Partido Democrata, seu concorrente na corrida presidencial. Revelado pelos jornalistas Bob Woodward e Carl Bernstein, do jornal *Washington Post*, o escândalo levou Nixon à renúncia.

O *Jornal Nacional* cobriu toda a crise política, com material de agências internacionais de notícias e reportagens exclusivas do correspondente Lucas Mendes nos Estados Unidos.

...e o ator richard nixon

O momento culminante da cobertura não ocorreu no *JN*, mas em edição extraordinária do *Jornal Internacional*: a transmissão ao vivo do discurso de renúncia do presidente Nixon, em 9 de agosto de 1974.

A exibição estava marcada para as 20h (horário de Washington), mas, para surpresa de todos, a câmera da rede de TV ABC, instalada no Salão Oval da Casa Branca, começou a exibir as imagens do presidente 5 minutos antes do previsto.

Direto do estúdio em Nova York, Hélio Costa passou a narrar cenas surpreendentes. Nixon sorria e brincava com a câmera enquanto era maquiado, sem saber que já estava no ar.

Às 20h em ponto, de acordo com o protocolo, o selo presidencial surgiu no vídeo e um locutor anunciou em tom solene: "Senhoras e senhores, o presidente dos Estados Unidos". Nesse instante, a expressão de Richard Nixon sofreu uma transformação súbita. Em tom pesaroso, com o ar carregado de quem enfrentava o momento mais dramático de sua vida, o presidente dos Estados Unidos se despediu do poder.

o último pedido de heron domingues Para dar a notícia da renúncia de Nixon, o apresentador Heron Domingues chegou a pedir adiamento de suas férias a Armando Nogueira. Consagrado no Brasil como o "Repórter Esso – o primeiro a dar as útlimas", Heron quis marcar presença, também, nesse momento histórico.

O texto, escrito por Jorge Pontual, comentava assim as cenas do Nixon sorridente e descontraído antes do anúncio solene:

"Como um ator antes da novela, como um político que fez a sua carreira dominando a televisão e, às vezes, sendo vencido por ela, Richard Milhous Nixon se despediu do cargo mais visado da Terra com um sorriso."

Logo depois da transmissão, Heron e Armando Nogueira jantaram juntos. Horas mais tarde, Heron morreu de infarto, enquanto dormia.

Odorico

1973

O bem-amado

– Povo de Sucupira!

Do alto do palanque, na praça de Sucupira, o prefeito Odorico Paraguaçu (um imbatível Paulo Gracindo) abre os braços, emposta a voz e inicia mais um eletrizante discurso.

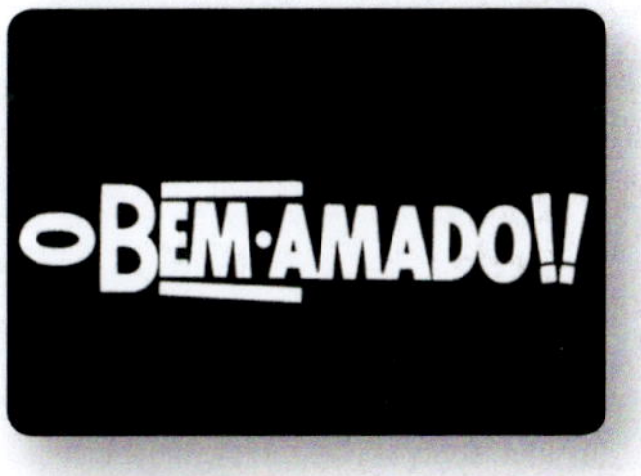

Vai cumprir, a todo custo, a promessa de campanha: inaugurar o primeiro cemitério da cidade. O problema é que ninguém morre em Sucupira e a falta de defuntos se deve, em boa parte, a um forasteiro nada bem-vindo, pelo menos para o prefeito: o abnegado médico dr. Juarez Leão (Jardel Filho), recém-chegado à cidade.

Para resolver o impasse – já que ninguém morria por doença mesmo –, Odorico decide recorrer aos préstimos de Zeca Diabo, pistoleiro de aluguel que, infelizmente, decidira aposentar o revólver em respeito a seu "Padim Padi Ciço".

Bem-vindos ao mundo de *O Bem-Amado*, o universo brasileiríssimo criado por Dias Gomes e habitado por alguns dos personagens mais marcantes da história da televisão brasileira. A novela estreou em 24 de janeiro e ficou no ar até 9 de outubro de 1973. Mas parece que foi ontem.

Milton Gonçalves como Zelão: o personagem cria asas e voa no final da trama

inesquecíveis

dirceu borboleta Sempre cabisbaixo, atormentado por todo tipo de tique nervoso (suas mãos e joelhos nunca paravam quietos), Dirceu Borboleta (Emiliano Queiroz) era o tímido assistente do prefeito Odorico Paraguaçu. Quando incumbido de alguma missão absurda pelo patrão, reagia com uma crise de gagueira: "Ma-ma-ma-mas, co-co-co-ro-neeeel...".

delegada donana medrado Interpretada por Zilka Sallaberry (a futura Dona Benta), a delegada de Sucupira era inimiga de Odorico e estava sempre pronta a enfrentar os desmandos do prefeito. Revólver na cintura, uniforme cáqui, ela era a única capaz de pôr um pouco de ordem na cidade.

irmãs cajazeira Dorotéia (Ida Gomes), Dulcinéia (Dorinha Duval) e Judicéia (Dirce Migliaccio). As três irmãs beatas e solteironas compartilhavam a casa e a veneração ao prefeito. Odorico fazia a cada irmã a mesma promessa – de casamento – para obter os mesmos favores secretos: a troca de "intimidades amorosas".

a estréia de lima duarte

Zeca Diabo marcou a estréia de Lima Duarte como ator na Globo. Até então, ele era diretor de TV e estava em fim de contrato quando recebeu o convite para assumir o papel. Para dar vida ao personagem, Lima fez questão de criar o próprio figurino. O terno de Zeca Diabo foi garimpado numa das tinturarias próximas à Estação da Luz, em São Paulo: o estabelecimento estava cheio de peças abandonadas por migrantes nordestinos, que não tinham dinheiro para retirar a roupa lavada.

sucupiragate O escândalo de Watergate ganhou uma versão em Sucupira. Enfraquecido politicamente, Odorico Paraguaçu convence seu secretário, Dirceu Borboleta, a instalar um microfone no confessionário da igreja para descobrir os segredos de seus adversários. Ao fazer o "grampo paroquial", Dirceu acaba ouvindo o que não quer: as confissões da mulher com quem tinha acabado de se casar, Dulcinéia Cajazeira, revelando ao padre seu envolvimento amoroso com o prefeito. O desfecho do Sucupiragate é trágico: enfurecido, Dirceu estrangula Dulcinéia.

o desafio das cores

- *O Bem-Amado* foi a primeira telenovela gravada em cores no Brasil.
- A equipe sofreu para lidar com os novos equipamentos e ajustar as tonalidades.
- A brancura excessiva das pernas de Ida Gomes "saturava" no vídeo, e Emiliano Queiroz não podia usar óculos porque o reflexo das lentes "rasgava" a imagem.
- Nos cenários concebidos por Paulo Dunlop e nos figurinos criados por Carlos Gil, as cores fortes e exuberantes do núcleo cômico da novela se alternavam com tons suaves e pastel do núcleo mais sério da trama. De vez em quando, Odorico irrompia no palanque com ternos de cetim verde e camisas cor-de-rosa.

VOCÊ SABIA?

- Para escrever a história de Odorico, Dias Gomes se baseou em fato real ocorrido no Espírito Santo, onde um candidato se elegeu prefeito com a promessa de construir um cemitério.
- A cidade fictícia de Sucupira ficava no litoral baiano.
- *O Bem-Amado* abriu caminho para a exportação de telenovelas da Globo. Antes eram comercializados apenas os roteiros das novelas.

A LÍNGUA DE ODORICO PARAGUAÇU

Cachacistas juramentados: Quem ousasse falar mal dele.
Democratura: Democracia (rimando com ditadura...).
Donzelas praticantes: As irmãs Cajazeira.
Invencionices: Toda e qualquer crítica feita a ele.
Merecedência: Por mérito.
Muambistas, cocainistas e maconhistas: Contra eles, Odorico promoveu uma operação "desintoxicante" e "desintoxicológica".
Posição muralista: "De em cima do muro", como ele mesmo traduziu.
Talqualmente: Tal e qual.
"Vamos botar de lado os entretanto e partir pros finalmente": Apelo geral.

COM A PALAVRA, ODORICO

- "Seu Dirceu, convoque o deputado. Preciso ter com ele um coloquiamento apelatório catequisante."
- "O falecimento é uma condição *sine qua non* ao estado difuntício."
- "Seu Dirceu, o senhor tomou todos os providenciamentos?"
- "Ele está pensando que berimbau é gaita."

sob censura Em julho de 1973, a censura militar proibiu o uso das palavras "coronel" (usada para se referir ao prefeito Odorico Paraguaçu) e "capitão" (posto de Zeca Diabo na trama). A produção teve de apagar o áudio de diversos capítulos já gravados. Palavras como "ódio" e "vingança" também foram vetadas.

bis!

- Em 1977, a novela foi reapresentada entre janeiro e junho, em versão compacta de 60 capítulos.
- Em 1980, *O Bem-Amado* se transformou em seriado. O prefeito Odorico Paraguaçu – assassinado por Zeca Diabo no último capítulo da novela (ironicamente, foi o prefeito quem inaugurou o prometido cemitério) – ressuscita no seriado para mais cinco anos de sucesso.

Os ossos do Barão

Foi a segunda novela produzida em cores no Brasil e, mais uma vez, a equipe penou para acertar nas tonalidades. Escrita por Jorge Andrade e dirigida por Régis Cardoso, a novela – que retratava a decadência da aristocracia rural paulista provocada pela crise econômica de 1929 – marcou a entrada na Globo da figurinista Marília Carneiro.

Até sua estréia à frente do guarda-roupa global, o único contato de Marília com a moda tinha sido na butique Truc, aberta por ela em Ipanema no final dos anos 1960. Dina Sfat era uma das clientes da loja – então recém-fechada – e pediu a Daniel Filho para ser vestida por Marília na novela.

A figurinista começou a trabalhar na Globo sem nunca ter assistido a uma telenovela na vida. E está na emissora até hoje.

Tarcísio e Betty

CAVALO DE AÇO

bem-vindos a vila da prata

A baiana Sucupira de Odorico Paraguaçu conquistava o público às dez da noite enquanto a cidade fictícia de Vila da Prata, no interior do Paraná, enfrentava censura feroz no horário das 20h. Escrita por Walther Negrão e dirigida por Walter Avancini, a novela *Cavalo de Aço* sofreu perseguição implacável do governo militar ao retratar o drama do maquinista Rodrigo (Tarcísio Meira).

Inconformado com o assassinato do pai, ele se torna líder de uma revolta social contra Max (Ziembinski), latifundiário que monopoliza as vendas e o mercado de trabalho.

era subversão demais para o horário nobre O tema da reforma agrária foi vetado e substituído por outro assunto polêmico: a dependência de drogas. O destaque dado à personagem Joana (Betty Faria), uma ex-viciada, também acabou vetado e a solução final foi mesmo investir no bom e velho romance entre os personagens de Tarcísio e de Glória Menezes.

no sapatinho Sucesso mesmo fizeram os sapatos exibidos pelo motoqueiro Rodrigo na novela. Solado alto, emborrachado, bem radical, os sapatos logo ganharam um apelido – "cavalo-de-aço", é claro – e viraram moda.

haja mercúrio Tarcísio Meira sofria a bordo da portentosa motocicleta que dava nome à novela. Como não havia dublês para as cenas perigosas, era o galã mesmo quem se arriscava durante as gravações. Foram muitos os tombos e as escoriações em *Cavalo-de-aço*.

chico city

Como o clima andava sufocante no Brasil da ditadura e da inflação, o jeito era inventar cidades fictícias – e fugir para lá.

sucupira, vila da prata e... chico city No dia 5 de janeiro, Chico Anysio começou a se multiplicar em cena, dando vida a tipos inesquecíveis. Seriam anos seguidos de sucesso e de metamorfoses em *Chico City, Chico Total, Chico Anysio Show, Escolinha do Professor Raimundo*... enfim, nesses universos todos que Chico criou e tratou de povoar.

MORADORES ILUSTRES

Na pequena cidade do interior conviviam figuras como:

I *Walfrido Canavieira* – Prefeito da cidade, tinha resposta na ponta da língua aos eleitores que cobravam dele o cumprimento de promessas eleitorais: "Palavras são palavras, nada mais que palavras". Seria "deposto" por determinação do Conselho Superior de Censura, que atendeu a abaixo-assinado subscrito por centenas de prefeitos, "ofendidos" pelo ilustre alcaide de *Chico City*.

I *Popó* – Museólogo aposentado, era o morador mais ranheta e ranzinza da cidade. Seu bordão: "Você é idiota, idiota".

I *Coronel Pantaleão* – Sentado na cadeira-de-balanço, contava histórias mirabolantes às visitas e, diante da incredulidade geral, pedia a confirmação da mulher: "É mentira, Terta?". E ela respondia, com a voz esganiçada: "Veerrrrdade".

I *Velho Zuza* – Cachimbo na boca, colares no pescoço, o "Véio Zuza" recebia "santos" e visitantes em seu terreiro e, ao ouvir desabafos e absurdos, repetia seu bordão: "Eh, eh, o velho entende, meu fio!".

I *Robervallll Tayloorrrrr* – O irresistível locutor da rádio de *Chico City*, um demolidor de corações femininos, com seus belos poemas e sua pronúncia irrrrreeetocávelll.

I *Alberto Roberto* – Espécie de Roberval Taylor da TV, ele se considerava o galã mais irresistível de todos os tempos. Não conseguia decorar textos, fazia todo tipo de exigência e, quando contrariado, encerrava o assunto com uma frase: "Eu não garavvo". E não adiantava insistir, porque ele era um "ídalo", um "símbalo sessual".

I *Professor Raimundo* – Já em 1974, o velho professor dava aulas para os alunos mais enrolões e enrolados de *Chico City* e do país. "E o salário, ó!"

VOCÊ SABIA?

I Nesta primeira fase, Chico Anysio vivia dez diferentes personagens em *Chico City*. Ao longo de toda a carreira, Chico criaria mais de 200 personagens.

I As cenas externas e a fachada de *Chico City* eram gravadas na praça Washington Luís, em Sepetiba, no Rio de Janeiro.

Globo Cor Especial

A garotada voltava da escola e corria para o sofá. Cinco da tarde era hora de assistir aos desenhos animados e seriados do *Globo Cor Especial*. Mickey Mouse, Abbot e Costello, Ligeirinho, *Família Dó-Ré-Mi* e Mary Tyler Moore foram os primeiros a entrar em cena. No ano seguinte, o *Globo Cor Especial* mudou de horário – meio-dia às 13h – e manteve sua audiência cativa, agora antes das aulas.

Na década de 1980, entraram em ação Super-Homem, Mulher Maravilha, Aquaman, Batman e Robin e os Flintstones, desenhos superpoderosos que passaram a hipnotizar a criançada.

Era só a vinheta de abertura do programa entrar no ar para as crianças colarem os olhos na TV. E que vinheta!

VOCÊ SABIA?

Cinto de Inutilidades, música-tema do *Globo Cor Especial*, foi composta pelo mesmo trio de *Um Novo Tempo*: Nelson Motta, Marcos Valle e Paulo Sérgio Valle.

MÚSICA

CANTE COM A GENTE

“Não existe nada mais antigo
Do que cowboy que dá
100 tiros de uma vez
A avó da gente deve ter
Saudade do zing-pow!,
Do cinto de inutilidades”

globo repórter

Quarenta minutos inteiros dedicados à reportagem.

O *Globo Repórter* entrou no ar em abril, com a missão de abrir espaço para os documentários na TV e exibir, em plena ditadura militar, alguns dos retratos mais impressionantes deste país de contrastes e conflitos chamado Brasil.

Para cumprir a missão, o diretor Paulo Gil convocou documentaristas de primeira linha do cinema, como Eduardo Coutinho e Walter Lima Jr.

A ordem era ousar. A câmera seria os olhos do telespectador e nenhum repórter seria escalado para traduzir a realidade. Os depoimentos dos entrevistados nos guiariam em cada programa.

odorico de carne-e-osso Nos primeiros anos do *Globo Repórter*, o público pôde conhecer de perto personagens impressionantes, como o coronel Teodorico Bezerra, feliz proprietário de uma fazenda transformada por ele em vila e "curral eleitoral" no interior de Pernambuco.

Foi o próprio Teodorico quem contou sua saga e nos guiou por sua cidade particular, onde os colonos moravam "de graça" em troca de voto, trabalho e obediência cega ao coronel. Ali era proibido beber, dançar, fumar, jogar... e todos tinham a obrigação de votar no dono das terras.

Os vetos estavam todos pintados nas fachadas das casas simples dos moradores, e as instruções do coronel eram anunciadas à comunidade por meio de alto-falantes espalhados pelos postes dessa Sucupira real e inacreditável ao mesmo tempo.

Eduardo Coutinho deu voz ao personagem, narrador único da própria história e dos próprios absurdos. Ninguém censurou o coronel.

O "Show da Vida" entra no ar para mudar, de vez, nossas noites de domingo. Jornalismo e show, reportagens e humor, música e esporte, denúncias e diversão.

Foi de Boni e Borjalo a idéia de lançar um programa em formato de revista e com duas longas horas de duração, as quais deveriam passar rápido e nos manter ligados do início ao fim.

Deu certo.

Hoje é até difícil imaginar um domingo sem *Fantástico*.

aliás Sabe como era o domingo na Globo antes de a "revista eletrônica" estrear?

Era noite de *Só o Amor Constrói*, programa dedicado a revelar histórias edificantes de anônimos e famosos, a partir de depoimentos de parentes e amigos.

o dia d No programa de estréia, o público do *Fantástico* parou para ver:

- Uma entrevista com o compositor Sérgio Mendes no Central Park, em Nova York, no auge da carreira.
- Uma reportagem exclusiva com o jogador Tostão, quando ele recebeu o diagnóstico médico (descolamento da retina) que o fez abandonar o futebol.
- Uma encenação de Sandra Bréa no papel de Marilyn Monroe, 11 anos depois da morte da estrela de Hollywood.

VOCÊ SABIA?

- O *Fantástico* foi ao ar pela primeira vez com apresentação de Sérgio Chapelin.
- O hoje novelista Manoel Carlos dirigiu o programa na sua fase inicial.
- Quase um ano depois da estréia, o *Fantástico* passou a ser transmitido em cores, mas alguns quadros e reportagens ainda foram exibidos em preto-e-branco.
- A fórmula deu tão certo que o programa foi exibido em mais de 32 países, inclusive na distante Hong Kong, em compacto com uma hora de duração.
- Na Itália, um plágio do programa entrou no ar. O clone italiano era exibido inclusive no mesmo dia e horário: domingo, a partir das 20h.
- O *Fantástico* exibiu o primeiro parto mostrado de frente na TV brasileira. A censura não chiou.

As aberturas do Fantástico...

... eram e ainda são um acontecimento, a cada estréia, a cada nova coreografia e "roupagem". O "Show da Vida" sempre foi antecedido por um espetáculo de balé e de efeitos cada vez mais especiais.

olhe bem, preste atenção Nas primeiras aberturas, em preto-e-branco, os bailarinos dançavam em cenários artesanais e vestiam fantasias feitas de papel, repletas de brilho. As coreografias estavam sempre ligadas a motivos circenses.

I Com a chegada da cor, as aberturas ganharam imagens externas, cenários e balés multicoloridos.

I Na abertura de 1976, o corpo de baile contou com a presença de trapezistas, engolidores de fogo e palhaços.

I Na terceira abertura da série, o balé teve a participação da atriz Heloísa Millet.

I Na quarta abertura, a música entrou no ar sem a letra, com um ritmo mais vibrante, enquanto as dançarinas faziam evoluções mais sensuais.

I A partir da década de 1980, sob a coordenação de Hans Donner, cenários futuristas e figurinos arrojados dariam às aberturas do *Fantástico* ares de superprodução.

MÚSICA

CANTE COM A GENTE

Olhe bem, preste atenção
Nada na mão resta também
Nós temos mágicas para fazer
Assim é a vida, olhe para ver."

VOCÊ SABIA? A letra de *É Fantástico*, tema do programa, foi escrita por Boni. A música é do maestro Guto Graça Mello.

FANTASTICO
O SHOW DA VIDA

Hélio Costa e o Tarzan

E lá vem ele

Impossível lembrar o *Fantástico* das primeiras décadas sem Hélio Costa, direto dos Estados Unidos.

Entrevistas com Alfred Hitchcock e Groucho Marx? Ele fazia. Incursões pelas tumbas de faraós nas pirâmides do Egito? Lá ia ele. E por que os astronautas que foram à Lua voltaram à Terra tão "modificados"? Hélio Costa trouxe as respostas para a gente.

Ele era aquele que estava onde não podíamos estar e conversava com quem nunca teríamos a chance de conhecer de perto.

na pauta

I Congelamento de corpos. Milionários de todo o mundo estavam reservando vaga em cápsulas de criogênio, em busca da imortalidade. O projeto deles: quando fosse descoberta a cura para as doenças que os afligiam, seus corpos seriam descongelados e eles voltariam à tona firme e fortes, prontos para outra.

I Terapia do Grito. Para curar desequilíbrios emocionais e até a dependência química, a fórmula do tratamento em alta nos Estados Unidos em 1980 era esta: gritar. Bem alto! Até ficar rouco.

inesquecível O próprio Helio Costa elegeu sua entrevista com Johnny Weissmuller – o Tarzan do cinema – como uma de suas preferidas. Em 1974, aos 69 anos, trabalhando num cassino em Las Vegas, ele falou da fama, das duas atrizes que fizeram o papel de Jane e das três Chitas com quem contracenou. No fim da conversa, tentou repetir o poderoso berro de seu personagem. O grito saiu desafinado – um fio de voz, que a edição final tratou de fundir com o grito do Tarzan dos tempos heróicos.

apresentando... Olhe bem, preste atenção, porque é longa a lista de quem já fez as "honras da casa" como apresentador do *Fantástico* nestes anos todos. Alguns nomes: Sérgio Chapelin, William Bonner, Valéria Monteiro, Doris Giesse, Celso Freitas, Carolina Ferraz, Fátima Bernardes, Sandra Annenberg, Helena Ranaldi, Cláudia Cruz, Pedro Bial, Glória Maria, Zeca Camargo... e ela, a primeira apresentadora virtual da nossa "revista eletrônica semanal": Eva Byte!

esporte espetacular

Patinação no gelo, corridas de moto, campeonatos de tênis de mesa na China, esqui aquático. No país do futebol, esportes de todas as modalidades possíveis – vindos de todos os cantos do planeta – começaram a desembarcar na Globo nas tardes de sábado.

Era uma maratona receber o material comprado de programas da ABC e da CBS, traduzir tudo em cima da hora, gravar as narrações em bom português com Léo Batista e pôr tudo no ar, a tempo, nas tardes de sábado.

Mas valia a pena. Estava no ar o esporte-espetáculo, gravado com tecnologia e adrenalina máximas. A cada ano, o *Esporte Espetacular* ficou mais brasileiro e a edição, mais afiada.

ASPAS

Eu destestava quando havia matérias de motovelocidade, porque o material chegava dos Estados Unidos com o barulho das motos e o locutor americano falando gírias no fundo. Às vezes, algum piloto caía e eu ficava tentando descobrir o nome dele. Era um problema."

(Myrian Delamare, editora, responsável pelas traduções em cima da hora)

1974

Fortes emoções

Senhoras e senhores, o Rei, Roberto Carlos.

No ar, o primeiro especial apresentado por Roberto na Globo.

No roteiro, *Calhambeque*, *Estrada de Santos*, *Eu te proponho* e outros *hits* – hoje clássicos – inesquecíveis. Resultado: sucesso total. Começava ali a série de especiais de Natal conduzidos por Roberto, com a participação de artistas da emissora e grandes nomes da MPB e da música internacional.

Esta galeria de fotos a seguir apresenta o Rei ano a ano, fase por fase.

Ecológico, espiritualista, sempre romântico. Imbatível.

1974 - "Esse amor demais antigo Amor demais amigo/Que de tanto amor viveu/Que manteve acesa a chama"

1975 - "Eu sou um negro gato de arrepiar e essa minha vida é mesmo de amargar/Só mesmo de um telhado aos outros desacato"

1976 - "Não adianta nem tentar me esquecer/Durante muito tempo em sua vida eu vou viver/Detalhes tão pequenos de nós dois/São coisas muito grandes pra esquecer"

1977 - "Se você pretende saber quem eu sou/Eu posso lhe dizer Entre no meu carro na estrada de Santos"

1978 - "Eu quero ter um milhão de amigos e bem mais forte poder cantar"

1979 - "Eu voltei, agora pra ficar, porque aqui, aqui é o meu lugar Eu voltei pras coisas que eu deixei, eu voltei"

1980 - "Lady Laura, me leve pra casa/Lady Laura, me conta uma história/Lady Laura, me faça dormir"

1981 - "Quando eu estou aqui Eu vivo esse momento lindo Olhando pra você E as mesmas emoções sentindo"

1982 - "Não vou mudar Esse caso não tem solução Sou fera ferida No corpo, na alma e no coração"

1983 - "Esse amor é pra nós A loucura que traz Esse sonho de paz E é bonito demais"

1984 - "Essa garota é papo firme, é papo firme, é papo firme/Ela é mesmo avançada e só dirige em disparada"

1985 - "Olha, você tem todas as coisas/Que um dia eu sonhei para mim/A cabeça cheia de problemas Não importa eu gosto mesmo assim"

1986 - "Debaixo dos caracóis dos seus cabelos/Uma história pra contar de um mundo tão distante Debaixo dos caracóis dos seus cabelos/Um soluço e a vontade de ficar mais um instante"

1987 - "Eu sou terrível E é bom parar De desse jeito me provocar"

1988 - "Vou cavalgar por toda a noite/Por uma estrada colorida Usar meus beijos como açoite E a minha mão mais atrevida"

1989 - "Preciso acabar logo com isto/Preciso lembrar que eu existo/Que eu existo, que eu existo"

1990 - "Se você põe aquele seu vestido/Lindo e alguém olha pra você
Eu digo que já não gosto dele
Que você não vê que ele está ficando démodé/Mas é ciúme, ciúme de você"

1991 - "Você foi o maior dos meus casos/De todos os abraços o que eu nunca esqueci/Você foi dos amores que eu tive/O mais complicado e o mais simples pra mim."

1992 - "Se você pensa que vai fazer de mim/O que faz com todo mundo que te ama/Acho bom saber que pra ficar comigo
Vai ter que mudar"

1993 - "Coisa bonita/Coisa gostosa/Quem foi que disse que tem que ser magra pra ser formosa "

1994 - "Esqueça se ele não te ama
Esqueça se ele não te quer
Não chore mais não sofra assim
Porque posso te dar amor sem fim"

1995 - "Eu te proponho te dar meu corpo/Depois do amor, o meu conforto/E além de tudo/Depois de tudo/Te dar a minha paz"

1996 - "Você, meu amigo de fé, meu irmão camarada/Amigo de tantos caminhos e tantas jornadas"

1997 - "Jesus Cristo, Jesus Cristo, Jesus Cristo eu estou aqui"

1998 - "Eu tenho tanto para lhe falar/Mas com palavras não sei dizer/Como é grande o meu amor por você"

VOCÊ SABIA?

Em três décadas de especiais, Roberto só deixou de apresentar seu show anual em 1999.

2000 - "Vivo por ela
Ninguém duvida
Porque ela é tudo
Na minha vida"

2001 - "Além do horizonte deve ter Algum lugar bonito pra viver em paz/Onde eu possa encontrar a natureza/Alegria e felicidade com certeza"

2002 - "E muitos outros brotos que encontrei pelo caminho/Falavam 'que estouro, que beleza de carrinho'
E fui me acostumando e do carango fui gostando/O Calhambeque, bi-bi, quero conservar o Calhambeque"

2003 - "Por séculos, milênios,
Dimensões qualquer lugar
Somos um do outro e assim sempre será/Nada vai mudar a gente vai se amar
Pra sempre."

2004 - "Eu sei/Tô correndo ao encontro dela/Coração tá disparado/Mas eu ando com cuidado/Não me arrisco na banguela"

2005 - "Amanhã de manhã
Vou pedir o café pra nós dois
Te fazer um carinho e depois
Te envolver em meus braços"

voz embargada

Sérgio Chapelin foi convocado para substituir Heron Domingues – seu ídolo na televisão – na apresentação do *Jornal Internacional.*

Uma das primeiras notícias lidas por ele era sobre a morte de guerrilheiros latino-americanos. No meio da leitura, sua voz embargou. Em pouco tempo, agentes do SNI desembarcaram na redação para cobrar explicações sobre a "comoção" revelada pelo apresentador.

VOCÊ SABIA?

Por causa da novela, "espigão" virou sinônimo de "arranha-céu" e se tornou verbete no dicionário *Aurélio.*

o espigão

No ar, a primeira novela a tratar de questões como meio ambiente e qualidade de vida. Escrita por Dias Gomes, a trama de *O Espigão,* exibida às 22h, reconstitui a saga do empresário Lauro Fontana (Milton Moraes), decidido a construir no bairro de Botafogo o hotel mais moderno do mundo, o Fontana Sky, com uma piscina por andar e rampa de acesso exclusivo a cada apartamento. O projeto megalomaníaco logo ganhou um apelido: "espigão".

tempos modernos O progresso tecnológico e a corrida imobiliária no "Brasil Grande" eram temas centrais de *O Espigão.* Para retratar esses "tempos modernos", a Globo importou dos Estados Unidos uma série de "maravilhas" da tecnologia da época, como a escova de dentes elétrica e óculos com limpador de pára-brisa, para uso em saunas.

efeitos especiais

I O escritório de Lauro Fontana era equipado com uma ultramoderna esteira rolante. Na verdade, Milton Moraes ficava sobre um carrinho, puxado por um contra-regra.

I A mulher de Lauro Fontana, Cordélia (Suely Franco), dormia numa cama elétrica, acionada por ela nos momentos de tensão. Cordélia apertava um botão e a cama começava a se mover. Alta tecnologia? Não. Força mesmo. Contra-regras sacudiam pneus instalados sob a cama para produzir os tais movimentos "elétricos".

fogo sobre terra

A novela havia sido censurada no ano anterior, mas Janete Clair insistiu e levou, para o horário das oito da noite, o drama dos irmãos Diogo (Jardel Filho) e Pedro Azulão (Juca de Oliveira). Diogo, engenheiro, foi criado no Rio de Janeiro, depois da morte dos pais. Pedro nunca saiu de Divinéia, sua cidade natal, no sertão de Mato Grosso.

Trinta anos depois de se separarem, os irmãos voltam a se encontrar num momento decisivo: Divinéia está prestes a ser inundada para dar lugar a uma barragem. O engenheiro responsável pela obra: Diogo. O principal adversário do projeto: Pedro.

Para piorar a situação, os dois passam a disputar o amor da mesma mulher, Chica Martins (Dina Sfat). Resultado: a maior confusão na ficção – e nos bastidores também.

sob censura Num dos capítulos, Pedro Azulão conclamava a população a pegar em armas para defender Divinéia. Resultado: Janete Clair foi obrigada pela censura a incluir, em sua trama, a prisão do personagem, acusado de invasão de domicílio, seqüestro e tentativa de homicídio. Quem mandou ser subversivo?

VOCÊ SE LEMBRA?

No capítulo final, Divinéia é inundada. As águas destroem tudo e a barragem é inaugurada.

VOCÊ SABIA?

Pressionada pela censura, Janete teve que rasgar 12 capítulos inteiros de *Fogo Sobre Terra*.

ASPAS

Não tem sido fácil escrever *Fogo Sobre Terra*. Por vezes o telespectador deve ter achado um capítulo sem nexo, truncado, e deve ter imaginado que eu enlouqueci. Não é fácil dizer a verdade. E, às vezes, ela vai ao ar mutilada por mil injunções."

(Janete Clair)

Bete Mendes e Buza Ferraz

o rebu

Uma noite de festa, um corpo boiando na piscina e 132 capítulos de suspense.

Escrita por Bráulio Pedroso para o horário das 22h, *O Rebu* era pura ousadia. A tal festa durou a novela inteira e a ação se desenrolava pontuada por *flashbacks* e reviravoltas nas investigações policiais. Era preciso prestar atenção para não ficar de fora.

Todos os 24 convidados da festa promovida pelo banqueiro Conrad Mahler (Ziembinski) eram suspeitos do assassinato de Silvia. Quem era o culpado?

VOCÊ SE LEMBRA?

Silvia, a vítima, era interpretada pela atriz Bete Mendes.

E QUEM MATOU SILVIA?

O anfitrião da festa. O banqueiro assassinou a moça por ciúmes de seu namoro com Cauê (Buza Ferraz), jovem carioca que vivia sob sua proteção e com quem ele mantinha um caso homossexual. Babado forte...

MALDITO VESTIDO

Arlete Salles penou neste modelito aí do lado. Foram meses de gravação – com o mesmo figurino.

ASPAS

Quando eu tirei aquele vestido pela última vez, eu não podia mais vê-lo nem em sonho!" (Arlete Salles)

armalat

década 2

OLDHAM AND DISTRICT
GENERAL HOSPITAL
OLDHAM – INGLATERRA
AIDS
ANTO MAIS VOCÊ CONHECE,
MAIS PODE EVITAR.
USE PRESERVATIVOS EM SUAS RELAÇÕES SEXUAIS.
FUJA DAS SERINGAS JÁ USADAS.
EXIJA AGULHAS DESCARTÁVEIS E ESTERILIZADAS.

DANCE BEM, DANCE MAL

Bem-vindos aos embalos de sábado à noite, à era disco, aos *dancing days*.

Bee Gees, Donna Summer e aquela vontade desesperada de deixar tudo para lá – política, principalmente – e rodopiar ao som daquelas moças irresistíveis: as Frenéticas, lembram?

"Abra suas asas/Solte suas feras/Caia na gandaia/Entre nesta festa."

Elas convidavam e a gente deslizava nas pistas de dança, no embalo da novela *Dancin' Days*.

Alienados? Sim, senhor.

Quem sobreviveu à luta armada ou ao torpor *dancing* viu o general João Figueiredo assumir o poder em 1979 com a missão de "consolidar a transição democrática". Com a bênção do presidente, exilados políticos foram anistiados e começaram a desembarcar no Brasil.

E lá vieram Gabeira (com sua sunga de crochê na Praia de Ipanema) e Betinho, o irmão do Henfil, enquanto a Lei do Divórcio era aprovada no país, o primeiro bebê de proveta vinha ao mundo, o papa João Paulo II aterrissava no Rio de Janeiro para um tour apoteótico, a IBM lançava o primeiro PC e uma epidemia assustadora tomava conta do planeta: a Aids.

A liberdade sexual dos anos 60 – da pílula anticoncepcional, do amor livre, da emancipação feminina – estava condenada. Uma nova era, de uma nova repressão, começava ali, com a descoberta da nova epidemia.

O "casamento do século" do príncipe Charles e de Lady Diana, em agosto de 1981, parecia um prenúncio desses novos tempos: ao vivo, via satélite, para quase 1 bilhão de telespectadores, a promessa de "ser feliz para sempre", na saúde e na doença, como nos contos de fadas. Quem dera...

E sai da frente! Nelson Piquet cruza a reta de chegada e se torna campeão mundial de Fórmula 1. O "Emerson Fittipaldi" dos anos 1980.

Rugem os motores – e também as caixas de som.

Chegou a vez do Rock Brasil, com Blitz, Barão Vermelho, Paralamas, Titãs, Ultraje a Rigor, Legião Urbana, Lobão, Lulu Santos, ou seja, essa turma toda que nos tornou menos tristes, mais vivos, apesar dos pesares. Uma bela trilha sonora para ouvir na mais nova invenção lançada no mercado norte-americano e invejada por nós: os diminutos CDs. O rock embalava nossos sonhos enquanto um movimento mobilizava o país: "Diretas Já"!

E lá vieram Salomé ("de Passo Fundo"), o Capitão Gay e um coronel que soltava formigas pelo nariz...

1975

a escalada

A nova trama das oito da noite começa em 1940 e termina em 1975. Trinta e cinco anos na vida do caixeiro-viajante Antônio Dias. Como pano de fundo, momentos marcantes da história do Brasil.

No ar, em horário nobre, uma ousadia chamada *Escalada*, de Lauro César Muniz. O autor se inspirou na trajetória profissional de seu pai para criar a trama. No papel principal estava Tarcísio Meira, dividido entre Cândida (Suzana Vieira), com quem se casa, e Marina (Renée de Vielmond), por quem se apaixona de verdade.

ACREDITE SE QUISER

A censura fazia marcação cerrada. Antônio, o protagonista, participava da construção de Brasília, e os capítulos finais da novela foram gravados na nova capital federal. Mas um nome e um sobrenome foram proibidos pelos militares nos diálogos e nas imagens de arquivo: Juscelino Kubitschek. O mesmo Juscelino que, em 2006, seria tema de minissérie na Globo.

sempre gabriela

Gabriela

Esta cena aí em cima ninguém esquece. Sônia Braga sobe no telhado para pegar uma pipa e uma multidão se aglomera diante da casa – e das TVs de todo o Brasil – para acompanhar a travessura.

Com seu cheiro de cravo e canela, as saias curtas e os vestidos decotados sobre a pele sempre morena, Gabriela saiu do romance de Jorge Amado para seduzir o Brasil e levar o turco Nacib à loucura. Produzida para festejar os 10 anos da Globo, Gabriela fez o país inteiro dormir mais tarde ao longo de 135 capítulos, exibidos a partir das dez da noite.

outras cenas inesquecíveis

- Nacib flagra Gabriela na cama com o "almofadinha" Tonico Bastos. Todos nós, do fã-clube de Nacib e Gabriela, nos sentimos traídos.
- Juca Viana (Pedro Paulo Rangel) e Chiquinha (Cidinha Milan), uma das "ra-

Tonico Bastos

parigas" do coronel Coriolano, também são flagrados na cama e atirados sem roupa na rua, debaixo de chuva, pelos jagunços do coronel. Para burlar a Censura Federal, o diretor Walter Avancini gravou as cenas à distância, de acordo com o roteiro de Walter George Durst.

❙ O coronel Guedes Mendonça (Francisco Dantas) mata a mulher ao descobrir que era traído.

❙ O coronel Ramiro Bastos (Paulo Gracindo), prefeito da cidade, morre e seu jovem opositor, Mundinho Falcão (José Wilker), assume o poder. Novos tempos? Fim do coronelismo? Nada disso. Na cena final da novela, Mundinho aparece adorado pelas baianas, que lhe beijam a mão em praça pública.

VOCÊ SABIA?

❙ Gabriela recebeu todos os cuidados de uma superprodução: Uma cidade cenográfica baseada em desenhos do artista plástico baiano Carybé, que retratou a Ilhéus de 1925, foi montada na cidade de Guaratiba, no Rio de Janeiro.

❙ Uma área de 1.200 metros quadrados foi aterrada para abrigar os cenários. Na cidade de mentira, instalaram-se uma caixa de água com capacidade de 16 mil litros e um gerador de energia gigante, capaz de iluminar toda a "cidade".

❙ Depois da novela, cobriu-se a área aterrada com jardins projetados pelo paisagista Burle Marx.

❙ A novela foi o primeiro romance de Jorge Amado adaptado para a TV. Seu sucesso abriu espaço para uma série de adaptações da obra do autor: *Terras do Sem Fim* (1981), *Tenda dos Milagres* (1985), *Tieta* (1989), *Teresa Batista* (1992), *Dona Flor e Seus Dois Maridos* (1998) e *Pastores da Noite* (2002).

Elizabeth Savalla

Sônia Braga e Armando Bogus

trilha sonora Um dos pontos altos de *Gabriela* era a trilha sonora produzida pelo maestro Guto Graça Mello, com doze músicas compostas especialmente para a trama. *Gabriela*, a música-tema, foi criada por Dorival Caymmi e cantada por Gal Costa.

MÚSICA

CANTE COM A GENTE

"Eu nasci assim
eu cresci assim
Sempre Gabriela..."

testando

1. Quem fazia o papel do turco Nacib, com quem Gabriela viveu uma bela história de amor?
   a) Paulo Figueiredo
   b) Armando Bogus
   c) Fábio Jr.

2. Quem interpretava Tonico Bastos, o Don Juan conquistador de mulheres solteiras e casadas?
   a) Marcos Paulo
   b) Dennis Carvalho
   c) Fúlvio Stefanini

3. Que atriz fazia o papel de Zarolha, líder das "raparigas" do Cabaré Bataclan, o bordel da cidade de Ilhéus?
   a) Regina Duarte
   b) Dina Sfat
   c) Darlene Glória

4. Qual o nome da jovem corajosa e independente interpretada por Elizabeth Savalla, em sua estréia na TV?
   a) Tancinha
   b) Nicinha
   c) Malvina

Respostas: 1-b / 2-c / 3-b / 4-c

Lucinha e Salviano Lisboa

Viúva Porcina e Sinhozinho Malta: censurados

roque santeiro? nada disso

Um choque. Trinta e seis capítulos de *Roque Santeiro* já estavam gravados quando a Delegacia de Ordem Política e Social (DOPS) descobriu que Dias Gomes, aquele "subversivo", estava adaptando para a TV uma peça de sua autoria, *Berço do Herói*, escrita em 1963 e vetada pela Censura Federal. A novela acabou censurada às vésperas da estréia.

Só dez anos depois a história de Roque Santeiro, Sinhozinho Malta e Viúva Porcina sairia da gaveta... Por enquanto, caberia a Janete Clair encontrar uma solução a jato para ocupar o horário das oito da noite. Enquanto isso – com o fim de *Escalada* – iria ao ar um compacto de *Selva de Pedra*.

PECADO CAPITAL

maldita mala

Janete Clair estava escrevendo outra novela, *Bravo!*, quando foi convocada às pressas para criar uma trama capaz de substituir a censurada *Roque Santeiro*, aproveitando o elenco e parte dos cenários da novela proibida. Foi assim, no susto, que surgiu a obra-prima *Pecado Capital.*

impasses A trama começa quando o motorista de táxi Carlão (Francisco Cuoco) encontra uma mala de dinheiro no banco de trás do carro. Ele fica com a mala ou devolve a fortuna à passageira, Eunice?

Outra complicação: a noiva de Carlão, Lucinha (Betty Faria), é uma jovem operária que se envolve com o dono da empresa onde trabalha, o poderoso e solitário Salviano Lisboa (Lima Duarte). Lucinha se casa com o milionário ou aposta tudo em Carlão, seu verdadeiro amor?

Diante de impasses assim, o público não desgrudava os olhos da TV.

MÚSICA

CANTE COM A GENTE

Dinheiro na mão
é vendaval
é vendaval
na vida de um sonhador
de um sonhador
Quanta gente aí se engana
E cai da cama com toda
ilusão que sonhou."

(Paulinho da Viola)

testando

1. Na versão original de *Pecado Capital,* quem fazia o papel de Eunice, a passageira de táxi com quem Carlão acabava se envolvendo?
   a) Lucinha Lins
   b) Tássia Camargo
   c) Rosamaria Murtinho

2. Qual era a origem do dinheiro encontrado no táxi?
   a) Prêmio de loteria
   b) Dinheiro roubado em assalto
   c) Dinheiro ganho na venda de um imóvel

Respostas: 1-c / 2-b

antológica

No capítulo final da novela *Pecado Capital*, Carlão é baleado num canteiro de obras do metrô do Rio de Janeiro. Francisco Cuoco cai lentamente, ao som da música-tema da novela, *Pecado Capital*, gravada por Paulinho da Viola.

A morte do herói causou revolta entre os telespectadores. Pela primeira vez numa novela, o "mocinho" morria no final. Mas *Pecado Capital* foi um sucesso retumbante – mais um para o currículo de Janete.

testando

1. Em 1998, Glória Perez escreveu uma nova versão de *Pecado Capital*. Que ator ficou com o papel de Carlão?
   a) Eduardo Moscovis
   b) Maurício Mattar
   c) Tony Ramos

2. Nesta nova versão, Francisco Cuoco interpreta outro personagem. Qual?
   a) O empresário Salviano Lisboa, com quem a noiva de Carlão se envolve.
   b) Roberto, irmão de Carlão, interessado em roubar o dinheiro dele.
   c) Dr. Sampaio, o delegado encarregado de investigar o sumiço da mala.

Respostas: 1-a / 2-a

VOCÊ SABIA?

- *Pecado Capital* foi a primeira novela em cores exibida às oito da noite.
- Para retratar melhor a realidade brasileira, a figurinista Marília Carneiro saiu pelas ruas do Rio para trocar roupas novas por roupas surradas dos pedestres. Francisco Cuoco usou figurinos recolhidos entre taxistas de verdade.

Juca de Oliveira

1976

fantásticos, incríveis e extraordinários

Uma mulher que explode de tanto comer. Um homem que solta formigas pelo nariz e outro que só falta pôr o coração pela boca quando se emociona.

Bem-vindos a *Saramandaia*, de Dias Gomes e dirigida por Walter Avancini, a novela que levou o realismo fantástico para a TV e surpreendeu o Brasil com personagens inacreditáveis.

povo de saramandaia!

I João Gibão (Juca de Oliveira): Com seu gibão de couro estufado nas costas, João parecia corcunda. Falsa aparência:

O professor Aristóbulo vira lobisomem

o que ele escondia sob o casaco eram asas. Alado desde o nascimento, João Gibão só levantou vôo no fim da novela. Uma maneira encontrada por Dias Gomes para simbolizar a liberdade em tempos de regime militar.

❙ Aristóbulo Camargo (Ary Fontoura): Durante a semana inteira, um simples professor. Só abandonava o ofício nas noites de quinta para sexta-feira, quando se transformava em lobisomem.

❙ Dona Redonda (Wilza Carla): Comia tanto que acabou explodindo. Uma crítica à sociedade de consumo, garantiam os críticos de plantão. Dias Gomes negava: nunca tinha pensado nisso. Era gula mesmo.

❙ Marcina (Sônia Braga): Ela não era mais a irresistível Gabriela, mas continuava *caliente*. Tão *caliente* que provocava incêndios com o calor de seu corpo. O que teve de lençol queimado...

❙ Zico Rosado (Castro Gonzaga): O coronel, dono de um latifúndio, soltava formigas pelo nariz.

❙ Sr. Cazuza (Rafael de Carvalho): Ameaçava cuspir o coração toda vez que se emocionava.

VOCÊ SABIA?

Saramandaia marcou a estréia de Antônio Fagundes na TV Globo. Seu personagem era o prefeito Lua Viana, irmão de João Gibão. Eles eram os líderes dos "mudancistas", facção que defendia a troca de nome da cidade.

testando

Como a cidade se chamava antes de ser rebatizada de Saramandaia?

a) Sucupira
b) Tabacópolis
c) Bole-bole

Resposta: c

fogo!

Em 4 de junho, um curto-circuito no sistema de ar-condicionado provocou um incêndio no prédio da TV Globo, na Rua Von Martius, Jardim Botânico. Mil e quinhentas fitas de programas foram reduzidas a cinzas. Seis ilhas de edição viraram pó, e um mutirão mobilizou os funcionários. Roteiros, filmes e videoteipes foram salvos graças a esse esforço geral, mas o prejuízo foi grande.

O fogo começou quando o jornal *Hoje* estava no ar. Depois de alguns minutos de interrupção, a programação voltou a ser exibida – dessa vez, direto de São Paulo.

Para garantir a transmissão do *Jornal Nacional* naquela noite, Alice-Maria e três editores decolaram rumo à capital paulista, apenas duas horas depois do início do incêndio. Na bagagem, um rolo de filme com imagens da tragédia.

FÊNIX

O incêndio provocou uma série de transformações na emissora:

- Equipamentos de última geração foram importados dos Estados Unidos.
- Montou-se um centro de exibição improvisado no *hall* de entrada do prédio da Globo, na Rua Lopes Quintas, e ilhas de edição foram instaladas na garagem do subsolo.
- O departamento de jornalismo da Globo se transferiu para São Paulo durante quase 90 dias.
- A Globo São Paulo, até então uma retransmissora da produção carioca, se tornou, durante esse período de rescaldo, exibidora de todos os telejornais da rede.

nas ruas e no ar, o eng...

... Ou Electronic News Gathering. Depois do incêndio, as equipes de reportagem da Globo passaram a contar com equipamentos eletrônicos de última geração, portáteis, capazes de transmitir som e imagem direto das ruas para a emissora, sem uso de filmes ou necessidade de revelação.

Câmeras mais sensíveis, transmissores de microondas, videoteipes (os VTs) e sistemas de edição eletrônica desembarcaram na emissora para substituir as tradicionais câmeras de cinema de 16 mm, ainda usadas na redação, pelo jornalismo.

Seria uma longa transição. Cinegrafistas e jornalistas resistiam a abandonar seus rolos de filmes e moviolas para apostar tudo na nova tecnologia. Muitas equipes iam para as ruas com duas câmeras: uma de televisão e outra de cinema...

agilidade Os novos equipamentos deram muito mais agilidade e visibilidade aos repórteres. Já não era mais preciso economizar película nem voltar à redação para revelar os filmes, contados a metro, antes da exibição.

Ao vivo, direto do local dos acontecimentos, os repórteres apuravam e apresentavam as notícias. Começava a era dos "Repórteres de Rede".

de joelhos A primeira entrada ao vivo, com o auxílio luxuoso do ENG, aconteceria em junho de 1977, quando a repórter Glória Maria e o cinegrafista Roberto Padula foram à avenida Brasil, no Rio de Janeiro, cobrir um longo engarrafamento. Minutos antes da transmissão, o equipamento de luz falhou e o bom e velho improviso entrou em cena.

O cinegrafista usou os faróis do carro da reportagem para iluminar Glória Maria, e a repórter ficou de joelhos (devidamente enquadrada dos ombros para cima) para dar as últimas notícias.

OS CÍLIOS DA ILKA SOARES

Era preciso esvaziar o prédio, e rápido. No camarim, as atrizes Pepita Rodrigues e Ilka Soares se preparavam para as gravações da novela *Anjo Mau* quando a fumaça começou a invadir a sala.

– Tem de sair! Agora! – gritavam os bombeiros.

Ilka estava paralisada diante do espelho. Pânico? Não. Vaidade mesmo. Ela tinha colado um cílio postiço, mas ainda faltava encaixar o outro.

E ela não se moveu enquanto não concluiu sua maquiagem.

ANJO MAU

uma babá nada perfeita

Quem não ficou indignado com as maldades e intrigas cometidas pela babá Nice, capaz de tudo para conquistar o coração de Rodrigo, seu patrão, em *Anjo Mau*? A vilã, interpretada por uma irresistível – e devidamente uniformizada – Suzana Vieira, atropelou todas as pretendentes do personagem de José Wilker, ganhou a confiança da família do patrão e até uma aliança do amado. Mas morreu ao dar à luz o filho do casal.

A sentença de morte da babá nada perfeita teria sido assinada pela censura, que decidiu vetar a vitória do mal contra o bem na ficção.

VOCÊ SE LEMBRA?

Anjo Mau fez tanto sucesso que ganhou nova versão em 1997. No *remake*, Glória Pires vestiu o uniforme de babá e Kadu Moliterno substituiu José Wilker no papel de patrão irresistível. Na versão anos 90, livre das pressões da ditadura, Nice teve muito mais sorte, sendo poupada para viver feliz para sempre ao lado de Rodrigo.

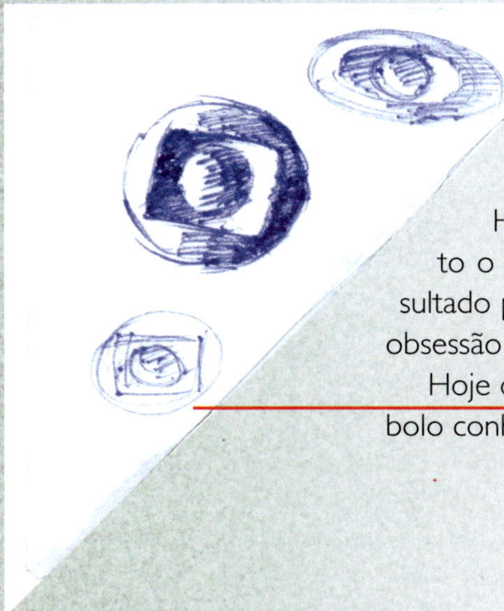

os globos da globo

Foi neste guardanapo aí do lado que nasceu o logotipo da Rede Globo. Quem desenhou os globos no papel, em pleno vôo da Swissair a caminho do Brasil, foi o *designer* austríaco Hans Donner.

Hans sabia vagamente onde trabalharia, mas não entendia direito o nome da empresa. "Rede", de acordo com o dicionário consultado por ele, era usada para pescar ou deitar. Sobrava o globo, uma obsessão para Hans desde os tempos de estudante de *design* em Viena.

Hoje o guardanapo é uma relíquia e a logomarca da Globo, um símbolo conhecido em todo o mundo.

ASPAS

Era o destino entrando na minha vida: sair da fronteira da Áustria, Alemanha e Suíça, e vir para um país onde as pessoas achavam que eu iria encontrar cobras, macacos e bananas. E, aqui, fazer um trabalho que se tornou escola para o mundo inteiro." (Hans Donner)

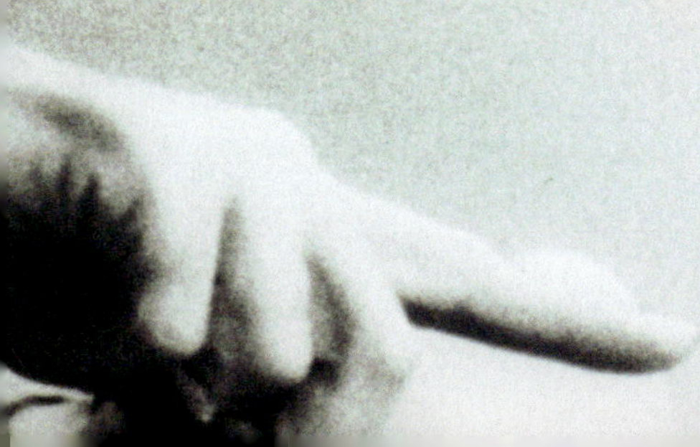

três em um

E quem disse que novela não pode ser difícil? Não foi todo mundo que entendeu, de primeira, as intenções de Lauro César Muniz quando *O Casarão* foi ao ar. Repleta de triângulos amorosos e casamentos de conveniência, a novela retratou a saga de cinco gerações da mesma família, de 1910 a 1976. Em um único capítulo era possível ver o mesmo personagem em três fases de sua vida: jovem, adulto e idoso.

memorável

Uma mesa na Confeitaria Colombo, no Rio de Janeiro. De um lado, Paulo Gracindo. Do outro, Yara Cortes. Quarenta anos depois de se conhecerem e se apaixonarem, Carolina e João Maciel realizam finalmente o sonho de ficar juntos.

– Te fiz esperar muito? – Carolina pergunta, ao chegar atrasada ao restaurante.

– Não. Só 40 anos – responde um irresistível Gracindo, na pele de João Maciel.

A cena faz parte da antologia dos melhores momentos da TV no Brasil.

Ohhhhh, estúpido cupido Cupido

O novelista Mário Prata preferiu fincar bandeira no início dos anos 60 em sua novela das 19h, a dançante e hilariante *Estúpido Cupido.*

Rock'n'roll, *twist*, *chachachá*, blusões de couro e lambretas envenenadas.

Na linha de frente, um irresistível Ney Latorraca no papel de Mederiquis, um rebelde sem causa, sempre com chiclete na boca.

concurso de miss Em *Estúpido Cupido*, Françoise Forton fazia o papel de uma candidata a Miss Brasil. A finalíssima do concurso foi gravada no Maracanãzinho lotado por mais de dez mil espectadores, e teve apresentação ao vivo pelos locutores oficiais dos concursos de miss, Hilton Gomes e Marly Bueno.

O elenco não sabia qual seria o resultado. Françoise Forton tinha sido informada de que perderia a peleja, mas na hora H teve uma surpresa. Era ela a Miss Brasil 1961.

A atriz desabou de emoção ao ouvir a notícia. O choro, exibido para todo o Brasil, foi de verdade.

ao som de celly campello A música-tema da novela era um rock de grande sucesso do início dos anos 1960, na voz de Celly Campello. Tornou-se hit de novo graças à novela e foi o carro-chefe da trilha sonora campeã de vendas da Som Livre na época. Mais de 1 milhão de pessoas levaram o disco para casa.

VOCÊ SABIA?
Última novela gravada em preto-e-branco, *Estúpido Cupido* só teve seus dois capítulos finais produzidos em cores.

cante com a gente

ESTÚPIDO CUPIDO
(Celly Campello)

"Ah, Cupido, vê se deixa em paz,
Meu coração que já não pode amar
Eu amei há muito tempo atrás,
Já cansei de tanto soluçar
Hey, hey, é o fim
Ah, Cupido, pra longe de mim"

Outro hit da época, principalmente entre as meninas de biquíni amarelinho, era esta música aí embaixo. Você lembra?

BIQUÍNI DE BOLINHA AMARELINHA
(Ronnie Cord)

"Ana Maria entrou na cabine
E foi vestir um biquíni legal
Mas era tão pequenino o biquíni
Que Ana Maria até sentiu-se mal
Ai, ai, ai, mas ficou sensacional!"

Leôncio (Rubens de Falco) e Isaura (Lucélia Santos): o senhor e a escrava

Ierê, Ierê...

Parece que foi ontem, mas já faz 30 anos. Mesmo quem ainda não tinha nascido para ver Lucélia Santos no papel de escrava branca sabe cantarolar o início de *Retirante*, música-tema de *Escrava Isaura*: "Vida de nego é difícil/É difícil como o quê..."

Gilberto Braga foi buscar no colégio onde estudou, o Pedro II, no Rio de Janeiro, a inspiração para sua trama. Uma ex-professora, Eneida do Rego Monteiro Bonfim, foi quem deu a dica: "Gilberto, para televisão é *Escrava Isaura*".

Dito e feito. O autor leu as dez primeiras páginas do romance, e pronto.

A obra de Bernardo Guimarães saiu do quase anonimato para entrar na história.

números

- Só na Alemanha, *Escrava Isaura* já foi exibida **5** vezes.
- Na China, **300** milhões de pessoas elegeram Lucélia Santos a melhor atriz de 1985.
- No rastro do sucesso, foram vendidos **500 mil** exemplares da tradução do livro de Bernardo Guimarães para o chinês.
- Até hoje, a novela já foi vendida para mais de **80** países.
- *Escrava Isaura*, **30** anos depois da estréia, ainda é comercializada pelo mundo afora. Em 2005, foi revendida para a Rússia e para a Polônia.

ASPAS

"Era aquela heroína romântica que sofria rejeição, abandono, dor, mágoa. Eu me lembro dos bilhetes do Gilberto Braga para mim: 'Desculpe, Lucélia, mas heroína é assim'. Eu passava o tempo todo na concentração do personagem. E isso era uma exigência da direção. O Herval Rossano (diretor da novela) não permitia que eu brincasse e eu sou muito palhaça. Mas eu não podia sair da minha postura de escrava Isaura, porque, senão, eu saía do personagem. Tinha de ficar o dia inteiro travada, e aquilo doía." (Lucélia Santos)

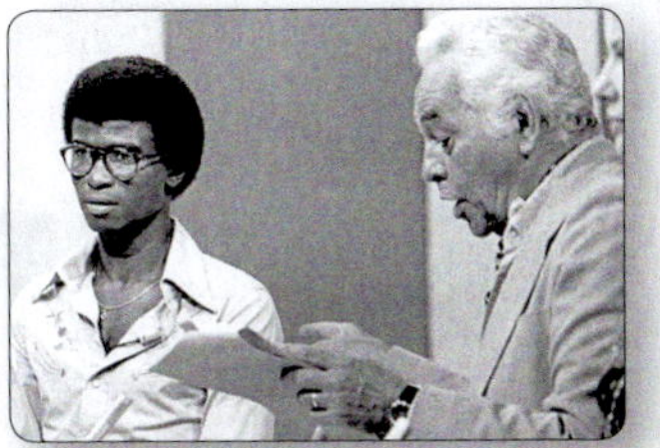

8 OU 800?

O costureiro Clodovil foi um dos que exibiram seus conhecimentos – e sua memória – no *Oito ou Oitocentos*, programa de perguntas e respostas apresentado ao vivo por Paulo Gracindo, todo domingo, às 19h.

Para faturar o prêmio máximo – 800 mil cruzeiros –, o candidato precisava sobreviver a 17 semanas seguidas de inquérito sobre determinado tema. Cada concorrente tinha o direito de escolher seu assunto preferido... e o dever de acertar todas as respostas para chegar à final.

Clodovil elegeu o tema Dona Beja e levou o dinheiro para casa. Não foi o único a entrar no páreo e se dar bem.

ELES TAMBÉM FORAM À LUTA

- Éder Jofre – O pugilista pôs à prova seus conhecimentos sobre Muhammad Ali.
- Fátima Botelho de Brito – Aos 12 anos, a mais jovem participante do programa exibiu seus conhecimentos sobre Elvis Presley.
- Mário Autuori – O zoólogo paulista ganhou o prêmio máximo ao responder sobre formigas saúvas. Teve de sair do estúdio escoltado por policiais, de tanta gente que quis cumprimentá-lo.
- Ronaldo Alves dos Santos – O estudante encerrou o programa, depois de nove meses de exibição. Seu tema: José do Patrocínio.

De dentro da banana sai a bailarina Vilma Dias

o planeta dos homens

"Querias, mas não te dou!"
"Coisa horrorosa!"
"Não se pode elogiar."
"Não me comprometas."
"Não precisa explicar, eu só queria entender."
"Vai pra casa, Padilha!"

Pois é. Todas essas frases que repetíamos – e de vez em quando ainda deixamos escapar por aí – nasceram no *Planeta dos Homens*. No ar, Agildo Ribeiro, Paulo Silvino, Jô Soares e uma galeria de tipos imbatíveis.

a banana e a uva Doutor Sardinha, interpretado por Jô Soares, satirizava o então ministro Delfim Netto, transferido na época da pasta do Planejamento para a da Agricultura. Sardinha vivia dizendo que seu negócio era os números. Sobre os dados da agricultura, desconversava: "O abacaxi está abacaxizando." E a uva? "Está uvando." Era o início, tímido ainda, de uma "lenta abertura gradual".

gente que faz

Nada de celebridades em cena. No *Domingo Gente*, os holofotes apontavam para os anônimos. Para ser atração do programa bastava ter uma boa e inusitada história de vida para contar. E eles tinham.

alguns personagens da vida real

Pedro Antônio – Seu *hobby* era realizar viagens clandestinas mundo afora. A última aventura foi uma viagem de avião à Espanha – de graça, devidamente escondido.
Yukio Takahashi – Acredite: ele preparava pratos japoneses sem tocar nos alimentos. Era o único brasileiro autorizado pelo Imperador do Japão a realizar o milenar cerimonial das facas.
Jurandir Soares de Oliveira – Cascavéis e corais que se cuidassem. Funcionário do Instituto Butantã, em São Paulo, Jurandir ganhava a vida tirando veneno de cobras pelo Brasil.

marilu é quem sabe A *high society* também tinha vez no *Domingo Gente*. Contar fofocas sobre a elite era o passatempo preferido da personagem nada discreta interpretada pela atriz Marilu Bueno, sempre acompanhada pelo seu fiel cão, Arthur.

A interação entre os dois era tão perfeita que, se Marilu dissesse que o bicho passou mal, Arthur simulava um desmaio na hora. Bem... na hora da edição. Na verdade, primeiro gravavam-se todas as cenas com a atriz e, depois, os produtores esforçavam-se para desenvolver os dons cênicos do quadrúpede. A mágica terminava depois de cortar os (muitos) erros de atuação de Arthur. Em casa, todo mundo achava Arthur um gênio. Nos bastidores, Marilu penava.

acredite se quiser

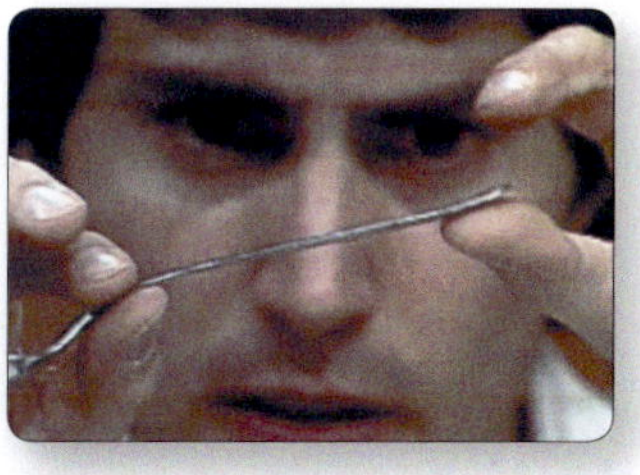

Se você estava diante do vídeo quando o paranormal israelense Uri Geller apareceu, deve ter cometido os seguintes desatinos:

- Fez de tudo para entortar talheres com a energia das mãos.
- Tentou fazer relógios parados funcionarem de novo, também com seus toques mágicos.

As performances de Uri Geller – transmitidas ao vivo, no Rio e em São Paulo, em duas tardes inesquecíveis na Globo – arrebataram 90% da audiência no horário e deixaram sete telefonistas com os ouvidos pegando fogo. Durante as apresentações do paranormal, era comum os telespectadores ligarem para dizer que tinham conseguido repetir em casa os prodígios do guru israelense.

Herculano Quintanilha (Francisco Cuoco): de cartomante de churrascaria a braço direito de Salomão Hayala

1977

quem matou salomão hayala?

Era esta a pergunta que todo mundo fazia. A resposta só veio no último capítulo da novela *O Astro*, quando o país inteiro parou para ver o desfecho da trama de Janete Clair. Dias depois da exibição do *grand finale*, Carlos Drummond de Andrade convocou, em sua crônica no *Jornal do Brasil*: "Agora que *O Astro* acabou vamos cuidar da vida, que o Brasil está lá fora esperando".

strip-tease

Numa das cenas mais marcantes da novela, Tony Ramos – no papel de Márcio Hayala, filho de Salomão (Dionísio Azevedo) – renega a herança do pai, tira as roupas diante dele e vai embora da mansão dos Hayala livre, leve e solto, como bom devoto de São Francisco de Assis. Foi o primeiro nu masculino da história das novelas brasileiras.

e afinal...

... quem matou Salomão Hayala?

Foi Felipe Cerqueira (Edwin Luisi), amante de sua mulher, interessado, é claro, na fortuna da família.

VOCÊ SABIA?

Tony Ramos garantiu seu lugar em *O Astro* enquanto ajudava o diretor, Daniel Filho, a testar candidatos para um papel na novela. O ator roubou a cena e acabou sendo convidado para interpretar Márcio Hayala.

sítio do picapau amarelo

Eles saíram do papel e ganharam vida, cor e movimento na tela da Globo. A boneca de pano Emília, os primos Pedrinho e Narizinho, a avó de todos nós, Dona Benta, a melhor quituteira do mundo, Tia Nastácia, o sabugo de milho sabe-tudo Visconde de Sabugosa.

No ar, o *Sítio do Picapau Amarelo*, de Monteiro Lobato, marco na televisão brasileira e na nossa infância também.

lei áurea

O programa foi vendido para países como Chile, Nicarágua e Colômbia. Angola também comprou os direitos de exibição do *Sítio*, mas o programa foi tirado do ar sete episódios depois da estréia. Motivo alegado: racismo. Os angolanos não gostavam de ver o negro – representado principalmente por Tia Nastácia – apenas em funções subalternas.

testando

Que atores interpretaram Pedrinho e Narizinho na primeira versão do Sítio?

a) Fábio Sabag e Catarina Abdala
b) Marcelo José Patelli e Daniele Cristina
c) Geraldo Casé e Rosana Garcia
d) Júlio César e Rosana Garcia

Resposta: d

VOCÊ SABIA?

- Um sitio de verdade foi construído em Barra de Guaratiba, no Rio de Janeiro, para abrigar o cenário principal do programa, com horta, pomar e jardim em volta.
- A trilha sonora do programa foi dirigida por Dori Caymmy, filho de Dorival Caymmi. Gilberto Gil compôs a música de abertura.
- Em dezembro de 1979, a Unesco elegeu o *Sítio do Picapau Amarelo* como um dos melhores programas infantis do mundo.
- Em 2001, a segunda versão do *Sítio* entrou no ar para encantar e divertir as novas gerações.

TROCA-TROCA

Em 1980, novos atores tiveram de ser escalados para os papéis de Pedrinho e Narizinho. A dupla original já não era mais tão criança assim. Para selecionar os novos astros do *Sítio*, a Globo promoveu um concurso. Resultado: 7 mil cartas de concorrentes chegaram de todo o país. Depois de dezenas de entrevistas e testes, Daniele Cristina Rodrigues e Marcelo José Patelli foram os escolhidos.

Dirce Migliaccio (foto maior), Reny de Oliveira e Suzane Abranches: as primeiras Emílias

30 anos de riso

Didi, Dedé, Mussum e Zacarias. Os trapalhões ficaram quase 30 anos no ar arrancando gargalhadas de todos nós com seu humor pastelão, rasgado, irresistível, sem medo de ser feliz.

A turma foi criada em 1966, na extinta TV Excelsior, com outra formação. Depois de mudar de elenco e passar por duas outras emissoras, o humorístico *Os Trapalhões* chegou à TV Globo em 1977.

VOCÊ SABIA?

- Os cantores Wanderley Cardoso e Ivon Curi e o lutador Ted Boy Marino fundaram o grupo com Renato Aragão e Manfried Santana, o Dedé.
- Antônio Carlos Bernardes, o Mussum, e Mauro Faccio Gonçalves, o Zacarias, entraram em cena logo depois, quando Wanderley, Ivon e Ted Boy decidiram investir nas carreiras solo.

Acredite se quiser

- Renato Aragão é formado em Direito pela Universidade do Ceará.
- Galã do quarteto, Dedé nasceu no circo e, ainda bebê, participou de seu primeiro espetáculo.
- Nos tempos de sambista, Mussum era conhecido como "Mumu da Mangueira". Antes de se dedicar à música, foi militar durante oito anos.
- Quando criança, Mauro Gonçalves batizou um galo de "Zacarias", mas o apelido acabou se voltando contra (ou a favor) dele. Seu sonho, quando jovem, era ser arquiteto.

com a palavra, Didi

Cuma?: "Como?", na língua do Didi.
Ô da poltrona: Somos nós mesmo, os telespectadores.
Ô, psit!: É assim que Didi chama as pessoas.
Audácia da pilombeta!: Seu comentário diante do descontrole de qualquer um.
Pó pará, pó pará!: Pára! Chega!
Poupança: Traseiro.
Bicho bom: Mulher (quase todas...). Sinônimo: tesouro.
Som na caixa!: A senha para o... som na caixa.
Bufunfa: Dinheiro. O mesmo que *pila*.

com a palavra, Mussum

Mé: Cachaça, sua bebida preferida.
Forevis: Traseiro
Cacildis!: Caramba!
Eu quero morrer pretis!: Seu juramento. Quase sempre falso, é claro.

VOCÊ SE LEMBRA?

Mussum também tinha mania de terminar as palavras com "is" ou "évis", bem carioca e malandro.

VOCÊ SABIA?

Mocó é uma espécie de preá e Mufumbo, uma planta medicinal do Ceará.

MÚSICA

CANTE COM A GENTE

Eu sou Renato Aragão,
santo trapalhão
Eu sou Mussum, sou Dedé
Sou Zacarias, carinho
Pássara no ninho
Qual tu me vê na tevê"

(*Jeito de Corpo*, Caetano Veloso)

testando

1. Mussum era sambista e integrava um grupo musical muito popular na época. Qual era o nome desse grupo?
   a) Samambaia chorona
   b) Vai de ré que eu vou sem dó
   c) Originais do samba

2. O nome completo de Didi Mocó era:
   a) Didi Mocó Sonrisel Colesterol Novalgino Mufumbo
   b) Didi Mocó Novalgino de Souza Mustafá Celerino
   c) Didi Mocó Colesterol Rinossoro Mufumbo

Respostas: 1-c / 2-a

In memorian

Mauro Gonçalves, o Zacarias, morreu em 1990, vítima de embolia pulmonar. Antônio Carlos, o Mussum, morreu durante um transplante de coração, em 1994.

vale a pena ver de novo

"**Roberto Carlos**" **(1980)** – Didi está no camarim corrigindo uma letra de música no papel. Entram em cena os comparsas Dedé, Mussum e Zacarias:

– O que tu tá fazendo, Ceará?

– Só arrumando uma música do Roberto.

Gargalhadas gerais dos companheiros. De repente, alguém bate na porta. É Roberto Carlos:

– Então, Didi, ajeitou a música pra mim?

– Você escreve essa porcaria e quer que eu melhore em segundos, é? Ah, espere lá fora, por favor...

agora em cores...

Em 1977, a transmissão em cores, implementada aos poucos na Globo havia cinco anos, foi definitivamente implantada em toda a programação.

... e pelo mundo todo

Também chegava a hora de os negócios ganharem o mundo. Foi inaugurado, em Roma, o primeiro escritório de vendas da TV Globo no exterior.

1978

MÚSICA

CANTE COM A GENTE

Abra suas asas
Solte suas feras
Caia na gandaia
Entre nessa festa
E leve com você
Seu sonho mais louco
Louco, louco
Eu quero ver seu corpo
Lindo, leve e solto"

(*Dancin' Days*, Nelson Motta e Ruben Barra)

dance sem parar

As Frenéticas faziam o Rio dançar, John Travolta lotava os cinemas do planeta com os requebros e gomalinas de Tony Manero, em *Os Embalos de Sábado à Noite*, e os globos espelhados faziam tudo girar nas pistas de dança. Era a época perfeita para lançar uma novela que misturasse psicodelia e juventude.

Gilberto Braga saiu das senzalas de *Escrava Isaura* para entrar na onda *disco*. No dia 10 de julho, nascia *Dancin' Days*, um fenômeno de audiência... e de mudança de hábitos.

haja novidade

Nenhuma novela mudou tanto o guarda-roupa e a trilha sonora dos brasileiros como *Dancin' Days*. As clássicas e multicoloridas meias lurex viraram mania no Brasil. Também entraram em cena uma água de colônia especial, com a marca da novela, e a boneca Pepa, confidente de Carminha (Pepita Rodrigues). Sandálias de salto fino começaram a deslizar pelas pistas de dança de todo o país, cada vez mais congestionadas.

dance bem, dance mal

Faltavam discotecas no Brasil para abrigar os novos bailarinos destes "*dancing days*". Os homens suavam para imitar os requebros de John Travolta e as moçoilas se esforçavam para copiar os passos de Júlia Matos (Sônia Braga), que, na novela, dá um show de dança na boate Frenetic Dancin Days, ao voltar de uma temporada na Europa.

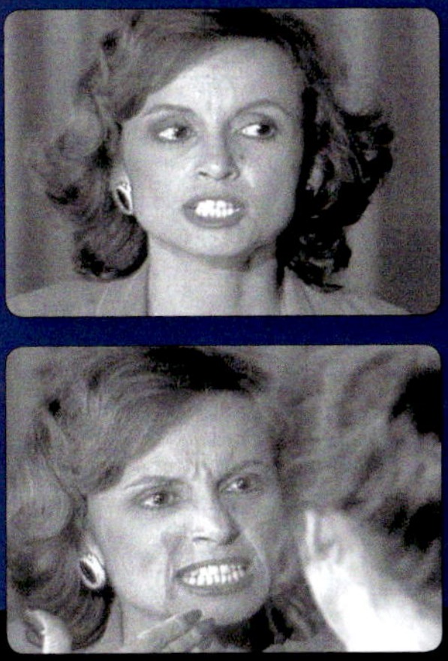

sacode a poeira

Mais uma cena antológica para nossa coleção.

De um lado da pista de dança, a heroína Júlia Matos (Sônia Braga), ex-presidiária decidida a recomeçar a vida, reconquistar a confiança da família e vencer com a força de seu trabalho. Do outro lado, sob a luz dos estroboscópios e globos espelhados, sua irmã, a inclemente e implacável Yolanda Pratini (Joana Fomm). Resultado: luta livre, com direito a tabefes e puxões de cabelo.

A pista de dança virou ringue para alegria da torcida pró-Júlia, vencedora da peleja.

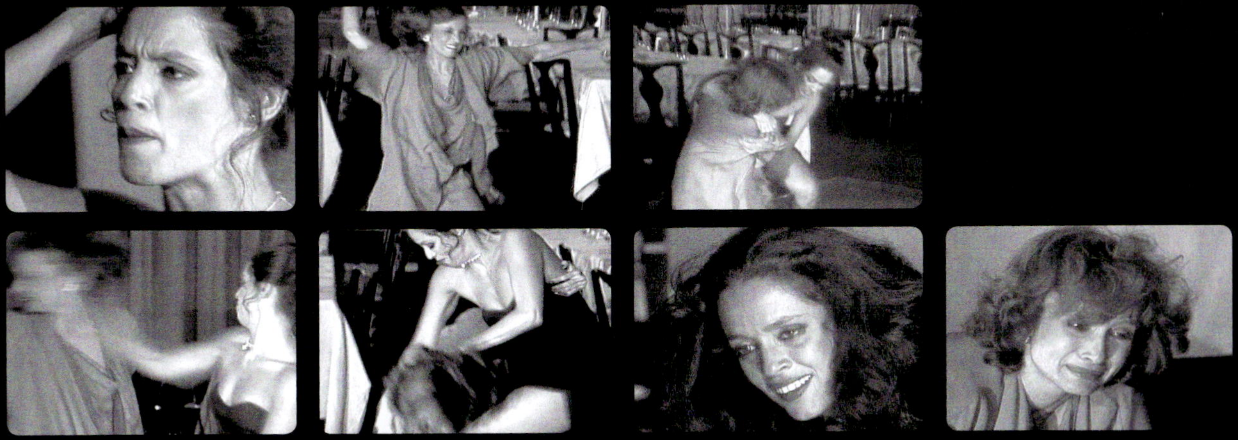

vamos todos cirandar

Quatro jovens muito diferentes decidem dividir um apartamento na Zona Sul do Rio de Janeiro nesses loucos anos 1970. Batas indianas, incensos no ar, almofadões espalhados pelo chão. Hora de entrar no clima *hippie* de *Ciranda Cirandinha.*

Diálogos ágeis assinados por craques como Domingos de Oliveira e Euclydes Marinho, temas polêmicos como drogas e amor livre e um elenco irresistível embalavam o seriado (inesquecível para quem viu). Na "ciranda", o quarteto formado por Fábio Jr., Lucélia Santos, Denise Bandeira e Jorge Fernando (em seu primeiro papel na Globo).

VOCÊ SABIA?

- O primeiro episódio da série abordava, de forma velada, a questão das drogas. Um personagem secundário chegava a sofrer um surto psicótico depois de se envolver com álcool. Daniel Filho teve de aterrissar em Brasília para negociar com os censores a liberação do primeiro capítulo.
- Para garantir o entrosamento do elenco (e para se divertir também), Daniel promovia reuniões em sua casa antes do início das gravações. Os encontros eram embalados pelo violão de Fábio Jr.

cara a cara

Duas cadeiras separadas por uma pequena mesa, um fundo azul e pronto. Era o que bastava para Otto Lara Resende conduzir algumas das entrevistas mais inspiradas e surpreendentes da TV no programa *Painel*.

Foi lá, diante das câmeras, que Nelson Rodrigues deu seu conselho aos jovens: "Envelheçam!"

gooooooool!

Imagine só o *Fantástico* sem os gols da rodada? Pois é. Existiu. Só em 1978 os gols de todo o Brasil passaram a ser exibidos na sua "revista eletrônica". A tarefa de receber as fitas com os gols enviadas pelas praças e de editar tudo, a jato, cabia a um herói solitário nessa primeira fase: o editor Edson Ribeiro.

Todo fim de tarde no domingo, a partir das 17h, Edson enfrentava sua maratona particular. Num só domingo chegou a colocar no ar 50 gols! Recorde de artilheiro.

No *Fantástico*, a Zebrinha anunciava os resultados da loteria esportiva

show de bola

Enquanto a Copa Brasil de Futebol agitava o país, a TV Globo preparou um telejornal dedicado exclusivamente ao campeonato. O torneio acabou, mas a vontade de fazer (e de assistir) a um programa esportivo ficou. Assim surgiu o *Globo Esporte*, no ar até hoje.

replay!

- Barbadas do dia: De 1983 a 1990, o repórter Ernani Pires Ferreira se fantasiou de personagens como He-man e Xuxa para narrar as corridas de cavalos e contar as principais notícias do turfe.
- Tele-resposta: Transmitido em 1986, o quadro foi uma das primeiras investidas da emissora na interatividade. Era só ligar e dizer se concordava com os comentários de José Carlos Araújo.

1979

pé na estrada

Hora de embarcar no caminhão de Pedro (Antônio Fagundes) e Bino (Stênio Garcia) e cruzar as estradas deste "Brasilzão". No dia 22 de maio, a viagem semanal da dupla começa. Uma longa jornada.

Na primeira etapa, de 1979 a 1981, nossos caminhoneiros viveram 50 aventuras. Em 2003 – depois de muitas reprises e muita saudade –, eles voltaram às estradas, para alegria dos ilustres companheiros de boléia, os telespectadores de *Carga Pesada*.

muito prazer, pedro

Solteiro, mulherengo, passional, Pedro adora confusão e não leva desaforo para casa. Antônio Fagundes construiu seu personagem como um antigalã. Barba por fazer, camisa sempre aberta no peito, ele chegou a implantar um dente de ouro para ficar ainda mais convincente. Deu certo. Virou ídolo do público feminino, e do masculino também.

muito prazer, bino

Casado, pai de um filho pequeno, Bino (na primeira fase) é bem mais pé-no-chão do que seu companheiro de cabine. Preocupado com as contas para pagar, vive com saudades da família e luta para conter os ímpetos, às vezes suicidas, de Pedro.

ASPAS

"Há alguns anos, estava passeando de carro em Campo Grande, no Mato Grosso do Sul, e vi muitos caminhões parados num posto de gasolina. Parei e, para minha surpresa, fui recebido com uma festa fantástica! Na parede do restaurante, havia uma gravura minha com o Fagundes e um caminhão, autografada por vários caminhoneiros. Isso me emocionou muito." (Stênio Garcia)

VOCÊ SABIA?

- Além de atuar, Fagundes e Stênio também escreveram (e ainda escrevem) alguns episódios. O trato da dupla é o de sempre reservar uma surpresa para o personagem do outro em seus roteiros. Stênio, por exemplo, criou uma história em que Pedro era seqüestrado e ficava horas preso num caixote de cebolas. Maldade.
- Pedro e Bino viajavam por todo o país, mas Fagundes e Stênio não iam tão longe assim. Cerca de 90% dos episódios eram gravados em locações externas nas estradas do Rio de Janeiro.
- *Carga Pesada* foi a primeira parceria dos dois atores. Eles voltariam a se encontrar nas novelas *Corpo a Corpo* (1984), *O Dono do Mundo* (1991) e *O Rei do Gado* (1995).

acabou em pizza

Desta vez, o vilão não levou a pior. Em *Pai Herói*, Bruno Baldaracci – interpretado por Paulo Autran em sua estréia em novelas – fez de tudo contra André Cajarana (Tony Ramos), que tentava limpar o nome do pai, Malta (Lima Duarte). Mesmo com um assassinato no currículo, Baldaracci terminou a novela impune, fugindo num helicóptero, fantasiado de palhaço.

E, quem diria, caiu nas graças do público.

testando

Em *Pai Herói*, Janete Clair repetiu um recurso usado em *O Astro*: assassinar um dos personagens para apimentar a história. Dessa vez, quem morreu?

a) Ana Preta (Glória Menezes)
b) César Reis (Carlos Zara)
c) Januária Limeira Brandão (Lélia Abramo)

Resposta: b

VOCÊ SABIA?

A música de abertura de *Pai Herói* era *Pai*, a mesma apresentada por Fábio Jr. em *Ciranda Cirandinha*.

ASPAS

"Eu tive o privilégio de ser convidada a dar nome ao meu personagem. Daniel Filho, o diretor, me perguntou como eu gostaria que ela se chamasse. Eu disse que gostaria que fosse uma homenagem à primeira personagem que interpretei na TV, Malu.
Sentia que esse trabalho seria um recomeço e, para começar de novo, eu precisava desse nome."
(Regina Duarte)

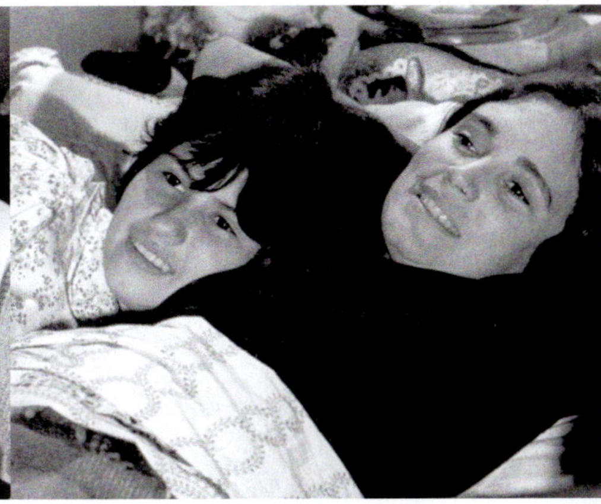
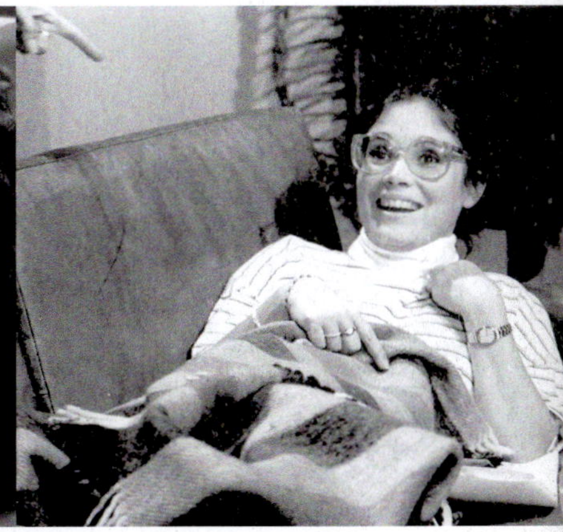

sexo nada frágil

Os anos 80 estão logo ali e o clima no Brasil é de abertura lenta, gradual e inevitável. Hora de falar sério, pôr pingos nos "is" e de tocar, sim, em antigos tabus e novos impasses.

Orgasmo, aborto, virgindade, infidelidade, separação, conflito de gerações. Quem vai dar voz a esses temas, tão "femininos", atuais e polêmicos?

Daniel Filho bateu o martelo e Regina Duarte – a ex-namoradinha do Brasil – entrou em cena para dar vida à socióloga Malu, recém-separada do marido com quem viveu 13 anos e teve uma filha, agora com 12 anos, em plena pré-adolescência.

O seriado *Malu Mulher* entrou no ar para "discutir a relação" e conquistou o Brasil.

testando

1. Qual o nome da filha adolescente de Malu, interpretada pela atriz Narjara Turetta?
   a) Heloísa
   b) Helena
   c) Elisa

2. Quem fazia o papel do ex-marido de Malu, Pedro Henrique?
   a) Marcos Paulo
   b) Dennis Carvalho
   c) José Wilker

3. Por que Malu decidiu se separar do marido?
   a) Ela se apaixonou por outro
   b) Ela descobriu os casos extraconjugais do marido
   c) Ele proibiu a mulher de trabalhar fora

Respostas: 1-c / 2-b / 3-b

outras malus *Malu Mulher* gerou um especial musical apresentado por Regina Duarte e dirigido por Daniel Filho. *Mulher 80* entrou no ar em 1979 para dar voz – e que voz! – a outras mulheres especiais. No palco, Simone, Gal Costa, Maria Bethânia, Rita Lee, Fafá de Belém, Regina Duarte, Marina, Zezé Motta, Joana e Jane Duboc. Entre uma música e outra, depoimentos sobre a vida, conquistas e desafios da "nova" mulher.

Começar de novo, de Ivan Lins e Vitor Martins – a música de abertura de *Malu Mulher* – virou sucesso na voz de Simone. Era a cara de Malu e da mulher independente. Vejam só. E cantem também.

MÚSICA

CANTE COM A GENTE

Começar de novo / E contar comigo
Vai valer a pena / Ter amanhecido"

VOCÊ SABIA?

Versões de *Começar de novo* foram gravadas nos Estados Unidos por Barbra Streisand e Sarah Vaughan.

NÚMEROS

- O seriado, que ficou no ar quase dois anos, foi vendido para **52** canais de televisão de diversos países.
- Na Holanda, o episódio de estréia foi visto por **1 milhão** de espectadores. Cerca de **3 milhões** de holandeses assistiram aos capítulos seguintes.
- Em Cuba, a emissora estatal se rendeu a Malu e transmitiu ao vivo um recital de poesia de Regina Duarte e Daniel Filho no Teatro Karl Marx. Na platéia, mais de **5 mil** espectadores.
- Ao todo, *Malu Mulher* teve **76** episódios.

cabocla

Escrita por Benedito Ruy Barbosa, a nova novela das seis exibe, no papel da cabocla do título, a revelação Glória Pires. É sua estréia como protagonista depois de fazer bonito em *Dancin' Days*. A trama se passa em 1926. Ao descobrir que está tuberculoso, Luís Jerônimo é aconselhado pelo médico a repousar em Vila da Mata, no interior do Espírito Santo. Lá, na fazenda de um coronel, conhece Zuca (Glória Pires), noiva do destemido Tobias (Roberto Bomfim). E adivinhem o que acontece entre o moço da cidade grande e a caboclinha tímida?

testando

Quem fazia o papel de Luís Jerônimo?

a) Kadu Moliterno
b) Fábio Jr.
c) Lauro Corona

Resposta: b

plantão de polícia

profissão perigo

Isso é que é entrar no personagem. Os atores Denise Bandeira e Hugo Carvana subiram morros, fizeram plantões em delegacias, visitaram prisões e hospitais do Rio de Janeiro – tudo para conhecer o "mundo real" de seus personagens, os repórteres policiais Bebel e Waldomiro Pena, do seriado *Plantão de Polícia*. Idealistas, apaixonados pela notícia, Waldomiro e Bebel caíram nas graças do público e fizeram belas "reportagens" durante 80 episódios.

MÚSICA

CANTE COM A GENTE

Essa é a história de
Waldomiro Pena, o Cândido
O último repórter policial
romântico
Salve o Waldomiro Pena,
o Cândido"

(*Waldomiro Pena*, Jorge Ben Jor)

ASPAS

A TV Globo colocou o jornalismo de polícia de *O Globo* a nossa disposição. Os jornalistas propuseram coisas louquíssimas, e nós, mais doidos ainda, íamos. Por exemplo, fomos a uma *blitz* ostensiva na favela da Maré, com tiroteio, balas cruzando na nossa cabeça... Ficamos fascinados por aquele universo. A gente fazia aquilo com uma paixão louca." (Denise Bandeira)

testando

1. A série *Plantão de Polícia* marcou a estréia de Aguinaldo Silva na TV Globo. Antes de estrear na televisão, Aguinaldo trabalhava como:
   a) repórter policial do jornal *O Globo*
   b) escrivão de polícia
   c) advogado criminalista

2. Qual o nome do jornal onde Waldomiro e Bebel trabalhavam?
   a) *Folha Corrida*
   b) *Plantão de Notícias*
   c) *Folha Popular*

Respostas: 1-a / 2-c

ACREDITE SE QUISER

Todo mundo passou a esperar pelo último quadro de *Chico City* só para ouvir a "conversa" entre Salomé e o presidente. Durante a política de abertura conduzida por Figueiredo, Salomé passou a transmitir ao presidente recados e pedidos de telespectadores enviados à produção do programa. Figueiredo levava a personagem tão a sério que chegava a mencioná-la em discursos.

salomé, de passo fundo

A *Chico City*, de Chico Anysio, ganha uma nova moradora. O nome dela: Salomé, lá de Passo Fundo, uma velha senhora gaúcha, amiga de infância do presidente da República João Baptista Figueiredo. Pendurada ao telefone, ela conversa com o presidente toda semana, em clima de absoluta intimidade. Nós, é claro, só ouvíamos a voz dela nesses monólogos divertidíssimos.

Salomé: João Baptista? Aqui é Salomé, de Passo Fundo. Como vai, guri? Trilegal?

Salomé: Estive em Brasília para te dar votos de Boas Festas, mas não te encontrei. Eu fui até a Granja do Torto, perguntei pelo João Baptista, mas me disseram que não morava ninguém lá com esse nome.

Salomé: Tu tens que parar um pouco mais aí, para os empregados se acostumarem contigo. Brasília é trilegal. Barbaridade. Buenas e tudo mais. É incrível que um país pobre tenha uma capital dessas, com palácios e mansões...

salomé na linha *Salomé:* Como é que tu vai, guri?... Desabando de saudades de ti... O povo está tão feliz que está comemorando o aumento da gasolina. Quando souberam todos que era de 15% gritaram, saltaram, soltaram rojões. Trilegal!

linha cruzada Num dos quadros, Salomé "bateu o telefone" na cara de Figueiredo. Na vida real, o presidente ligou, irritado, para Roberto Marinho. Exigia uma satisfação e uma reparação. Chico Anysio explicou ao patrão que tinha gravado dois quadros com Salomé. No primeiro, a personagem se chateava com o presidente e, no outro, fazia as pazes com ele. Roberto Marinho assistiu aos quadros e ligou para Figueiredo, tranqüilizando-o.

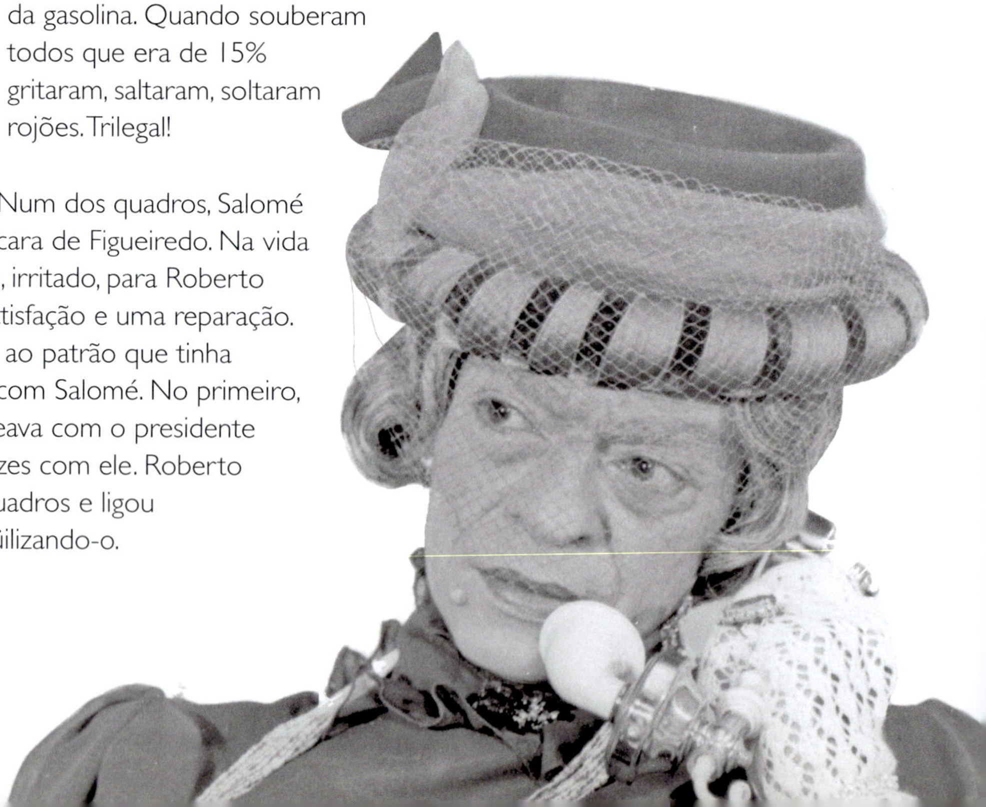

jornal da globo

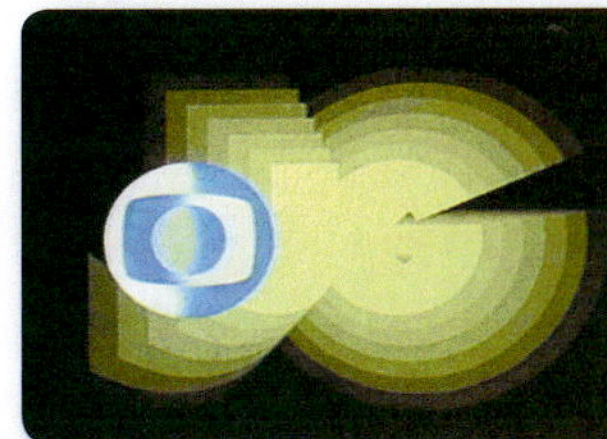

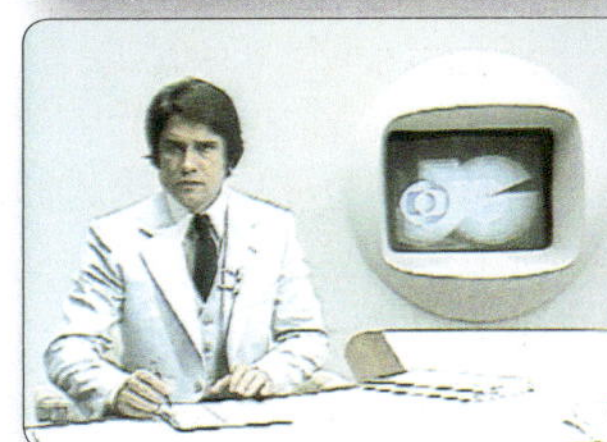

Com Sérgio Chapelin na bancada, a TV Globo pôs no ar seu novo telejornal, exibido depois das 23h. A idéia era aprofundar as notícias do dia e abrir espaço para a análise e o debate dos principais fatos do noticiário do Brasil e do mundo.

Entrevistas ao vivo e reportagens feitas pelos correspondentes da Globo em Londres e Nova York passaram a dividir a atenção do público com atrações nada convencionais para um telejornal, como o comediante Jô Soares e o cartunista Chico Caruso, em cena a partir de 1983.

figueiredo que se cuidasse...

- No *Jornal da Globo* sobrava mais espaço para o humor e para a crítica. Em um quadro diário, Jô Soares fazia rir, mas perdia a paciência também. Quando o então deputado federal e cacique xavante Mário Juruna foi ameaçado de cassação – por ter feito críticas ao presidente Figueiredo –, Jô falou sério e protestou duramente contra a atitude do governo.
- Chico Caruso também não perdoou o presidente da "abertura" em sua charge semanal. Naquela semana de caça ao Juruna, Chico retratou o presidente como um *cowboy* furioso em perseguição ao índio deputado. Cada charge dava um trabalho danado: os desenhos eram montados em cartões e os movimentos isolados de cada charge eram captados por pelo menos três câmeras de TV.

rotatividade Depois de Sérgio Chapelin e antes de William Waack e Cristiane Pelajo, já apresentaram o *Jornal da Globo:* Renato Machado, Belisa Ribeiro, Luciana Villas Boas, Eliakim Araújo, Liliana Rodrigues, Leilane Neubarth, Leila Cordeiro, Fátima Bernardes, William Bonner, Lillian Witte Fibe, Mônica Waldvogel, Carlos Tramontina e Ana Paula Padrão.

VOCÊ SE LEMBRA?

- Chico Anysio também apresentou uma coluna no *Jornal da Globo.*
- Paulo Francis fazia comentários impagáveis direto de Nova York, com sua voz inconfundível.
- Direto de Brasília, Alexandre Garcia.
- E, traduzindo os números de uma economia quase intraduzível, Joelmir Beting.

Colaboradores ilustres

Em 1986, cronistas ilustres passaram a ser convidados a escrever para o Jornal da Globo sobre os mais variados assuntos. Cada um tinha a sua "editoria".
Arnaldo Jabor e Cacá Diegues – cinema
Antônio Callado – literatura
Ferreira Gullar – artes plásticas
Roberto Drummond – esportes
Dias Gomes – teatro

1980

Velas ao mar

Na abertura da novela *Água Viva*, pranchas equipadas com velas coloridas se cruzam no mar, impulsionadas pela força dos ventos. Ao som da música-tema *Menino do Rio*, cantada por Baby Consuelo, desliza sobre as ondas uma novidade que virou mania graças à novela de Gilberto Braga: o *windsurf*.
Água Viva veio para lançar moda no verão carioca e provocar polêmica, também.

Seios de fora Um escândalo. Seios de fora nas praias do Rio. O topless entra em cena na novela e faz muita gente perder a cabeça. Os moralistas de plantão protestaram, mas a parte de cima de muitos biquínis foi abolida nos anos de abertura geral nas areias do Rio e da novela.

Uma mãozinha Quando chegou ao capítulo 30 de *Água Viva*, Gilberto Braga entrou em pânico: tinha certeza de que, apesar dos belos índices de audiência, a novela seria um desastre. Ele não conseguia dormir nem arranjar tempo para folgas. O cansaço era grande – e o desespero também.

Gilberto precisava de ajuda e fez um pedido inédito na época: queria trabalhar com um colaborador.

– Que tal um dos roteiristas de *Malu Mulher*? – Daniel Filho sugeriu.

O nome dele: Manoel Carlos. A parceria começou no capítulo 57 e foi até o fim da novela. Que, aliás, ficou muito longe do fiasco imaginado por seu criador.

Tubarão!

Reginaldo Faria quase virou comida de tubarão durante uma gravação da novela em alto-mar. Ele e Kadu Moliterno tiveram de nadar, a jato, até o barco onde estava a equipe da novela, quando um produtor percebeu um movimento estranho na água, a cem metros deles.

ASPAS

O Kadu, que já era surfista, nadava que era uma loucura, parecia o príncipe Namor. Ele saiu de dentro d'água batendo de peito dentro do barco. E eu nadando, quase morrendo. Eles jogaram uma corda para mim e me puxaram. Era mesmo um tubarão. Foi fantástico." (Reginaldo Faria)

VOCÊ SE LEMBRA?

Isabela Garcia era a órfã Maria Helena e Tônia Carrero a milionária excêntrica Stella Simpson

direto do "interiorrrr"

Um telejornal dedicado ao homem do campo parecia conversa para boi dormir. O *Globo Rural* entrou no ar pela primeira vez em 6 de janeiro, mas demorou para conquistar a confiança de profissionais da própria emissora. Nos bastidores, ele era chamado de "Mandioca News", e muitos apostavam que o programa não duraria dois meses no ar.

no meio do caminho tinha uma porteira Havia motivos para tanto ceticismo. Embora gostasse de temas rurais, boa parte da equipe – completamente urbana – não entendia muito bem do que teria de falar. A infra-estrutura não era das melhores. Além do pouco espaço físico para a produção do programa, os estúdios só podiam ser usados durante a madrugada, depois de desocupado pelos outros telejornais. Além disso, o horário de exibição (domingo, às 9h) e o ritmo, bem mais lento do que o de outros noticiários, eram encarados como "espanta-audiência".

colheita Para surpresa dos céticos, o "Mandioca News" vingou ao abrir espaço para o Brasil do interior e levar o campo para a cidade. Hoje – safras e safras depois da estréia – ninguém usa apelidos para falar do *Globo Rural*.

acidentes de percurso

Para gravar o *Globo Rural*, José Hamilton Ribeiro e os outros bravos repórteres do programa viajaram não só pelo interior do Brasil como também da África do Sul, China, França, Austrália e Vietnã. Muitas reportagens eram – e ainda são – aventuras repletas de acidentes de percurso. No Pantanal, o barco da reportagem virou, e todos caíram num rio infestado de piranhas. No Mato Grosso, os repórteres foram atingidos por carrapatos, bernes e bichos-de-pé. Acidentes de carro, coices de boi e assaltos também assombraram as equipes do programa, sucesso de público, com audiência cativa até hoje.

Ney Gonçalves Dias e Marília Gabriela

Depois de *Malu Mulher* e *Mulher 80*, entra em cena o TV Mulher, primeiro programa matinal dedicado ao público feminino. Três horas de informação e serviço transmitidas ao vivo, todas as manhãs, para as donas de casa. A música de abertura, *Cor-de-rosa choque*, foi composta por Rita Lee e Roberto de Carvalho especialmente para o programa. O refrão: "Por isso não provoque/É cor-de-rosa choque". Melhor obedecer... porque elas estavam com tudo.

quadro a quadro Culinária, moda, beleza, saúde e... comportamento sexual. Quadros com cinco minutos de duração no máximo se sucediam no *TV Mulher*. Um irresistível rodízio de temas e apresentadores. *TV Mulher* deu tão certo que ficou seis anos no ar.

"Claquete" – A colunista Hildegard Angel contava o que acontecia por trás das câmeras.

Clodovil – O vencedor do *Oito ou Oitocentos* dava dicas de costura.

"Comportamento sexual" – A futura prefeita de São Paulo, a psicóloga Marta Suplicy, respondia as cartas das telespectadoras com dúvidas sobre sexo, ou melhor, sexualidade. Em pauta, questões como menstruação, orgasmo, impotência.

"Estética" – A missão de Ala Szerman era reduzir a silhueta do público com dicas de alimentação e de exercícios físicos.

“Os direitos da mulher” – Marília Gabriela e Ney Gonçalves Dias se esforçavam para que as telespectadoras entendessem os seus direitos – trabalhistas, civis, criminais.

“O que há para a criança” – Fanny Abramovich recomendava livros e eventos para a garotada e salvava a pátria das mães que não sabiam mais como entreter os filhos.

“Panela no fogo” – Marilu Torres Travesso pilotava a cozinha e dava dicas de culinária.

“Ponto de encontro” – Marília Gabriela conduzia as entrevistas, que seriam sua especialidade. A primeira entrevistada foi Elis Regina.

“Serviço de Proteção ao Telespectador” – O público pedia socorro e Marília Gabriela e Ney Gonçalves Dias faziam o possível para ajudar. Era a hora da defesa do consumidor e da cidadania.

“TV Homem” – Para que o programa não ficasse rosa choque demais, o cartunista Henfil chamava técnicos da emissora e até a própria mãe para participar de seus comentários bem-humorados sobre o noticiário político e social.

Henfil

frank sinatra especial

Quem viu nunca esqueceu. Qual a cor do microfone empunhado por Frank Sinatra em seu primeiro show no Brasil, em pleno Maracanã lotado?

Fácil, né? Dourado.

Apresentado por Hilton Gomes, o show foi transmitido ao vivo para toda a América do Sul.

sinatra em números

I 150 mil pessoas assistiram ao show no Maracanã. Foi o maior público recebido até então pelo estádio em um evento musical.

I 150 profissionais da TV Globo trabalharam na transmissão do espetáculo.

I 12 mil quilos de aparelhagem sonora vieram dos EUA. O número equivale a **30%** do equipamento utilizado no show.

I O Rio não foi incluído na transmissão ao vivo realizada pela emissora. Os cariocas só viram o espetáculo na telinha **19** dias depois.

lágrima de urso

Uma das imagens mais marcantes da história das Olimpíadas veio de Moscou. Nas arquibancadas de um estádio, durante a festa de encerramento do evento, jovens de várias repúblicas soviéticas se uniram para formar, com seus corpos, um mosaico com a imagem do mascote da Olimpíada daquele ano, o urso Misha.

Quando a imagem se formou, o mais surpreendente – e emocionante – aconteceu: uma lágrima escorreu do rosto de Misha. A Globo foi a única emissora brasileira a transmitir o evento, marcado por forte conotação política. Em represália à invasão do Afeganistão pela União Soviética, os Estados Unidos comandaram o boicote de vários países ocidentais aos Jogos de Moscou.

a arca de vinicius

"O pato pateta/Pintou o caneco/Surrou a galinha/Bateu no marreco."

"Era uma casa muito engraçada/Não tinha teto/Não tinha nada."

Quem foi criança na época – e quem é criança hoje – sabe cantarolar, de cor, esses versos de Vinicius de Moraes: poemas escritos por ele para seus filhos e musicados pelo maestro Rogério Duprat, um ano antes da morte do poeta.

As músicas saíram do disco *A arca de Noé,* produzido por Toquinho, Fernando Faro e Rogério Duprat, e viraram especial para a TV dirigido por Augusto César Vannucci, no ano da morte de Vinicius. No palco, *A arca,* cantada por Milton Nascimento e Chico Buarque de Hollanda, *A porta,* por Fábio Jr., *A foca,* por Alceu Valença, *A corujinha,* por Elis Regina, e muito mais. Momentos inesquecíveis, premiados nos Estados Unidos com o Emmy de Ouro na categoria *Popular Arts,* em 22 de novembro de 1981.

VOCÊ SE LEMBRA?

Quem conduzia o espetáculo era a menina Aretha, filha da cantora Vanusa e do cantor Antônio Marcos. Sua estréia deu tão certo que Aretha ainda apresentou os especiais *Arca de Noé II*, no ano seguinte, e *Pirlimpimpim*, em 1982, além de uma série de atrações infantis que vamos lembrar nos próximos capítulos.

Aretha

1981

Viva o gordo!

"Ah, eu quero aplaudir", dizia o indignado operário Zé (Jô Soares), enquanto o amigo Juca (Flávio Migliaccio) lia as "boas novas" no jornal.

"Bocão!", gritava de prazer o dentista apaixonado pela boca das pacientes.

"Falha nossa!", admitia o atrapalhado Piloto, assistente de estúdio de TV.

"Quains?", perguntava Araponga, recepcionista que nunca entendia o nome das pessoas.

Está no ar o *Viva o Gordo*, primeiro programa humorístico comandado por Jô Soares na Globo. Um desfile semanal de personagens, situações e bordões inesquecíveis. Foram seis anos de gargalhadas.

tipos inesquecíveis

I Bô Francineide – Atriz de pornochanchadas, andava de um lado para o outro acompanhada por sua "Pornô-Mãe", interpretada pela miúda Henriqueta Brieba. "E pensar que eu saí de dentro dela", dizia Bô Francineide (Jô Soares) apontando para a micromãe.

I Sebá – O "último exilado" se preparava para voltar ao Brasil, mas a cada notícia sobre o país de João Figueiredo, exclamava: "Você não quer que eu volte!". A anistia já tinha sido conquistada havia dois anos, mas Sebá ia esticando sua permanência no exterior.

I Reizinho – Coroa na cabeça, manto nas costas, o Reizinho costumava perguntar à côrte nos momentos de crise e de auto-afirmação. "Quem eu sou?" A resposta vinha em coro: "Sois rei, sois rei". Criado por Max Nunes, o personagem foi inspirado em história contada por Otto Lara Resende. Na noite em que se tornou imortal da Academia Brasileira de Letras, o escritor entrou num táxi, atrasado, vestido com seu reluzente fardão e foi surpreendido pela seguinte pergunta do motorista: "Sois Rei?". Virou bordão do Jô.

I Capitão Gay – O super-herói mais escrachado do planeta se anunciava como o "defensor das minorias" e virou mania nacional com seu bordão: "Cansei!". Sempre ao lado do fiel escudeiro, Carlos Sueli (Eliezer Motta), o intrépido Capitão Gay exibia uniforme rosa colado no corpo, todo salpicado de purpurina. Preocupado com a censura, Jô hesitou antes de tirar seu personagem do armário. Existia um coronel em Brasília com o sobrenome Gay, e as chances de censura ao quadro eram fortes. Boni insistiu e deu certo. Segundo Jô, quem mais se divertia com o quadro era o próprio coronel Gay.

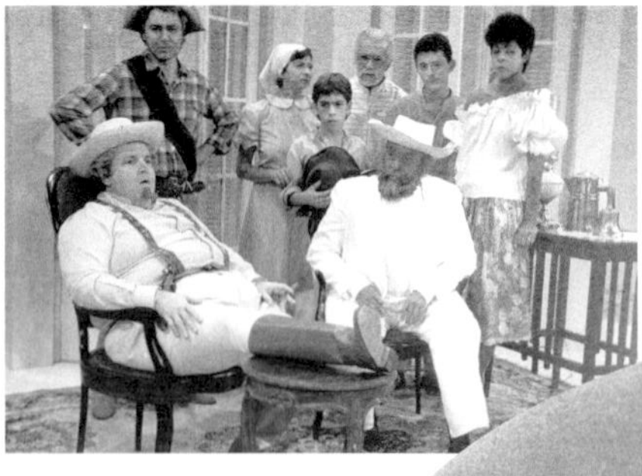

Tá em todas

As aberturas de **Viva o Gordo** roubavam a cena. Nelas, Jô viveu momentos íntimos – e hilariantes, é claro – com celebridades nacionais e internacionais. Veja o que o Gordo já aprontou mundo afora:

- Jogou bola com Maradona.
- Limpou a testa de Mikhail Gorbatchev, ex-presidente da União Soviética.
- Levou uma garrafada da princesa Diana.
- Comeu salgadinhos com Marco Maciel.

Tudo graças às mágicas de Hans Donner e sua equipe.

MÚSICA

CANTE COM A GENTE

Ele é o defensor das minorias (gay)
E é sempre contra as tiranias (gay)
É avião, é passarinho sem rabicho?
Ou se parece mais com outro bicho?
É o Capitão Gay, Gay, Gay
Capitão Gay!
Uuuhhhh!
Capitão Gay" *(Hino do Capitão Gay)*

o início da saga

A dinastia de heroínas batizadas de Helena por Manoel Carlos começou com Lílian Lemmertz em *Baila Comigo*. As outras Helenas do mesmo Manoel entrariam em cena em *Felicidade* (1991), *História de Amor* (1995), *Por Amor* (1997), *Laços de Família* (2000), *Mulheres Apaixonadas* (2003) e *Páginas da Vida* (2006). Que venham as próximas!

dois em um Tony Ramos se desdobrou em *Baila Comigo*. Na novela, o ator interpretou dois irmãos gêmeos, com temperamentos bem diferentes. O bancário Quinzinho era um carioca típico, descontraído e sonhador. Bem mais contido e realista, o bem-sucedido advogado João Victor morava em Portugal.

Separados ainda bebês, os irmãos se reencontram aos 27 anos de idade, numa cena que se tornou fenômeno de audiência e um clássico da dramaturgia.

VOCÊ SABIA?

- *Baila Comigo* foi a primeira telenovela brasileira exibida na França.
- A presença lusitana na trama (João Victor morava em Lisboa, lembra?) aumentou o prestígio de *Baila Comigo* em Portugal. Lá, a novela já foi exibida três vezes.
- Entre os cenários construídos para a novela estava uma academia de ginástica completa, com 300 metros quadrados. Era ali que Joana Lobato (Betty Faria) dava suas aulas de dança. A novela não se chamava *Baila Comigo* impunemente...

VOCÊ SE LEMBRA?

Foi num apartamento às escuras que os irmãos se reencontraram. Faltava luz no prédio e Quinzinho tinha uma lanterna na mão quando o irmão abriu a porta.
Tony Ramos lançou o facho de luz sobre Tony Ramos.
O público, em casa, prendeu a respiração. De repente, a luz do edifício voltou, a cena se iluminou, os irmãos idênticos se encararam – e tudo terminou num longo abraço.

cada tony de uma vez Não foi só o ator que precisou se virar para dar conta de dois personagens. A equipe técnica se desdobrava para que os gêmeos pudessem aparecer na mesma cena. Como a tecnologia para efeitos especiais não era das mais avançadas, a solução foi usar dublês e gravar primeiro todas as falas de um dos irmãos, para depois partir para o texto do outro.

O público, em casa, ficava impressionado com a novidade.

morte e vida severina

Um belo presente de Natal para o público. Musicado por Chico Buarque, o auto de natal escrito por João Cabral de Mello Neto virou especial de fim de ano, dirigido por Walter Avancini. Elba Ramalho e Tânia Alves deram show de interpretação no Nordeste árido, cenário da saga do sertanejo que migra da caatinga para a cidade grande. *Morte e Vida Severina* ganhou o Emmy, o Oscar da tevê nos Estados Unidos.

ASPAS

Sem barba ou bigode postiço, eu só tentei marcar a diferença entre os irmãos no penteado. Quinzinho tinha o cabelo mais solto. João Victor usava escova. Na cena do abraço entre os irmãos, eu ficava trocando de roupa toda hora para contracenar com o dublê. Vestia a roupa do Quinzinho, gravava, depois saía do estúdio correndo para voltar como João Victor." (Tony Ramos)

brilhante!

"Vem cá, Luísa/Me dá tua mão/Que o teu desejo é sempre o meu desejo/ Vem, me exorciza/Dá-me tua boca..."

O Brasil inteiro começou a cantar a música composta por Tom Jobim para a abertura da novela *Brilhante*. A letra foi criada especialmente para a personagem de Vera Fischer, Luísa, mas o corte de cabelo usado pela atriz – curto e frisado – decepcionou o maestro e o público.

"Um raio de sol nos teus cabelos/Como um brilhante que partindo a luz explode em sete cores..."

Naquele cabelo curto, a luz da letra de Tom Jobim não se partiria nunca, muito menos em sete cores... Quem encontrou a solução foi a figurinista Marília Carneiro, que tratou de amarrar uma bandana no pescoço da atriz. Resultado: o adereço virou febre entre o público feminino, que esqueceu o penteado de Vera.

mais censura... Inácio Newman (Dennis Carvalho) era homossexual. Sua mãe, Chica (Fernanda Montenegro), sabia. Luísa (Vera Fisher), uma pretendente, também percebeu, mas a censura adiou enquanto pôde qualquer menção à homossexualidade do moço. O tabu só foi quebrado quando Luísa citou, em conversa com Chica Newman, os "problemas sexuais" do filho dela. A censura deixou passar...

Ele é o cara

Lá vem ele, com seu terno quadriculado e a gravata colorida. Acredita em tudo que lhe dizem, é estabanado e cheio de tiques nervosos. Quem diria que, com um perfil desses, Mário Fofoca (Luís Gustavo) seria detetive? Não resolvia caso nenhum, mas caiu nas graças do povo, e, depois de *Elas por Elas* – novela de Cassiano Gabus Mendes em que surgiu –, virou personagem de filme e seriado exibido no ano seguinte.

elas por elas

COM A PALAVRA, MÁRIO FOFOCA

"O crime não dispensa."

"A vida é um tobogã, mesmo. Todo mundo dá sua escorregada."

"Eu sou um detetive preparado para qualquer temperamento."

"Briga de paulista sempre acaba em pizza."

SOL DE VERÃO

VOCÊ SABIA?

Para interpretar Abel, Tony Ramos fez várias visitas ao Instituto Nacional de Educação dos Surdos, no bairro de Laranjeiras, no Rio. Além de estudar a linguagem dos sinais, o ator teve de aprender a ficar impávido, sem sequer piscar, diante das marteladas e do barulho dos motores, comuns na oficina em que seu personagem trabalhava.

sinais

Já imaginou o alfabeto dos sinais publicado em jornal e distribuído em cartilhas por toda a cidade? O fato, inédito, ocorreu enquanto *Sol de Verão*, de Manoel Carlos, estava no ar. Tony Ramos interpretava Abel, surdo-mudo que trabalhava na oficina de Heitor (Jardel Filho) e tentava descobrir quem era sua mãe. O drama do personagem comoveu o Brasil.

morte fora do roteiro No dia 20 de fevereiro, um domingo de Carnaval, o ator Jardel Filho morreu em casa, no Jardim Botânico. A morte foi um choque para o elenco de *Sol de Verão*, que gravou depoimentos emocionados exibidos depois da transmissão do último capítulo em que seu personagem, o mecânico Heitor, aparecia.

Amigo de Jardel, Manoel Carlos não conseguiu continuar a escrever a novela. Foi substituído às pressas por Lauro César Muniz, assessorado por Gianfrancesco Guarnieri, que integrava o elenco. Para explicar a saída de Heitor, a dupla inventou que ele teve de fazer uma viagem. Os autores escreveram mais 17 capítulos, às vezes entregues no dia da gravação e exibição. Apesar de toda a confusão, a audiência da novela aumentou em suas últimas semanas.

um novo formato

Lampião e Maria Bonita foi a primeira minissérie produzida pela TV Globo. Embora protagonizada por personagens reais, a trama central, baseada no seqüestro de um geólogo inglês, era fictícia. Para retratar o cangaço e a realidade do sertão, a equipe da minissérie escrita por Aguinaldo Silva e Doc Comparato fez uma minuciosa pesquisa de campo. O trabalho de preparação incluiu uma temporada no sertão, visitas ao Museu Antropológico do Ceará e uma série de entrevistas. Nos papéis principais, Nelson Xavier e Tânia Alves.

quem matou e quem morreu?

"Quem ama não mata." Esta frase foi pichada por feministas nos muros de Belo Horizonte durante o julgamento de Doca Street – assassino de sua mulher, Ângela Diniz – e virou título de minissérie na Globo.

Ao longo de 20 capítulos, o público acompanhou o drama de Alice (Marília Pêra) e Jorge (Cláudio Marzo), casados há oito anos. Desde o início, ficou claro: um deles iria morrer. O outro apertaria o gatilho. Quem seria a vítima? Quem seria o assassino? A resposta só veio no último capítulo.

Para garantir o suspense até os momentos decisivos, dois finais foram gravados para a história.

VOCÊ SABIA? No capítulo final, escolhido por Daniel Filho instantes antes de ir ao ar, Jorge mata Alice. Quem se decepcionou com o desfecho viu Jorge ser morto pela mulher no outro final, exibido no *Fantástico*.

terezinha, voltei!

Ele voltou! Cercado de chacretes, corneta na mão, o "Velho Guerreiro" ressurgia nas telas da Globo depois de dez anos de ausência. Cabelos mais grisalhos, as roupas extravagantes de sempre, bacalhaus e abacaxis de sobra para a platéia, Abelardo Barbosa fez a festa no *Cassino do Chacrinha* nos últimos seis anos de sua vida.

No palco, os calouros mais inusitados do Brasil e ídolos desses *calientes* anos 80.

Gretchen e sua *Conga, La Conga.*

Sidney Magal e a cigana *Sandra Rosa Madalena.*

O Ultraje a Rigor que invadiu nossas praias.

A Blitz de Evandro Mesquita e Fernandinha Abreu.

Boas novas do Rock Brasil, como Barão Vermelho, Paralamas e Legião Urbana.

Quem fez sucesso naquela década bateu ponto no eletrizante *Cassino do Chacrinha.*

era um barato o cassino do chacrinha

Terezinha, uh, uh: Chacrinha gritava e a platéia vinha abaixo.

Roda, roda, roda e avisa, um minuto pro comercial: E lá vinham os anúncios.

Eu vim para confundir e não para explicar: Dizia Chacrinha entre uma loucura e outra, fiel a seu anarquismo militante.

Quem não comunica se trumbica: Lema defendido até o fim.

Na tevê nada se cria, tudo se copia: Mas ninguém conseguiu imitar Chacrinha até hoje.

as damas primeiro A ordem, no Teatro Fênix, era lotar o auditório com mulheres. Homem só entrava se sobrasse lugar, o que era raríssimo. Horas antes de as gravações começarem, a fila de interessados em garantir um espaço no estúdio do *Cassino* já dava voltas no quarteirão. Todo sábado, até junho de 1988, quando Chacrinha morreu, era a mesma confusão – e a mesma alegria.

CASSINO DO CHACRINHA

VOCÊ SABIA?

- Chico Anysio criou o personagem Bozó quando viu um torcedor entrar no Maracanã sem pagar ingresso. Bastou apresentar o crachá da Globo...
- Alberto Roberto, o galã "irresistível" e "insuperável", foi inspirado no ator Hélio Souto, sempre impecável e com os cabelos bem penteados.

VELHOS CONHECIDOS

Primeiro foi *Chico City*, depois veio *Chico Total*. Em março de 1982, Chico Anysio levou sua galeria de personagens para as noites de quinta-feira no *Chico Anysio Show*. Novos tipos se juntaram a velhos conhecidos nossos, como o contador de "causos" Pantaleão, a velha amiga de Figueiredo, Salomé de Passo Fundo, o incansável Professor Raimundo ("E o salário, ó") e o radialista Robervaaaaal Taylooorrrrr... Entre as estrelas da nova versão do programa, estava o deputado Justo Veríssimo, aquele que tinha "horror a pobre".

com a palavra, justo veríssimo:

Justo Veríssimo: Pra que pobre quer casar? Pra fazer mais filho pobre e nascer mais pobre no mundo. É por isso que essa raça não acaba.

Padre: Deus disse "Bem-aventurados os pobres, porque eles herdarão os céus".

Justo Veríssimo: Então, tá aí. Pode ir todo mundo pro céu tomar posse. Mas vai logo, tudo que é pobre para o céu, e deixa a terrinha pra nós, os ricos aqui.

testando

Será que você consegue relacionar as duas colunas abaixo, ligando os personagens de Chico Anysio a suas características?

(1) Jovem
(2) Salomé
(3) Pantaleão
(4) Bozó
(5) Alberto Roberto
(6) Tutu
(7) Prometeu
(8) Bezerra

( ) Não cansava de repetir: "Sou da Globo, sou da Globo!".
( ) Era sempre interrompido durante a lua-de-mel
( ) Conversava intimamente com o presidente Figueiredo
( ) Galã (e canastrão-mor) de Chico Anysio
( ) Amigo do coronel Pantoja (Jô Soares), às vezes aparecia também no *Viva o Gordo*.
( ) Milionário sempre preocupado com as armações de sua mulher, Dondoca
( ) Fazia qualquer coisa para demonstrar sua revolta contra o sistema
( ) Contava os maiores absurdos e perguntava à mulher: "É mentira, Terta?".

Resposta: 4 / 7 / 2 / 5 / 8 / 6 / 1 / 3

caso verdade

Novidade no ar. Em abril, histórias reais, encaminhadas pelos telespectadores à Globo pelo correio, passaram a ser encenadas na série *Caso Verdade*. Exibidos em cinco capítulos, com 25 minutos de duração cada, a partir das 17h30, os casos eram selecionados por Walther Negrão e Ely Santos, que tratavam de transformar a vida real em dramaturgia.

boas novas

- Em alguns episódios, a dramaturgia era pontuada pelos depoimentos dos personagens reais e entrevistas com especialistas no tema abordado.
- O fim da história era exibido sempre no penúltimo capítulo.
- No último capítulo, personagens da vida real e da ficção se encontravam para debater o drama em desfechos jornalísticos.
- Na pauta e no roteiro, temas polêmicos como alcoolismo, estupro, suicídio, incesto e erros judiciários.

alguns episódios

- *O Menino do Olho Azul* – Menino fica cego aos 12 anos depois de contrair sarampo e enfrenta todos os obstáculos e preconceitos para realizar seu sonho: ser professor.
- *Borboletas na Cabeça* – Duas crianças são vendidas como escravas pela avó, endividada e viciada em jogo do bicho.

Barra pesada, mas deu certo. Dirigido por Paulo José na fase inicial – depois substituído por Reynaldo Boury –, *Caso Verdade* teve 152 programas ao todo, durante quatro anos de exibição.

globo cidade

"Vem comigo, Zé! Zé, mostra aqui!"

Pelas ruas do Rio, a repórter Leila Cordeiro e seu fiel escudeiro, o cinegrafista José Augusto Ribeiro, revelavam os problemas da comunidade e pediam solução. Buracos na rua, encostas com risco de desabamento, falta de luz e de água, flagrantes da vida real começaram a ir ao ar, ao vivo, nos *flashes* do *Globo Cidade*. O repórter André Luiz Azevedo e o cinegrafista Sérgio Gilz também cruzavam as ruas do Rio para prestar serviço à população.

Era o início do jornalismo comunitário, que está no ar até hoje.

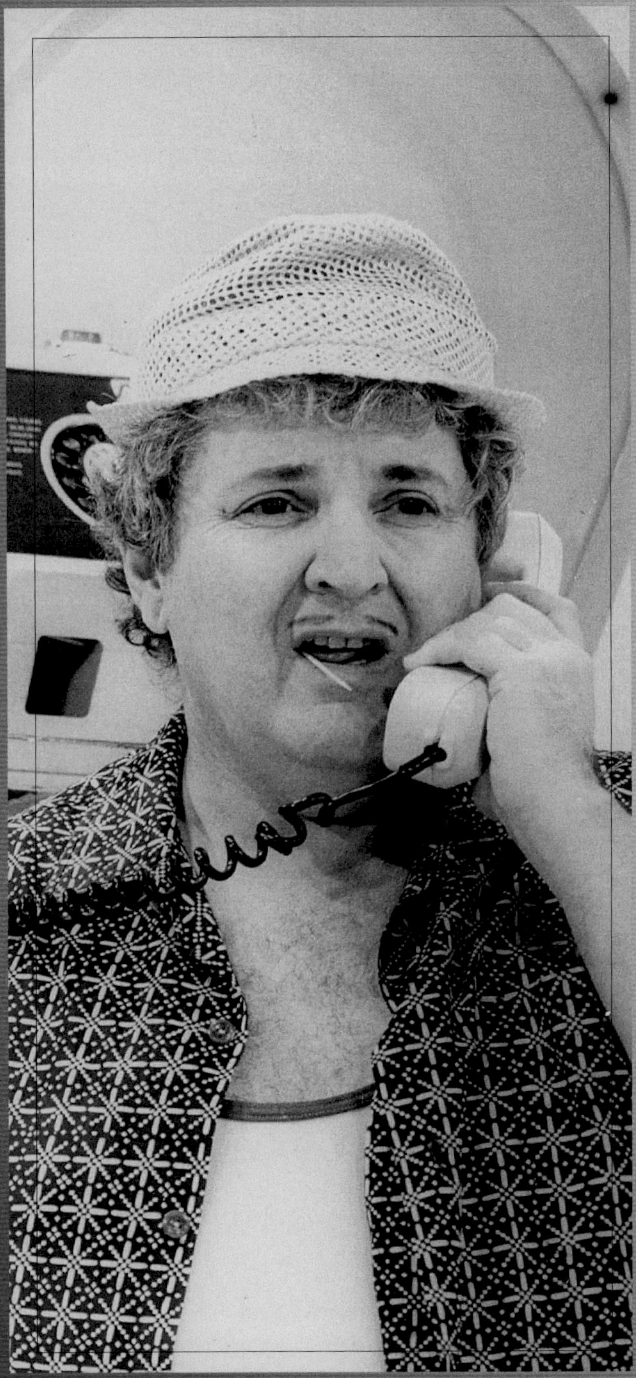

uma novidade no céu

Nesse ano, a Globo – já com 27 emissoras espalhadas pelo país – passa a contar com um aliado poderoso, lá longe, no céu: o satélite Intelsat. A partir de então, a programação nacional pode ser exibida em rede por todas as emissoras, simultaneamente, sem sobressaltos. O Intelsat já estava no ar quando a Copa do Mundo da Espanha começou, para desespero do Zé da Galera. Lembram dele?

peleja na espanha

Criação do mestre Max Nunes para o *Viva o Gordo*, Zé da Galera (Jô Soares) ligava de um orelhão para o técnico da seleção brasileira, Telê Santana, só para implorar:

– Bota ponta, Telê? Telê, bota ponta – ele se esgoelava, e o Brasil fazia coro.

Ficamos roucos de tanto gritar, mas a seleção não decolou, apesar do hino em sua homenagem: "Voa, canarinho, voa..."

1983

guerra dos sexos

Quem viu nunca esqueceu. De um lado da mesa, Fernanda Montenegro. Do outro, Paulo Autran. As imagens ao lado são uma amostra de uma das cenas mais divertidas já exibidas na televisão. Em *Guerra dos Sexos*, novela de Silvio de Abreu, a rivalidade entre os primos Charlô (Fernanda) e Otávio (Paulo Autran) terminou nesta cena de puro e irresistível pastelão.

te contei, não? Dois personagens divertidíssimos caíram nas graças do público em *Guerra dos Sexos:*

– Nieta (Yara Amaral) de vez em quando encarava a câmera e fofocava com o público. Viciada em novelas, era capaz de comentar, por exemplo, a semelhança entre o personagem Felipe e o galã Tarcísio Meira (intérprete de Felipe na novela). Na semana da estréia de *Eu Prometo*, de Janete Clair, Nieta recomendou a novela aos telespectadores.

– Interpretada por Cristina Pereira, Frô foi outra que roubou a cena, como a feiosa funcionária de lanchonete que se achava a última bolacha do pacote.

testando

Por que Charlô e Otávio brigavam tanto?

a) Tiveram um romance na adolescência.
b) Disputavam uma herança.
c) Foram forçados a viver sob o mesmo teto.
d) Todas as respostas acima.

Resposta: d

VOCÊ SABIA?

Frô vivia falando de sua amiga fofoqueira Carlotinha Bimbati, mas a personagem só foi aparecer no último capítulo da novela, em participação especial de Regina Casé. Carlotinha foi ressuscitada por Silvio de Abreu em *Torre de Babel* (1999), interpretada por Nair Bello.

VOCÊ SE LEMBRA?

Charlô e Otávio se tratavam por apelidos, por pura provocação. Otávio era chamado de "Bimbo" e Charlô, de "Cumbuca".

juras

No ar, a última novela de Janete Clair, *Eu Prometo*. Francisco Cuoco fazia o papel principal, o do deputado Lucas Cantomaia, em plena corrida ao Senado e às voltas com uma paixão fulminante – e perigosa – pela fotógrafa Kely (Renée de Vielmond). Mais uma história de amor sofrido assinada pela mestra do folhetim.

Mas Janete não conseguiu ir até o fim. Vítima de câncer, morreu antes de pôr o ponto final em sua trama. Os últimos 50 capítulos foram concluídos por Glória Perez, com a colaboração de Dias Gomes.

eternamente janete A equipe da novela fez uma homenagem a Janete Clair. Após a exibição do último capítulo de *Eu Prometo*, foi ao ar um clipe com imagens da escritora, ao som da música *Eternamente*, cantada por Gal Costa.

VOCÊ SABIA?

Eu Prometo foi uma tentativa da emissora de ressuscitar o horário das 22h, havia cinco anos sem novelas. Como Janete Clair estava doente, foi decidido que os capítulos teriam duração menor (30 minutos, em vez de 45, como nos demais horários) e não seriam transmitidos aos sábados.

há 23 anos, direto do túnel do tempo...

... Nascia um programa dedicado aos bastidores, curiosidades e atrações da TV Globo. O *Vídeo Show* começou semanal, tornou-se diário depois de 13 anos e contou com o revezamento de atores de primeira linha na apresentação.

Dennis Carvalho, Eva Wilma, Malu Mader, Tony Ramos – todos eles conduziram o programa até entrar em cena Miguel Falabella, dono da cadeira de apresentador durante 14 longos anos. Em 2001, a atração passou a ser apresentada por André Marques, no ar até hoje, com a colaboração luxuosa e a parceria sempre divertida de Angélica.

O QUE FAZ (OU FEZ) SUCESSO

"CORREIO DA FAMA" Quem são os cinco globais que mais receberam cartas no mês? Hora de conhecer os queridinhos do público e descobrir o que chega pelo correio.

"FALHA NOSSA" No ar, os erros de gravação. Crises de gagueira, ataques de riso, quedas no estúdio, textos não decorados. Sucesso total.

"GENTEM" A atriz-repórter Cissa Guimarães se divertia – e nos divertia – ao lado das celebridades.

"POR ONDE ANDA" Lembra aquele ator que fez sucesso na década retrasada? O *Vídeo Show* conta para a gente onde ele anda e o que está fazendo da vida, longe da TV.

"VIDEOGAME" Apresentado por Angélica, o quadro é uma competição entre duas duplas de famosos, que dura toda a semana. Pagar mico é pré-requisito para vencer a peleja.

VOCÊ SE LEMBRA?
Uma das principais atrações do programa era sua abertura. Ao som de *Lindo balão azul*, de Guilherme Arantes, Simony e várias crianças viajavam em um lindo balão de 38 metros de altura, criado pelo artista Victorio Truffi.

sou feliz, por isso estou aqui

Simony tinha 6 anos quando passou a fazer parte do grupo musical *Turma do Balão Mágico*. Um ano depois, ela já estava na Globo, ao lado de um ilustre companheiro intergaláctico chamado Fofão, mistura de cachorro e homem, interpretado por Orival Pessini. Cabia a Simony e Fofão manter no ar, em vôo de cruzeiro, o *Balão Mágico*, programa infantil exibido de segunda a sexta-feira, a partir das 11h.

VOCÊ SABIA?

Os outros integrantes do grupo Balão Mágico, Tob e Mike, foram incorporados ao programa meses depois da estréia. Tob interpretava Fofinho, boneco de pano criado por Fofão para lhe fazer companhia.

MÚSICA

CANTE COM A GENTE

"Pegar carona nessa cauda de cometa
Ver a via-láctea
Estrada tão bonita
Brincar de esconde-esconde
Numa nebulosa
Voltar pra casa
Nosso lindo balão azul."

(*Lindo balão azul*, Guilherme Arantes)

de outro mundo

O cenário era uma plataforma de lançamento de foguetes. Cansados de ouvir proibições e reclamações dos pais, os meninos Aretha, Bruno, Fabiano, Marinela e Paulo planejam fugir de casa e ser livres. A aventura começa e as surpresas se sucedem. Um planeta feito de doces, um mundo habitado por formigas gigantes...

Bem-vindos ao mundo mágico de *Plunct Plact Zuuum*, especial musical exibido numa noite de sexta-feira, reprisado três vezes, premiado em Nova York e relembrado sempre.

Com músicas compostas especialmente para o programa e com um Raul Seixas inspiradíssimo como "carimbador maluco", o especial virou disco e continua girando em muitas vitrolas e tocadores de CDs por aí.

TRILHA SONORA

O carimbador maluco (Raul Seixas)
Gruta das formigas (Sérgio Sá)
Sereia (Fafá de Belém)
Será que o King Kong é macaca? (Gang 90 & Absurdettes)
Sopa de jiló (Aretha)
Brincar de viver (Maria Bethânia)
Planeta doce (Jô Soares)
Um mais um é bom demais (Eduardo Dusek)
Ilha da higiene (Zé Rodrix)
Use a imaginação (Zé Vasconcellos)

MÚSICA

CANTE COM A GENTE

Cinco, quatro, três, dois...
Parem! Esperem aí!
Onde é que vocês pensam
que vão?
Hum, hum...
Plunct, plact, zuuum
Não vai a lugar nenhum
Tem que ser selado, registrado
Carimbado, avaliado e rotulado
Se quiser voar
Pra lua: a taxa é alta
Pro sol: identidade
Mas, já pro seu foguete viajar pelo universo
É preciso o meu carimbo dando
Sim, sim, sim, sim"

(*O carimbador maluco*, Raul Seixas)

isso são horas?

"Avisa para o Carlos Monforte que já inventaram o videoteipe." Não foram poucas as vezes em que repórteres ouviram este comentário dos entrevistados do programa *Bom Dia Brasil*, mais novo telejornal da emissora.

Ninguém estava acostumado a receber uma equipe de TV para uma conversa ao vivo antes das seis da manhã. Mas era assim que funcionava em Brasília na primeira fase do *Bom Dia Brasil*. Os repórteres do programa apresentado por Carlos Monforte desembarcavam nas casas de ministros e deputados em plena madrugada.

Direto do estúdio, Monforte – também editor-chefe do programa – apresentava as primeiras notícias do dia, com destaque para a política e a economia.

Banquetes Nas residências de ministros, deputados e senadores, era comum encontrar verdadeiras mesas de banquete montadas para o café-da-manhã do *Bom Dia Brasil.* Bandejas de frios, cascatas de frutas, montanhas de pães, rios de geléias, pirâmides de flores – um exagero só. Com o máximo de delicadeza, as equipes de reportagem iam retirando os excessos da mesa antes de iniciar a gravação.

o que mudou Nos anos seguintes, o *Bom Dia Brasil* passou por várias reformulações. A mudança decisiva foi de endereço. A sede do telejornal saiu de Brasília e se transferiu para o Rio de Janeiro, com a política cedendo espaço para cultura e comportamento, dicas de moda e gastronomia. Os principais fatos do dia, em todas as áreas, passaram a ser noticiados e debatidos.

Tudo ao vivo!

casa nova Em abril de 1996, Renato Machado passou a ancorar o programa. O projeto do então diretor da Central Globo de Jornalismo, Evandro Carlos de Andrade, era o de transformar o telejornal em uma "revista matinal", mais leve e descontraída.

Renato propôs eliminar a bancada de apresentador do cenário e conduzir o programa em uma sala de estar montada no estúdio. Evandro resistiu. A nova versão do *Bom Dia Brasil* não poderia correr o risco de ficar informal demais.

Ganhou o meio-termo. O novo telejornal entrou no ar com dois cenários: a sala de estar, reservada para as entrevistas, e a bancada, destinada à apresentação das notícias. Só dois anos depois da estréia, Renato passaria a ancorar a maior parte do programa em seu cenário favorito. E a bancada perdeu espaço para a descontração e a agilidade da sala de estar. Ao lado do apresentador, todas as manhãs, companheiras de "sala" como Leilane Neubarth e Renata Vasconcellos.

receitas do bom dia brasil

- Repórteres ao vivo – Pelo Brasil e pelo mundo, os repórteres dão as últimas notícias ao vivo.
- Colunistas a postos – A palavra de ordem é "trocar em miúdos". Novidades na economia? Com a palavra, Miriam Leitão. Conflitos entre o Executivo e o Judiciário? De Brasília, Alexandre Garcia.
- Entrevistados no estúdio ou via satélite – O importante é ter personagens centrais do noticiário em linha direta com o público do *Bom Dia Brasil*.

SOS

Em 1983, 90% das cidades do nordeste foram devastadas pela seca e três estados da região sul tinham sido arrasados pela maior enchente do século. Para cada catástrofe natural, realizou-se uma campanha nacional.

O projeto *Nordestinos – o Brasil em busca de soluções* levou doações e técnicos de todas as áreas às regiões castigadas pela fome e pela falta de água. No Sul, a mobilização também foi grande. As campanhas de arrecadação de donativos incluíram até mesmo dois shows do cantor Roberto Carlos e um jogo de futebol no estádio Serra Dourada. Entraram em campo Pelé, Zico, Falcão, Sócrates, Júnior e outros craques. Ganhou a solidariedade.

no ar, um novo globo repórter

Hora de substituir os documentaristas de cinema por repórteres de primeira linha. Era preciso reformular a linguagem do *Globo Repórter* e dar mais agilidade e mobilidade ao programa.

Para encarar a missão foi convocado o correspondente Roberto Feith, então chefe do escritório da Globo em Londres. O desafio era imenso: jornalistas acostumados a contar histórias em 2 ou 3 minutos no *Jornal Nacional* teriam agora 40 minutos pela frente.

Como prender a atenção do público durante tanto tempo, sem perder o ritmo e a emoção? Como lidar com esses dramas da vida real? Com a palavra – durante o processo de reformulação do *Globo Repórter* –, palestrantes como o diretor Walter Avancini e o roteirista Doc Comparato.

Ernesto Paglia e Francisco José estavam entre os repórteres pioneiros dessa nova fase. Uma fase que dura até hoje, num dos programas de maior audiência da TV.

mário juruna Uma das primeiras reportagens de Ernesto Paglia no novo *Globo Repórter* teve como tema um personagem em evidência nos anos 80: o cacique xavante Mário Juruna, eleito deputado federal do PDT em 1983. Com seu famoso gravador sempre à mão, ele fazia questão de gravar as promessas dos "homens brancos" para cobrar o cumprimento delas depois.

"Olha, você vai me prometer?", ele perguntava ao interlocutor desavisado enquanto acionava o REC. "Fala pra essa máquina aqui e depois eu vou te cobrar."

Para contar a história do primeiro índio parlamentar do país, Ernesto se juntou a um roteirista chamado Fernando Gabeira – ele mesmo, o ex-guerrilheiro e futuro deputado federal.

CENA 1 Uma das cenas imaginadas por Fernando Gabeira foi devidamente gravada: Mário Juruna pára na frente do espelho, põe uma gravata, acerta o nó e sai para um dia de trabalho no parlamento. Estava documentado o "choque cultural" do personagem.

CENA 2 Esta não estava no roteiro. Durante viagem de avião do Rio de Janeiro a Brasília, Juruna cochilava na poltrona da janela, ao lado de Ernesto Paglia, quando, no meio de um sonho, limpou a garganta e deu uma cusparada no vidro. "Meu Deus do céu! Essa é a grande cena do documentário e eu não tenho registro!", lamentou Ernesto. Se tivesse – ele sabe – talvez não pudesse exibir. Forte demais...

Quequé com Eleuzinha

1984

Rabo de saia

Mais uma de Ney Latorraca. O ex-Mederiquis, de *Estúpido Cupido*, e ex-Ernesto Gattai, de *Anarquistas, Graças a Deus*, agora faz o papel de um sedutor incorrigível e irresistível, o caixeiro-viajante Ezequiel Vandelei Lins, vulgo Quequé.

Inspirada na obra *Pensão Riso da Noite*, de José Condé, a minissérie *Rabo de Saia*, de Walter George Durst, conseguiu misturar reconstituição de época (final de década de 20) com irreverência total, ao longo de 20 capítulos, sempre às dez da noite.

Quequé viajava de trem pelo Nordeste do Brasil e se dividia entre três famílias enquanto nós torcíamos por ele... Canalha? Nada disso. Quequé era um romântico, conquistador nato, e as três mulheres dele eram mesmo irresistíveis.

Quequé com Nicinha e Santinha

O HARÉM DE QUEQUÉ

- Eleuzinha (Dina Sfat): Era com ela que Quequé se sentia mais à vontade.
- Santinha (Lucinha Lins): Aristocrática e religiosa, a respeitável esposa de Quequé em Chegança, Alagoas.
- Nicinha (Tássia Camargo): Jovem e "sestrosa", tirou o quarentão do sério em *calientes* tardes e noites de amor em Catulé, Sergipe.

camisa 12

"Luca, Luca, Luca...!"
Morumbi lotado. Em campo, Corinthians e Vasco. A torcida paulista está irritada. O anfitrião da partida começou ganhando, mas cedeu o empate no fim do jogo. Aos berros, a torcida exige a presença de Luca no gramado. Só ele pode fazer um milagre. Mas há um problema: Luca, o artilheiro, não é real.

Ele só existe na novela *Vereda Tropical,* interpretado por Mário Gomes. Após peregrinar por diversos times de várzea de São Paulo, o atleta é descoberto pelo Corinthians. No último capítulo, para dar um toque maior de realidade, Mário Gomes é levado ao Morumbi e invade o campo, devidamente uniformizado, para comemorar o gol do Corinthians (real) com seus "colegas".

Tanto realismo causou problemas para o juiz da partida, José Assis de Aragão, acusado pela Confederação Brasileira de Árbitros (Cobraf) de facilitar a entrada do "intruso" em campo. Foi preciso a TV Globo pedir para que Aragão não fosse punido.

cheiro de sucesso Os personagens de *Vereda Tropical,* primeira novela de Carlos Lombardi na Globo, costumavam freqüentar a cantina italiana La Tavola de Michele, nos fundos da fábrica de perfumes CPP, localizada na fictícia Vila dos Prazeres. Os triângulos amorosos e a disputa pela guarda de um menino, outros fios condutores da história, fizeram tanto sucesso que a trama batizou um perfume, sucesso de vendas entre o público feminino.

a saga dos gattai

Hora de voltar no tempo e acompanhar a saga de Ernesto Gattai, na década de 20, em São Paulo. Trabalhador pobre, militante do movimento anarquista, Ernesto é o pai de uma romancista muito ilustre, Zélia Gattai, mulher de Jorge Amado, autora do livro de memórias *Anarquistas, Graças a Deus*, transformado em minissérie de nove capítulos na Globo.

VOCÊ SABIA? A minissérie multiplicou por 15 a venda do livro *Anarquistas, Graças a Deus*.

é o amooooorrr

De vez em quando, até hoje Ary Fontoura é chamado de Nonô Corrêa por algum telespectador nostálgico. O personagem mais pão-duro da paróquia surgiu em *Amor com Amor se Paga*, de Ivani Ribeiro, e logo caiu nas graças do público. Ele vivia na maior pindaíba – apesar de ter muito dinheiro guardado em casa –, não perdoava dívidas alheias e até colocava cadeado na geladeira. A maior vítima de suas mesquinharias era Frosina (Berta Loran), a empregada que o agüentava havia 20 anos.

meu garoto Nonô só começou a abrir a mão – e o coração – quando entrou em cena o órfão Zezinho (Oberdan Júnior), adotado por ele. O pão-duro amoleceu tanto que acabou se casando com a sua fiel e sofrida escudeira.

olhe bem, preste atenção

Tem novidade na abertura do *Fantástico*. Lançada com toda a pompa e circunstância – e cobertura total da imprensa –, a nova vinheta preparada por Hans Donner passou a exibir a imagem de um raio *laser* cortando uma pirâmide metálica, que se tornou o símbolo do programa.
Em 1987, também sob o comando de Hans, a abertura passou a retratar o "nascimento do mundo", com os primeiros habitantes da Terra em meio a elementos da natureza como fogo e vento e fenômenos como chuva de meteoros.
A modelo Isadora Ribeiro e o bailarino Ciro Barcelos emergiam das águas do Mono Lake, um dos lagos mais famosos da Califórnia.
E, no Saara, a atriz Carolina Ferraz deslizava sobre as dunas sem deixar rastros. Para completar o show de efeitos especiais, a câmera sobrevoava cenários como o Grand Canyon e a Amazônia. Vertigem total.

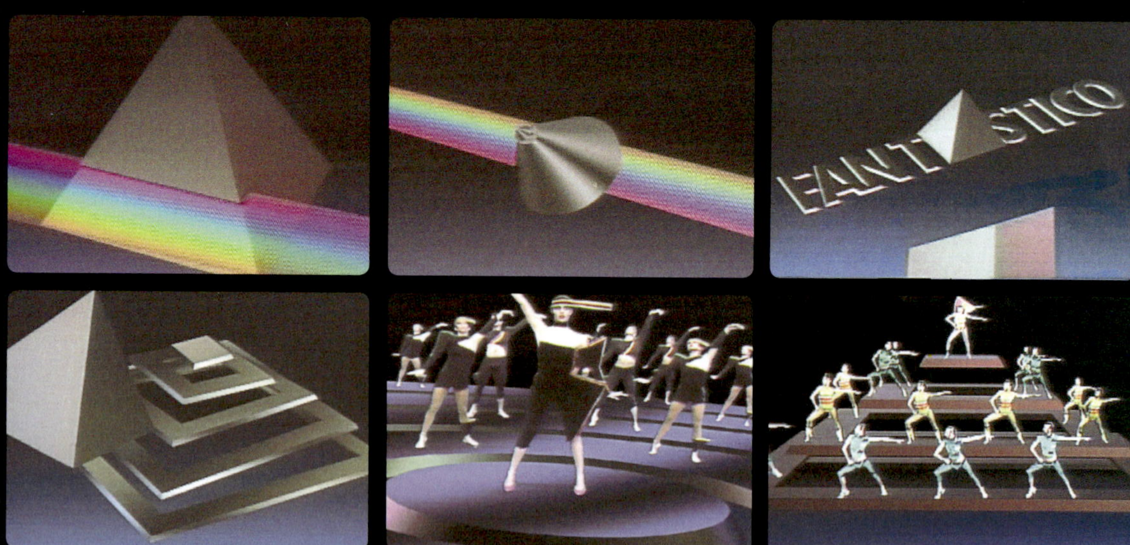

MUDA BRASIL
Tancredo
PRESIDENTE
PMDB
URV
FORA COLLOR
QUE VERGONHA, COLLOR
ACORDA BRASIL

década 3

ANOS DE TURBULÊNCIA

Você comprou óculos especiais para ver o cometa Halley zunir pelo espaço? Rezou pela saúde de Tancredo Neves enquanto ele agonizava, às vésperas de assumir o poder como primeiro presidente civil depois de anos de ditadura? Exibiu no peito o broche "Tem que dar certo", distribuído pelo governo de José Sarney (o vice que se tornou presidente) durante o Plano Cruzado?

Pois então você viveu, de verdade, os altos e baixos de uma das décadas mais turbulentas da história do Brasil.

A democracia estava de volta ao país. Enquanto Mike Tyson desfechava golpes demolidores em seus adversários, os nossos cruzados (a nova moeda nacional) erravam o alvo: a inflação assustadora

No desespero, multidões se transformaram em "fiscais do Sarney" para tentar combater a alta de preços e milhões de eleitores apostaram todas as fichas numa jovem promessa vinda lá de Alagoas: Fernando Collor de Mello, o "caçador de marajás", em campanha contra Luiz Inácio Lula da Silva na sucessão de Sarney.

O Rock Brasil que nos perdoasse, mas a trilha sonora desses novos tempos – movidos a zigue-zagues e zumbidos de *jet skis* – eram a sacolejante lambada e a música sertaneja: Leandro e Leonardo, Chitãozinho e Xororó, Zezé Di Camargo e Luciano. "É o amor...", o Brasil cantava em coro, com um brilho estranho nos olhos.

Fomos às urnas – depois de anos de direitos confiscados – e Collor subiu a rampa do Planalto para se tornar, dois anos depois, o primeiro presidente da República expulso do poder por *impeachment*, em meio a uma série de denúncias de corrupção. "Fora, Collor!", exigiram os caras-pintadas. E, no fim de tudo, mais um vice assumiu o comando: Itamar Franco.

Era preciso ter estômago para tantas reviravoltas e para as chacinas de Vigário Geral e da Candelária, o massacre do Carandiru, o naufrágio do *Bateau Mouche*, o assassinato de Chico Mendes, os mísseis de longo alcance da Guerra do Golfo, a morte de "Ayrton Senna do Brasil"...

Uma longa lista de más notícias.

Sabem o casamento do século, de Charles e Diana? Acabou.

E o invencível Mike Tyson? Foi à lona, acusado de estupro.

Mas não se desesperem, não. Porque em 1994 os cruzados deram lugar aos reais e nós começamos a derrotar a inflação, enquanto uma nova invenção desembarcava por aqui para nos aproximar ainda mais: o telefone celular.

Outra ótima notícia? É teeeeeeeeeetra!!!

Nem tudo estava perdido. Nos campos dos Estados Unidos, fomos campeões de futebol outra vez.

1985

a viúva e o sinhozinho

Agora sim. Dez anos depois de ter sido censurada às vésperas da estréia, *Roque Santeiro* sai da gaveta para virar fenômeno de audiência.

Livre, leve e solto, entra no ar o poderoso – mas nem tanto – Sinhozinho Malta (Lima Duarte), sempre aos pés de sua diva, a espalhafatosa Viúva Porcina (Regina Duarte).

asa branca Era esse o nome da cidade onde a viúva e o sinhozinho reinavam. Os moradores de Asa Branca viviam em função de um falso mito: Roque Santeiro (José Wilker), herói com direito a estátua na praça principal, venerado por ter morrido ao defender a cidade do temido bandido Navalhada (Oswaldo Loureiro).

Devotos de Roque Santeiro garantiam: ele fazia milagres. Só havia um problema nessa história toda: Roque não era nada santo e, o pior, estava vivo e de volta à cidade natal.

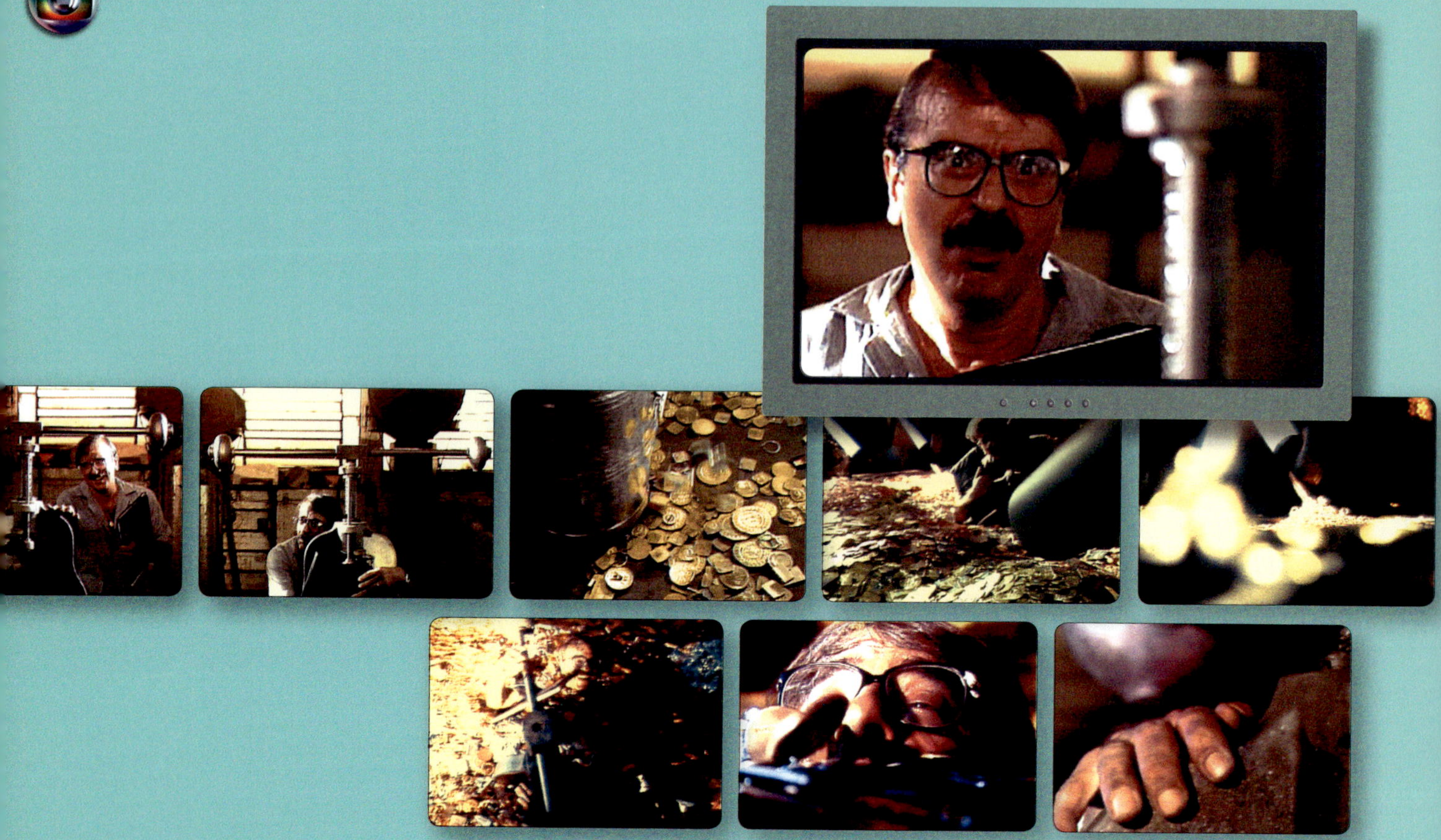

ELES QUE SE CUIDASSEM...

viúva porcina Estimulada por Sinhozinho Malta, jurava ser viúva de Roque. Na verdade, nunca tinha se casado com o herói. A mentira a transformara numa espécie de patrimônio local, ameaçado com a volta de Roque.

sinhozinho malta O homem mais rico da cidade era também o mais extravagante. Com suas reluzentes pulseiras de ouro e sua indefectível peruca, repetia um bordão que virou mania no Brasil: "Tô certo ou tô errado?". Em geral, estava errado, mas era melhor deixar para lá. A volta de Roque pôs em risco seu romance com a falsa viúva.

zé das medalhas Principal comerciante de Asa Branca, tinha enriquecido com a venda de santinhos e medalhas em homenagem ao falso milagreiro. A volta de Roque e o fim da farsa levaram o comerciante ao desespero. A cena acima é uma amostra do quanto ele se complicou.

testando

1. Mocinha, filha do prefeito Florindo Abelha (Ary Fontoura), era a verdadeira noiva de Roque Santeiro. Que atriz fazia o papel da paixão de Roque?
   a) Tássia Camargo
   b) Lucélia Santos
   c) Lucinha Lins

2. Além da Pousada do Sossego, único hotel de Asa Branca, que outro estabelecimento Matilde (Yoná Magalhães) possuía na cidade?
   a) A igreja, arrendada pelo padre Hipólito (Paulo Gracindo)
   b) A feira da Praça da Matriz, com o comércio de suvenires de Roque Santeiro
   c) A boate Sexus, que contava com os serviços das "meninas" Ninon (Cláudia Raia) e Rosaly (Isis de Oliveira)

3. O que acontecia quando sinhozinho Malta ficava nervoso?
   a) Saíam formigas de seu nariz
   b) Uma voz divina obrigava a pessoa que o irritara a fazer seis flexões
   c) Ele sacudia as pulseiras, o que sempre vinha acompanhado de um efeito sonoro que fazia o público imaginar uma cascavel

Respostas: 1-c / 2-c / 3-c

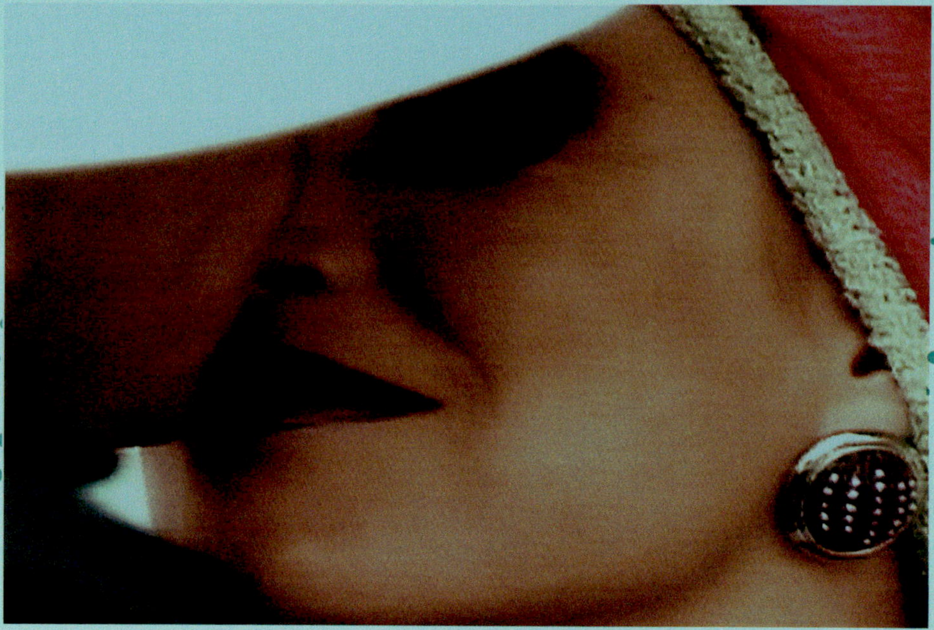

porcina's look

- Decotes generosos, vestidos colantes, óculos coloridos, saltos espetaculares, turbantes e chapéus excêntricos, a Viúva Porcina roubava a cena por onde passava. Tanta extravagância junta acabou virando moda no Brasil.
- Sinhozinho Malta também não fez feio. Parece mentira, mas a venda de perucas no Brasil cresceu 80% durante a exibição da novela.

som na caixa A trilha sonora de *Roque Santeiro* fez o Brasil inteiro cantar. Um dos *hits* era *De volta pro aconchego*, cantada por Elba Ramalho. Lembram? "Estou de volta pro meu aconchego..."

VOCÊ SABIA?

O capítulo final de *Roque Santeiro* foi marcado por um impasse: a viúva Porcina iria embora de Asa Branca com Roque ou ficaria na cidade ao lado de sinhozinho? A decisão seria tomada por ela aos pés de um jatinho, numa pista de pouso, entre seus dois amores, no melhor estilo *Casablanca*.

I Para manter o suspense, Dias Gomes escreveu dois finais, devidamente gravados. E o vencedor foi... Sinhozinho Malta.

I Roque Santeiro decolou sozinho.

SÓ PARA LEMBRAR

Na versão censurada de *Roque Santeiro*, Betty Faria fazia o papel da Viúva Porcina e Francisco Cuoco interpretava o personagem-título.

NÚMEROS

180 profissionais construíram, em **20** dias, **26** prédios de madeira em Guaratiba, no Rio de Janeiro. Foi assim que nasceu Asa Branca.

o tempo e o vento

Pedra de Guaratiba, no Rio de Janeiro, virou Rio Grande do Sul. Uma cidade cenográfica de 40 mil metros quadrados foi construída na região para abrigar a cidade de ruas largas e sobrados imponentes descrita por Erico Verissimo no romance *O Tempo e o Vento*.

Chegava a hora de acompanhar a saga das diversas gerações da família Terra Cambará e mergulhar na história da formação e fundação do estado do Rio Grande do Sul. Cento e cinqüenta anos de luta divididos em 25 capítulos pelos roteiristas Doc Comparato e Regina Braga.

VOCÊ SE LEMBRA?

- Glória Pires interpretou a heroína de Erico Verissimo, Ana Terra, símbolo de força e coragem da mulher em tempos de guerra.
- Tarcísio Meira era Rodrigo Cambará, arruinado pela bebida e pelo jogo. A história de amor entre Rodrigo e Bibiana (Louise Cardoso) era um dos destaques da trama.
- Carla Camurati fez o papel da desequilibrada Luzia. Bela e perigosa, ela adorava ver os outros sofrerem.

para comemorar Dirigida por Paulo José, Denise Saraceni e Walter Campos, *O Tempo e o Vento* fez parte da programação de comemoração dos 20 anos da TV Globo. Antes de a minissérie entrar no ar, a emissora transmitiu um especial sobre os bastidores da produção. O público pôde ver como foram criados os cenários e figurinos de época.

som na caixa Toda a trilha sonora foi composta por Tom Jobim. O tema de abertura, *O tempo e o vento (Passarim)*, teve a participação de Danilo Caymmi.

ASPAS

É a melhor literatura que se aproveita nas minisséries – não com o objetivo de criar o hábito da leitura, e sim para levar o público a assistir à melhor televisão."

(Paulo José, diretor de *O Tempo e o Vento*)

preparem as agulhas

E bota ti-ti-ti nisso. De um lado da passarela, o renomado Jacques Léclair (Reginaldo Faria), costureiro preferido da alta sociedade paulista. Do outro, o exuberante estilista espanhol Victor Valentim, embusteiro irresistível interpretado por Luís Gustavo.

O duelo de tesouras entre Reginaldo Faria e Luís Gustavo fazia a alegria do público, às sete da noite, na novela de Cassiano Gabus Mendes.

ciúme de você Jacques Léclair tinha um filho, Pedro (Paulo Castelli). E Pedro – acredite – fez Roberto Carlos sofrer.

O personagem era apaixonado por uma das costureiras da oficina do pai, a bela Gabriela, interpretada por Myrian Rios, na época casada com o Rei.

Roberto extravasou os ciúmes da mulher – que via aos beijos com outro na televisão – na música *A atriz*.

MÚSICA

CANTE COM A GENTE, SOFRA COM O ROBERTO

Pra me relaxar ligo a televisão
Mas que tolice a minha
Triste tentativa em vão
Ela me aparece com alguém que não sou eu
Vejo noutros braços tudo aquilo que é meu"

(*A atriz*, Roberto Carlos)

VOCÊ SE LEMBRA?

- O verdadeiro nome de Jacques Léclair era André Spina e o de Victor Valentim, Ariclenes. Os dois eram amigos de infância antes de se tornarem rivais.
- Os modelos de vestidos "inventados" por Victor Valentim na verdade eram copiados de Cecília (Nathália Timberg), senhora com problemas mentais e uma mania: criar figurinos elegantes para sua coleção de bonecas. Esta era a verdadeira "fonte de inspiração" do estilista de araque.
- Jacques Léclair fingia ser homossexual, mas tinha uma amante secreta, a secretária Clotilde (Tânia Alves). De vez em quando, ele perdia a cabeça e "atacava" as clientes.

GRANDE SERTÃO VEREDAS

Enquanto capitão Rodrigo e sua tropa desbravavam o sul do Brasil em *O Tempo e o Vento* e Nelson Xavier e seus orixás lutavam pela cultura negra e raízes africanas na Salvador de *Tenda dos Milagres*, Tony Ramos e Bruna Lombardi se deslocavam para Buritizeiro, no norte de Minas, para enfrentar um desafio monumental: o de dar vida, na TV, aos personagens da obra-prima de Guimarães Rosa, *Grande Sertão: Veredas*.

O romance era considerado, por muitos, inadaptável. Um obstáculo óbvio era o personagem Diadorim, vaqueiro por quem Riobaldo (Tony Ramos) se apaixona, sem saber que "ele", na verdade, era uma mulher. Como manter o suspense? Que atriz poderia encarnar o "vaqueiro"?

Quem esperava uma atriz com traços masculinos, desconhecida do público (de preferência), levou um susto ao deparar com Bruna Lombardi no papel de Reinaldo – ou Diadorim. Mas deu certo.

Para a empreitada, entrou em cena o diretor Walter Avancini, responsável também pelo roteiro final, ao lado de Walter George Durst.

marcha para o sertão Trezentos profissionais foram transferidos para as locações. Todos os envolvidos no projeto tiveram de conhecer o sertão. Até mesmo o maestro Júlio Medaglia, encarregado da trilha sonora, passou uma semana em Paredão de Minas, distrito de Buritizeiro, onde a equipe de produção montou o seu "QG". As gravações duraram 90 dias. Durante três meses, elenco e equipe técnica ficaram hospedados em casas de pau-a-pique alugadas dos moradores locais.

ARMAÇÃO ILIMITADA

triângulo de bermudas

Felizes proprietários da agência de prestação de serviços Armação Ilimitada, Juba (Kadu Moliterno) e Lula (André di Biase) topavam tudo. Especialistas em aventuras, eles mergulhavam, escalavam, participavam de campeonatos esportivos e até se arriscavam como dublês de filmes de ação – tudo para garantir o faturamento do mês e a adrenalina de todo dia.

A afinidade entre Juba e Lula era tanta que eles dividiam até a paixão pela estudante Zelda Scott (Andréa Beltrão), estagiária de jornalismo. A menina, aliás, jamais definiu quem seria o seu par. Na dúvida, preferia ficar com os dois ao mesmo tempo. Os três eram os "pais" de um órfão muito esperto adotado pelo grupo.

testando

1. Qual o apelido do órfão adotado por Juba, Lula e Zelda, interpretado por Jonas Torres?

a) Chapisco
b) Manero
c) Bacana

2. Qual era o nome do jornal em que Zelda trabalhava como estagiária?

a) *Correio do Crepúsculo*
b) *Planeta Diário*
c) *O Globo*, é claro

Respostas: 1-c / 2-a

novos ares *Armação Ilimitada* entrou no ar quando o Brasil vivia um clima de euforia, com o fim do regime militar e da censura. A ordem era inovar no conteúdo, no formato, na edição, no roteiro, na trilha, enfim, em tudo – porque neste Brasil novo, livre, tudo seria possível.

O diretor Guel Arraes e a equipe de roteiristas – Antônio Calmon, Euclydes Marinho, Patrícia Travassos e Nelson Motta – foram em frente e produziram, em quase quatro anos, 174 episódios marcados por irreverência, ousadia e efeitos de edição nunca usados na TV.

Armação Ilimitada foi um marco.

armações ilimitadas

- As histórias vividas por Juba, Lula e Zelda eram narradas pela DJ Black Boy (Nara Gil) direto de um "estúdio de rádio". Tudo em ritmo de *black music*.
- Os diálogos entre Zelda Scott e seu implacável chefe (interpretado por Francisco Milani) eram pontuados por esquetes surreais. O Chefe aparecia sempre de acordo com as "metáforas" da estagiária. Bastava ela dizer "O senhor tá uma pilha hoje" para ele surgir com uma bela fantasia de "Rayovac". Quando o Chefe despachava os assuntos do jornal, ele aparecia sempre num terreiro de candomblé, com charuto na boca e tudo.
- De vez em quando, Zelda aparecia nua no programa, mas sempre com as partes íntimas cobertas por tarjas pretas (recurso nunca usado na TV antes).
- Os palavrões ditos pelos personagens também eram "censurados" e devidamente substituídos por balões de histórias em quadrinhos repletos de símbolos estranhos, típicos das HQs.
- O Rock Brasil, que fazia o país inteiro dançar ao som de bandas como a Blitz, embalou muitos dos episódios de *Armação Ilimitada*.

VOCÊ SABIA?

No ano de sua estréia, *Armação Ilimitada* ganhou o prêmio Ondas – Oscar europeu da TV – como melhor série produzida para televisão. Até então, apenas dois programas brasileiros tinham recebido a premiação: o seriado *Malu Mulher* (1979) e o especial *Morte e Vida Severina* (1981).

Replay

Zelda, vestida de bailarina, na sala do Chefe, que tem mais uma pauta mirabolante para ela.

▸▸ ***Chefe***: Roubaram o satélite que os russos e americanos fizeram em cooperativa. Isso vai dar muito pano pra manga.

▸▸ ***Zelda***: Que satélite, que nada! Eu lá quero saber de satélite? Eu agora vou ser uma estrela. A estrela sobe!

(Zelda começa a flutuar na sala)

▸▸ ***Chefe***: Zel, Zel, pelas cinzas de Gutemberg, Zel! Você é uma jornalista! Ponha os pés no chão!

(Zelda cai no chão da sala do chefe, agora com roupa normal)

com a bênção dos orixás

TENDA DOS MILAGRES

Mais uma bela minissérie da Globo ambientada nos anos 20. Assinada por Aguinaldo Silva e Regina Braga, essa nova adaptação de uma obra de Jorge Amado levou para a televisão a luta de Pedro Arcanjo – um imbatível Nelson Xavier – contra a discriminação racial e pela defesa da cultura africana.

Entre rodas de umbanda, sob a proteção de Oxalá, Xangô, Oxossi e Iansã, entraram em cena personagens como Magé Bassã (Chica Xavier), mãe-de-santo que revela a Pedro Arcanjo sua missão de ser "a luz de seu povo". Tudo ao som de *Milagres do povo*, uma das mais belas canções de Caetano Veloso, incluída na trilha sonora da minissérie.

MÚSICA

CANTE COM A GENTE

Quem é ateu
E viu milagres como eu
Sabe que os deuses sem Deus
Não cessam de brotar..."

(*Milagres do povo*, Caetano Veloso)

1986

Tá na hora, tá na hora

Marque na agenda: 30 de junho de 1986. Oito horas da manhã. Uma nave espacial aterrissa no palco do Teatro Fênix e lá de dentro, entre nuvens de fumaça, surge, linda e loira, Xuxa Meneghel.

Botas brancas, minissaia colorida, um baita sorriso no rosto, lá vinha ela para se tornar a "Rainha dos Baixinhos" e conquistar o país com seu entusiasmo e seu bordão:

– Beijinho, beijinho e tchau, tchau.

O *Xou da Xuxa* ficaria no ar de 1986 a 1992, de segunda a sábado, das oito ao meio-dia, com sucesso absoluto.

Em pouco tempo, Xuxa se tornaria fenômeno de audiência, com suas paquitas e paquitos, shows musicais, gincanas e competições *à la* "guerra dos sexos".

– Quem vai ganhar? Menino ou menina?

Ganhávamos todos.

com vocês, as paquitas Nos seus 20 anos de reinado à frente de programas infantis, Xuxa sempre contou com belas e dançantes assistentes de palco: as paquitas, com roupas inspiradas em soldadinhos de chumbo e equilibradas sobre botas brancas.

A primeira paquita surgiu no programa de Xuxa apresentado na TV Manchete. Era Andréa Veiga. Na época, Xuxa tinha um papagaio chamado Paquito, que virou personagem do programa. Como Paquito estava à procura de uma namorada – e se "apaixonou" por Andréa –, a assistente de palco foi batizada de Paquita.

E como era difícil garantir uma vaga ao lado de Xuxa...

As paquitas eram escolhidas em testes disputados por milhares de garotas do Brasil inteiro.

Quem vencia a peleja ganhava um apelido quase sempre "adornado" com a letra X.

VOCÊ SE LEMBRA?

- Dengue era um personagem inspirado no mosquito da dengue, fantasiado com diversos braços. Já naquela época, Xuxa fazia campanhas de prevenção contra a doença.
- Praga era um anão vestido de tartaruga: o ator Armando Moraes, que acompanhou Xuxa desde a estréia do programa na Globo.

VIROU MANIA

MALETUXA: Maleta de plástico cor-de-rosa (é claro), com espelho na tampa e divisórias para guardar bugigangas.

BOTAS BRANCAS E PRENDEDORES PARA OS CABELOS: Peças mais vendidas nas lojas O bicho comeu, de Xuxa.

XUXINHAS: Assim passaram a ser conhecidos os prendedores de cabelo, usados para fazer marias-chiquinhas e rabos-de-cavalo copiados da apresentadora e de suas paquitas.

Diga X

Pituxa – Louise Wischermann
Xiquita – Andréa Faria, a "Sorvetão"
Catuxa – Ana Paula Guimarães
Xiquitita – Roberta Cipriani
Catuxita – Priscila Miranda Couto
Paquitita – Tatiana Maranhão
Pituxa 2 – Ana Paula Almeida

elas também foram paquitas

- Em 1989, Letícia Spiller assumiu o lugar de Louise como a desastrada Pituxa Pastel.
- Em 1990, Bianca Rinaldi venceu outras 1.200 concorrentes e substituiu Andréa Faria no papel de Xiquita.
- No mesmo ano, Juliana Baroni assumiu o lugar de Ana Paula como Catuxa.

com vocês, os paquitos Eles também garantiram espaço ao lado de Xuxa. Entre eles, Marcelo Faustini e Cláudio Heinrich, que depois despontaram como atores.

haja cabide Xuxa aparecia com um modelito diferente a cada programa. Dois anos e meio depois da estréia, ela já tinha se vestido de 759 maneiras diferentes.

para multidões Xuxa já fez show para 100 mil fãs no Estádio Vélez, na Argentina (1991), e para 200 mil pessoas no Maracanã, em 1988, na festa de chegada do Papai Noel. Mas seu recorde de público mesmo foi no Parque do Carmo, em São Paulo, em 1997: 300 mil espectadores pularam e cantaram *Ilariê*, *Brincar de índio* e outros *hits* da "Rainha".

final feliz... O *Xou da Xuxa* ficou seis anos e meio no ar. O último "beijinho, beijinho e tchau, tchau" foi dado em 31 de dezembro de 1992, dia do programa número 2.000 apresentado por Xuxa na Globo. Para encerrar com chave de ouro, foi exibido um "arquivo confidencial" com a apresentadora, com direito até ao reencontro da apresentadora com o pai, com quem Xuxa não falava havia cinco anos.

... mas por pouco tempo Porque Xuxa continua no ar, cercada de crianças, na *TV Xuxa*, depois de apresentar sucessos como *Xuxa* (1993), *Xuxa Park* e *Xuxa Hits* (1995), *Planeta Xuxa* (1997) e *Xuxa no Mundo da Imaginação* (2002), além de lançar novos discos e uma série de fenômenos de bilheteria nos cinemas.

testando

1. Qual o nome da repórter-mirim que passou a entrevistar personalidades para o programa a partir de 1988?
   a) Duda Little
   b) Xuxette
   c) Paquitita

2. Como eram conhecidas as gêmeas Mariana e Roberta Richard que, no palco, ajudavam Xuxa com a platéia?
   a) As catuxas
   b) Dose dupla
   c) Irmãs Metralha

Respostas: 1-a / 2-c

MEGANÚMEROS

- O primeiro disco do *Xou da Xuxa* vendeu mais de **2,6 milhões** de unidades e desbancou o Rei Roberto Carlos naquele ano, 1986.
- Xuxa vendeu, até hoje, mais de **26 milhões** de discos. Recebeu **214** discos de ouro, **76** de platina, **11** de diamante, **4** de diamante duplo... e por aí vai.
- O *Xou da Xuxa* 3 entrou para o *Guiness*, o livro dos recordes, como disco infantil mais vendido, com mais de **3 milhões** de cópias. Entre os *megahits*, *Ilariê* e *Brincar de índio*.
- A partir de 1991, o *Xou da Xuxa* passou a ser transmitido para **17** países da América Latina. Lá fora, a atração atendia pelo nome de *El show de Xuxa*.
- Em 1993, Xuxa desembarcou nos Estados Unidos para lançar a versão em inglês do programa. Foi transmitido por **121** canais, que cobriam **85%** dos Estados Unidos.
- **34 milhões:** este é o número de espectadores de seus filmes. Entre os sucessos, está o campeão de bilheteria *Lua de Cristal*, com **5 milhões** de espectadores.

MÚSICA

CANTE COM A GENTE

Doce, doce, doce
A vida é um doce
Vida é mel
Que escorre da boca
Feito um doce
Pedaço do céu"

(*Doce mel*, música de abertura do *Xou da Xuxa*)

> **VOCÊ SABIA?**
>
> ▌Silvio de Abreu não resistiu a fazer uma pontinha na trama, como o padre que celebrou o casamento de Naná e Gegê, no último capítulo.
>
> ▌O diretor da novela, Jorge Fernando, também deu o ar de sua graça. Surgiu como palhaço no circo do personagem Ricky (Marcos Frota).

dupla do barulho

Enquanto os "fiscais de Sarney" iam às ruas para fiscalizar os preços congelados nos supermercados e tentar deter uma inflação incontrolável, o novelista Silvio de Abreu colocava no papel as tramas e tramóias de *Cambalacho*, um retrato divertidíssimo do "país do jeitinho", onde muita gente acima de qualquer suspeita vive de aplicar golpes.

Cuidem-se, abram bem os olhos, porque Leonarda Furtado – Naná, para os íntimos – e Jerônimo Machado, vulgo Gegê, vêm aí.

Dois trambiqueiros irresistíveis vividos por Fernanda Montenegro e Gianfrancesco Guarnieri.

você se lembra? Turbante na cabeça, bola de cristal sobre a mesa, Naná fez papel de vidente e passou a ler o futuro para os crédulos dispos-

tos a pagar por suas visões. Até de grávida – com uma hilariante barriga postiça sob o vestido – Naná posou, no meio da rua, para pedir a "colaboração" dos pedestres. Dava pena de ver...

e lá veio o cruzado Às vésperas da estréia da novela, o presidente José Sarney lançou o Plano Cruzado. O cruzeiro saiu de circulação e a solução – nos capítulos já gravados de *Cambalacho* – foi inserir a frase "Mudou! Cruzado!" sempre que algum personagem mencionava os

"cruzeiros" na trama. E como se falava em dinheiro quando Naná e Gegê se encontravam!

tá no dicionário Cambalacho: palavra de origem espanhola que quer dizer trapaça, transação ardilosa, tramóia, conluio. Desconhecido na época, o termo acabou caindo na boca do povo, graças a Silvio de Abreu.

LEMBRA DELA?

Esta era Tina Pepper (nascida Albertina Pimenta), fã número 1 de Tina Turner. Com sua peruca esfuziante, Regina Casé fazia a alegria do público como tiete e clone da *pop star*.

Tina Pepper cantava, dançava... e distribuía bolsadas nas crianças da vizinhança, no bairro pobre de onde tentava escapar para se tornar uma celebridade. "Sai, pobreza. Sai. Detesto pobre", ela resmungava, entre um ataque e outro.

bons e velhos tempos

Quem viu não esquece. De um lado da pista de dança, com seu vestido branco, imaculado, a bem-comportada Malu Mader, no papel da normalista Lurdinha. Do outro lado, tímido em seu terno de gala, também branco, Felipe Camargo, como Marcos, aluno do tradicional Colégio Militar.

Os pais dela proíbem o namoro porque Marcos é filho de pais separados, mas os dois se olham, se aproximam e dançam, de rosto colado, ao som de *I apologize*, na voz de Billy Eckstine.

Esta é uma das cenas memoráveis da minissérie *Anos Dourados*, de Gilberto Braga. Vinte capítulos exibidos em maio, reprisados na íntegra duas vezes e lembrados sempre como um dos retratos mais emocionantes daqueles bons e velhos tempos.

casais 20 Além de Marcos e Lurdinha, outro casal – bem à frente de seu tempo – fez sucesso em *Anos Dourados:* Urubu e Rosemary. Lembra deles?

URUBU (TAUMATURGO FERREIRA): Com óculos *à la* James Dean, jaqueta de gola alta, o infalível cigarrinho no canto da boca e a mania de cuspir nas mãos para ajeitar os cabelos *(argh!)*, Urubu era um típico representante da "juventude transviada" daqueles anos dourados. Nada muito radical...

ROSEMARY (ISABELA GARCIA): Vestidos decotados, saltos altos, chiclete na boca, postura de quem não deve nada a ninguém, sempre pronta para curtir a vida, Rosemary parecia ser a mais "fácil" da turma. Era só aparência. A moça rebelde – pasmem – ainda sonhava casar virgem.

som na caixa A trilha sonora de *Anos Dourados* era um luxo só. Nat King Cole, Dolores Duran, Dick Farney, Elizeth Cardoso, Maysa e, na abertura, *Anos dourados,* de Tom Jobim. O responsável pela seleção musical e pela sonorização das principais cenas: Gilberto Braga, em sua estréia como produtor musical da própria obra.

ASPAS

O programa acabava às 23h, e até uma da manhã tinha gente ligando para elogiar aquele capítulo. Foi o maior sucesso que tive. Uma mulher bateu com o carro porque me viu na avenida Vieira Souto, em Ipanema, mas deixou o carro para trás e me disse: 'Ah, não faz mal, eu queria dar um beijo em você, porque estou adorando *Anos Dourados*'." (Gilberto Braga)

caso mentira

Sai o *Caso Verdade* e entra o *Teletema*, no mesmo horário – de segunda a sexta-feira, às 17h –, mas sem o compromisso de reconstituir dramas reais contados pelos telespectadores. A ordem agora é criar histórias e formar um novo time de roteiristas para a Globo.

os campeões O jornalista Alfredo Sirkis, hoje dedicado à política, foi um dos roteiristas que mais escreveu episódios para o programa. Assinou cinco histórias, entre elas *O Russo Desaparecido e a Mulata Esmeralda* e *Maria Testemunha*. Mas quem mais provocou pesadelos no público foi o escritor Marcos Rey, com suas tramas de terror. Só os títulos já davam medo: *A Morte Chega na Véspera* e *Uísque, Gelo e Cianureto*.

juiz eletrônico

E começa a Copa do Mundo no México. A Copa de Dom Diego Maradona... Ao Brasil de Zico restou o quinto lugar na peleja. E não adianta ficar xingando o juiz em vão. A partir dessa Copa, entra em campo um juiz eletrônico – o "tira-teima", recurso inventado na Itália para revelar, de diferentes ângulos, com todos os detalhes possíveis, os principais (e mais polêmicos) lances de cada partida. Em caso de dúvida ou de suspeita de erro do juiz, lá estava ele, o tira-teima, para medir distâncias, detalhar trajetórias de bola e até calcular a força de chutes. Alta tecnologia.

roda de fogo

A corrupção, agora de "colarinho branco", também inspirou Lauro César Muniz em *Roda de Fogo*. Fraudes e falcatruas marcaram a trajetória do ambicioso empresário Renato Villar (Tarcísio Meira), ameaçado por um dossiê com provas de irregularidades em suas empresas.

Para julgar essas denúncias, foi convocada uma juíza incorruptível e irresistível: Lúcia (Bruna Lombardi). Resultado: o que deveria acabar em tentativa de suborno terminou em paixão. Transformado pelo amor (bonito isto...), Renato Villar se redimiria, mas não escaparia da morte!

e o troféu "roubou a cena" vai para...

Osmar Prado, no papel de Tabaco. Cabia a ele dirigir a limusine de Renato Villar e se dividir entre três belas namoradas: a sensual Patativa (Claudia Alencar), a telefonista Bel (Inês Galvão) e a ingênua Marlene (Carla Daniel).

Com quem ficar? Na dúvida, o público ficou mesmo com Tabaco, que roubou a cena na novela.

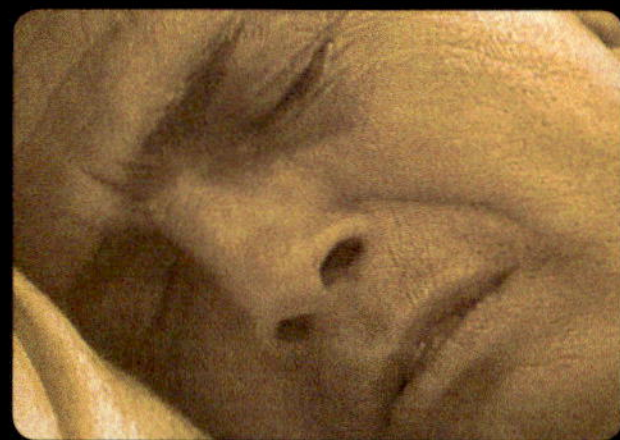

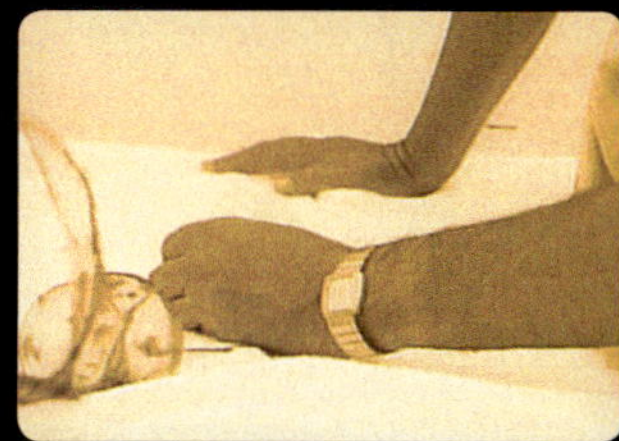

CHICO & CAETANO

Juntos no mesmo palco, diante das câmeras da Globo, a dupla mais dinâmica – e consagrada – da MPB: Chico Buarque de Hollanda e Caetano Veloso.

Uma vez por mês, eles faziam o papel de mestres-de-cerimônias – e de atrações principais – do programa criado por Daniel Filho e Nelson Motta para promover grandes encontros entre músicos brasileiros ou estrangeiros.

O maior encontro de todos era aquele mesmo, o do título da série de nove programas: *Chico & Caetano*.

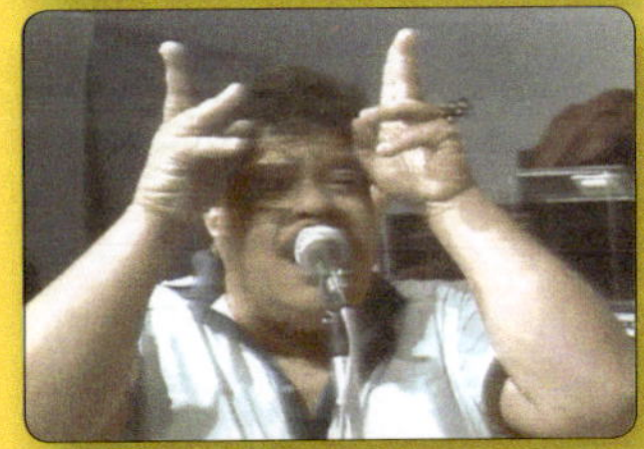

Eles passaram por lá

Revelações: Renato Russo, Cazuza, Paulo Ricardo

Internacionais: Astor Piazzolla, Mercedes Sosa, Pablo Milanez

Prata da casa: Elza Soares, Gilberto Gil, Maria Bethânia, Jorge Ben Jor, Elizeth Cardoso... e muitos outros.

ele furou Tim Maia apareceu para ensaiar na véspera da gravação, mas no dia seguinte... sumiu. O jeito foi exibir trechos do ensaio na edição final. Um espetáculo impagável: Tim reclamava do som, pedia mais e mais retorno e soltava o vozeirão para reclamar, entre uma música e outra.

ASPAS

A idéia do programa era misturar bastante. Tinha uma coisa mais latino-americana, representada pelos convidados internacionais, e outra mais 'emepebezona', que era o Chico e o Caetano. Tinha, também, alguns duetos estranhos. Logo na estréia fizemos um da Bethânia com a Rita Lee."

(Nelson Motta, criador e roteirista de *Chico & Caetano*)

brasil esperança

A vida de milhões de crianças mudou graças a esse programa anual, lançado no dia 28 de dezembro, durante as comemorações dos 20 anos de *Os Trapalhões*. O *Criança Esperança* nasceu para mobilizar e conscientizar a sociedade sobre os direitos e as necessidades de crianças e adolescentes no país.

Sob o comando do mestre-de-cerimônias Renato Aragão (hoje embaixador do Unicef no Brasil), o elenco da Globo e artistas de todas as áreas se uniram para transmitir, ao vivo, para todo o país, um *megashow* dedicado a divertir, emocionar, informar e – mais importante – dar início ao período de arrecadação de doações para projetos sociais em benefício de crianças e adolescentes do Brasil.

presentes Transmitido direto do Teatro Fênix, no Rio de Janeiro, o programa de estréia contou com a participação solidária de grandes nomes, como Roberto Carlos, Chacrinha, Chico Anysio, Xuxa e Jô Soares.

deu certo Promovida, até 2004, pela TV Globo e pelo Fundo das Nações Unidas para a Infância (Unicef) e, atualmente, pela TV Globo e pela Organização das Nações Unidas para a Educação (Unesco), a campanha *Criança Esperança* beneficiou, nos últimos 20 anos, mais de 3 milhões de crianças e adolescentes em todo o país, com apoio técnico e financeiro a mais de 4.800 projetos sociais.

nas alturas Uma das cenas mais marcantes da história do *Criança Esperança* foi esta: Renato Aragão se equilibra nos braços do Cristo Redentor, no Rio de Janeiro, no programa comemorativo dos 25 anos de *Os Trapalhões*, exibido em julho de 1991.

A idéia de se arriscar tanto partiu do próprio Renato Aragão, que teve de vencer a resistência do diretor Aloysio Legey e convencer os bombeiros a permitir sua aventura nas alturas. Renato queria agradecer a Deus por todas as conquistas...

NÚMEROS

- No programa comemorativo dos **25** anos de *Os Trapalhões*, o *Criança Esperança* ficou no ar **25** horas.
- Em **20** anos, a campanha arrecadou **R$ 143 milhões**.
- Em 2005, **44** projetos de ONGs receberam apoio do *Criança Esperança*.
- O projeto é responsável por **27%** dos recursos da Pastoral da Criança, coordenada por Zilda Arns, dedicada à redução da mortalidade infantil em **245** municípios do país.

1987

Nu com a mão no bolso

Brega & Chique, de Cassiano Gabus Mendes, causou *frisson* (para usar um termo brega-chique) antes mesmo de entrar no ar. Na vinheta de abertura, criada por Hans Donner, o modelo Vinicius Manne aparecia como veio ao mundo, ao som de um novo *hit* da banda Ultraje a Rigor. "Pelado, pelado/Nu com a mão no bolso", o vocalista Roger gritava o refrão, enquanto o galalau desfilava com o traseiro de fora.

A censura ressuscitou para exigir a inclusão de uma folha de parreira sobre o corpo do modelo. Quando a folha entrou em cena, os censores determinaram que o tamanho dela fosse aumentado. No fim das contas, já que os tempos eram outros, a versão original da abertura foi liberada, sem cortes e sem parreira, com o modelo nu, de costas.

riso frouxo Durante as gravações de *Brega & Chique*, os atores se divertiam em cena. E eram muitos os acessos de riso quando Marco Nanini contracenava com Marília Pêra. Improvisos súbitos e gargalhadas incontroláveis pontuavam as "cenas de amor" entre os personagens Montenegro e Rafaela, vividos por eles. O diretor Jorge Fernando levou vários desses "cacos" e lapsos ao ar. Não sobrou nenhuma cena dos bastidores para o quadro "Falha Nossa", do *Vídeo Show*.

testando

1. Quem era Rosemere, a brega?
   a) Regina Casé
   b) Glória Menezes
   c) Yoná Magalhães

Respostas: 1-b

O OUTRO

jornada dupla

Francisco Cuoco é o milionário Paulo Della Santa, morador da Avenida Atlântica, no Rio de Janeiro. Francisco Cuoco é também Denizard, mecânico, morador de um prédio bem popular – e bem animado – na mesma avenida.

Os vizinhos (e sósias) nunca se encontraram, mas os destinos de ambos se cruzam num acidente de carro em que Paulo Della Santa morre e Denizard perde a memória. Resultado: ao voltar a si, ainda atormentado pela amnésia, Denizard é confundido com Paulo e assume o lugar do empresário nos negócios e na família Della Santa.

Está no ar *O Outro*, de Aguinaldo Silva.

testando

1. Denizard tinha um caso com a secretária de seu ferro-velho. Quem era ela?
   a) Suzana Vieira
   b) Natália do Vale
   c) Yoná Magalhães
2. A única pessoa que sabia da troca entre Denizard e Paulo Della Santa era uma *hippie* que vendia artesanato no bairro, a Glorinha da Abolição. Quem fazia o papel da personagem?
   a) Cláudia Abreu
   b) Isabela Garcia
   c) Malu Mader

Respostas: 1-c / 2-c

MANDALA

matou o pai e ficou com a mãe

Vera Fischer é a bela Jocasta, mãe de Édipo (Felipe Camargo), filho de Laio (Perry Salles). Édipo mata o pai e – adivinhe – se apaixona pela mãe, sem saber, é claro, do parentesco que os une.

Pois é. A tragédia *Édipo Rei*, de Sófocles, virou novela de TV, escrita inicialmente por Dias Gomes (até o capítulo 35) e concluída por Marcílio Moraes, com a colaboração de Lauro César Muniz na reta final.

lá vem a censura *Mandala* era o nome dela. Uma novela que a Censura Federal tentou vetar desde a sinopse, ao identificar, na trama, uma série de temas "impróprios para o horário das 20h30". Quais? Incesto, bissexualismo e uso de drogas, por exemplo.

O enredo só foi liberado depois de a direção se comprometer a fazer ajustes na versão original. Mas a censura ficou rondando e voltou a atacar quando o roteiro previa o fatídico beijo entre Jocasta e Édipo.

A cena agrediria os telespectadores – avaliaram os zeladores da moral e dos bons costumes. O impasse só terminou quando os censores se convenceram de que os personagens desconheciam sua condição de mãe e filho e, por isso, deveriam ser perdoados.

MÚSICA

CANTE COM A GENTE

Como uma deusa
Você me mantém
E as coisas que você me diz
Me levam além"

(*O amor e o poder*, Rosana)

nem tudo era tão trágico Nuno Leal Maia fez a alegria do público na pele do apaixonado e atrapalhado bicheiro Tony Carrado. Bastava ele deparar com Jocasta para arregalar os olhos, abrir os braços e dizer, quase aos berros: "Minha deusa!". Grosseirão e divertidíssimo, Tony Carrado caiu nas graças dos telespectadores.

NA LÍNGUA DE TONY CARRADO

"Depois da tempestade vem a ambulância."
"Tu pensa que eu estava deslizando no macio?"
"Vê se tu vai decorar necrotério. Vai que dá mais certo."

divididinha

Lembram dela? A Tancinha, de Cláudia Raia, roubou a cena em *Sassaricando*, de Silvio de Abreu. Ela trabalhava na feira, na barraca da mãe Aldonza (Lolita Rodrigues), e fazia a alegria dos clientes e feirantes quando anunciava melões "madurinhos", balançando-os junto aos seios. Com sotaque carregado – paulista italianado –, enquanto tentava escolher entre o publicitário Beto (Marcos Frota) e o musculoso Apolo (Alexandre Frota), ela vivia repetindo:

– Me tô divididinha!

ASPAS

A Tancinha causou uma comoção geral. Era uma mulherona, meio Sophia Loren, com característica voluptuosa e tudo, mas uma fofa, frágil, inocente. Eu curtia cada palavrinha dela, e pude inventar muita coisa: em vez de falar 'prateleira', eu dizia 'parteleira'. Aí tinha de anotar num bloquinho, para nunca mais falar corretamente essa palavra. No início fui malhadíssima por causa do sotaque, mas, depois, todo mundo falava na rua: 'Beto, me tô divididinha'." (Cláudia Raia)

1988

Má, muito má

Até hoje tem gente que olha a atriz Beatriz Segall na rua e não resiste a cumprimentar:

– Odete Roitman!

A megavilã de *Vale Tudo* foi abatida a tiros na novela depois de humilhar meio mundo, mas (com o perdão do lugar-comum) continua viva, firme e forte diante dos olhos de quem teve o prazer sádico de acompanhar suas maldades na obra-prima de Gilberto Braga.

Arrogante e manipuladora, nariz sempre empinado e olhos gélidos, Odete tinha uma disposição danada para atropelar quem estivesse por perto – até mesmo a filha alcoólatra, Heleninha (Renata Sorrah).

Vale Tudo foi um marco. Um retrato do Brasil corrupto, cantado nos versos afiados de Cazuza na música de abertura *Brasil*.

casal 20 *Vale Tudo* completa quase 20 anos, mas parece que foi ontem que Maria de Fátima (Glória Pires) e César (Carlos Alberto Ricelli) nos chocaram e nos divertiram com seu cinismo deslavado e sua total falta de limites quando o dinheiro – fácil, de preferência – estava em jogo.

quanta maldade, menina Maria de Fátima aprontou muito com a mãe, a batalhadora Raquel Accioli (Regina Duarte), que criou sozinha a filha ingrata, depois de se separar do marido. Lembram dessas maldades?

- Maria de Fátima vendeu a única propriedade da família – a casa onde morava com a mãe, em Foz do Iguaçu – e fugiu com o dinheiro para o Rio de Janeiro.
- Para se casar com o milionário Afonso Roitman (Cássio Gabus Mendes), ela aceitou a proposta da futura sogra Odete: separar a própria mãe, Raquel, do amor de sua vida, Ivan Meirelles. Negócio fechado e concluído com sucesso, para desespero da pobre Raquel.

quem matou odete roitman? O Brasil parou para conhecer a identidade do assassino, na noite de 6 de janeiro de 1989. Cinco finais diferentes foram escritos por Gilberto Braga, e os atores só souberam quem apertou o gatilho três vezes – de verdade – minutos antes da exibição do capítulo decisivo.

Leila (Cássia Kiss) disparou contra Odete por engano. Seu alvo, na verdade, era Maria de Fátima, que – naquela altura do campeonato – tinha se tornado amante de Marco Aurélio, marido da assassina.

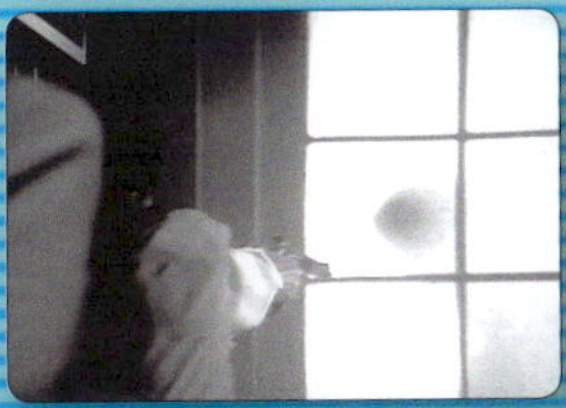

ASPAS

É um papel que vai ficar na história da televisão brasileira. Até hoje eu sou chamada na rua de Odete Roitman! Fico com medo de parecer pretensiosa ao falar dela, mas acho que ninguém na televisão brasileira recebeu um presente tão grande como interpretá-la." (Beatriz Segall)

moral da história? Odete se deu mal, mas os outros vilões de *Vale Tudo* mereceram um final feliz. Maria de Fátima se casou com um príncipe italiano e convidou César a se juntar a ela na *dolce vita*.

Marco Aurélio, o braço-direito de Odete, aplicou um golpe financeiro depois do outro e fugiu do país com as fatídicas malas de dinheiro, num jatinho, devidamente impune. Ao levantar vôo, olhou para a câmera e deu uma bela banana para o Brasil.

A cena – antológica – marcou o último capítulo de *Vale Tudo*.

sem gelo Heleninha Roitman virou sinônimo de bebedeira no país. Atordoada por porres homéricos, quebrou bares, desabou da escada, afogou mágoas e mágoas em doses intermináveis de uísque, mas, no fim das contas, conseguiu se salvar com a ajuda dos Alcoólicos Anônimos. Nem tudo foi tão politicamente incorreto em *Vale Tudo*.

VOCÊ SE LEMBRA?

Depois de perder seu único bem (o apartamento), Raquel começou a vender sanduíche natural nas praias do Rio. Com muito custo, depois de rechear muito pão, ela conseguiu montar uma rede de restaurantes chamada Paladar.

VOCÊ SABIA?

A novela fez tanto sucesso em Cuba que os pequenos restaurantes privados inaugurados na ilha, depois da abertura econômica dos anos 1990, passaram a ser chamados de "Paladar" pelos cubanos.

testando

1. Quem fazia o papel de Ivan Meirelles, o administrador de empresas por quem Raquel se apaixona ao chegar no Rio?
   a) Francisco Cuoco
   b) Reginaldo Faria
   c) Antônio Fagundes
2. Por que Odete queria separar Raquel de Ivan?
   a) Para que Ivan se casasse com Heleninha Roitman, sua filha, apaixonada por ele
   b) Ela também estava apaixonada por Ivan
   c) Por pura maldade mesmo
3. Odete Roitman tinha um caso. Quem era seu amante?
   a) Ivan
   b) O trambiqueiro César
   c) Seu braço-direito na empresa, o desonesto Marco Aurélio

Respostas: 1-c / 2-a / 3-b

MÚSICA

CANTE COM A GENTE

Brasil, mostra tua cara
Quero ver quem paga
Pra gente ficar assim
Brasil, qual é o teu negócio?
O nome do teu sócio?
Confia em mim..." (*Brasil*, Cazuza)

pé na tábua

a cena era eletrizante No volante de seu carro conversível, pelas ruas de São Paulo, está o incansável Tonico Ladeira (Tony Ramos), que não parava quieto um minuto. No banco de trás, arfando e se contorcendo inteira, a jovem Ana (Isabela Garcia), em plena fuga, depois de um assalto.

E o incrível acontece: Ana dá à luz uma menina... e deixa o bebê para trás, a fim de escapar da polícia. Título da novela: *Bebê a Bordo*, mais uma comédia rasgada de Carlos Lombardi.

VOCÊ SABIA?

Bebê a Bordo foi o último trabalho de Dina Sfat, que morreu de câncer um mês depois do fim da novela. Na trama, ela era Laura, mãe de Ana, que também tinha abandonado a filha quando ela era bebê.

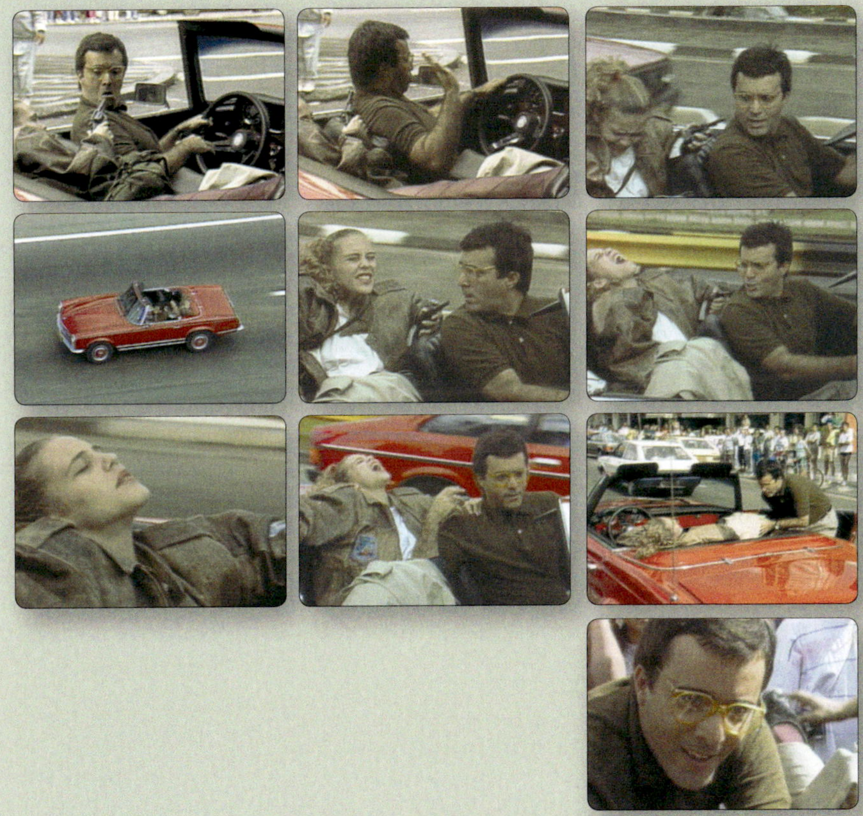

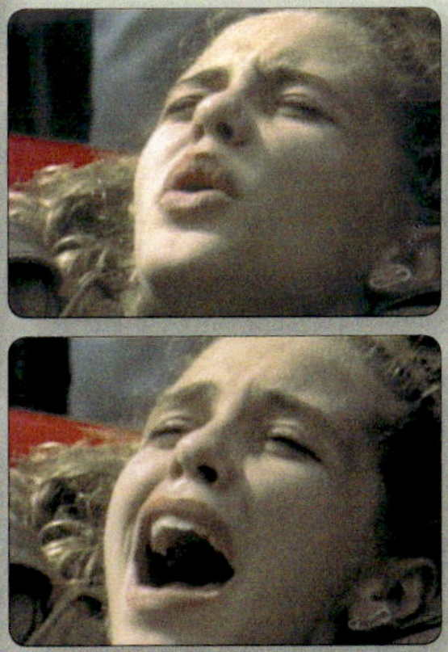

o pagador de promessas

provações

Começou como peça escrita por Dias Gomes, virou filme – o único brasileiro a receber a Palma de Ouro no Festival de Cannes – e foi apresentado como teleteatro no *Fantástico,* em 1974. Agora, chegava a hora de contar a história de Zé do Burro e sua polêmica promessa a Iansã numa minissérie.

O Pagador de Promessas teria 12 capítulos, mas foi reduzida a oito depois de sofrer uma série de cortes pela censura. A guerra entre padres conservadores e progressistas na Igreja e a disputa por terra no sertão eram temas "delicados" demais naqueles tempos de Assembléia Nacional Constituinte, em que a reforma agrária estava em pauta e José Sarney, no poder.

zé do burro Quando soube que *O Pagador de Promessas* ia virar minissérie, José Mayer interrompeu uma conversa telefônica entre Dias Gomes e um produtor para tentar convencer o autor, do outro lado da linha, a lhe dar o papel de Zé do Burro.

Alguns testes depois, José Mayer realizou o sonho de "carregar a cruz" de seu personagem e tentar entrar na igreja Santa Bárbara, comandada pelo padre Olavo (Walmor Chagas), em Salvador.

VOCÊ SE LEMBRA?

O sertanejo Zé do Burro andava sempre acompanhado por um burro de estimação, Nicolau. Um dia, o animal sofreu um acidente e ficou à beira da morte. Para salvar seu companheiro, Zé prometeu a Iansã – Santa Bárbara, na religião católica – que, se o burro se salvasse, ele carregaria uma cruz de madeira desde sua roça, em Monte Santo, interior da Bahia, até a igreja de Santa Bárbara, em Salvador. O burro se curou e Zé iniciou sua peregrinação até dar de cara com o portão fechado da igreja, por ordem do padre Olavo, inconformado com a promessa feita num centro de candomblé.

ACREDITE SE QUISER

Para entrar no clima do personagem, José Mayer foi para Monte Santo, no sertão da Bahia, um mês antes do resto do elenco e passou a conviver com um burro. A população local entrou no clima e passou a chamar o ator de Zé do Burro.

ASPAS

Pedi à prefeitura de lá que me desse uma casinha, um lugarzinho com um pouco de mato, onde eu pudesse cuidar do burro, o Nicolau. Me tornei um tratador de burros, me entendi muito com ele. Quando a minissérie acabou, o Nicolau arrebentou o cercado do proprietário dele, atravessou a cidadezinha e foi para onde a gente morava, não sei se atrás de mim ou de toda a rapadura que eu dei para ele. Acho que foi mais isso." (José Mayer)

O PRIMO BASÍLIO ... e a prima Luísa

Ela despontou como a bela Jocasta na primeira fase da novela *Mandala* e voltou a roubar a cena como protagonista de uma minissérie ambiciosa: a adaptação da polêmica obra-prima de Eça de Queiroz, *O Primo Basílio.*

Com seus olhos brilhantes e interpretação irretocável, Giulia Gam deu vida à sofrida Luísa, dividida entre o marido Jorge (Tony Ramos) e o primo Basílio (Marcos Paulo), e torturada pela perversa criada Juliana (Marília Pêra).

túnel do tempo

Assinada por Gilberto Braga e Leonor Bassères, a minissérie de 16 capítulos envolveu minucioso trabalho de pesquisa histórica para reconstituir a atmosfera da Lisboa do século 19. Só para uma cena de ópera foram contratados 500 figurantes (além de um tenor, um barítono e uma soprano). Todos vestidos em trajes de época. Para recriar os figurinos, Beth Filipecki recorreu a pinturas de Monet e Toulouse Lautrec.

eu? de jeito nenhum! Missão espinhosa foi convencer Marília Pêra a interpretar a cruel Juliana. A personagem era má à beça, repugnante mesmo. Sem exagero:

- Ao descobrir que a patroa traía o marido com o próprio primo, hospedado em sua casa, a megera cobrou 600 mil réis da "infiel" para guardar segredo.
- Como Luísa não tinha um tostão furado, as duas chegaram a um "acordo". Daquele dia em diante, a patroa deveria servir à empregada, fazer todas as suas vontades e se submeter a todas as humilhações.
- Ao longo da minissérie, as roupas em tons alegres e tecidos leves usadas por Luísa passaram a "enfeitar" Juliana.

ASPAS

"Não queria fazer porque o modo como o Eça de Queiroz descreve essa mulher aos 40 anos, os olhos apertados, o nariz que parece um focinho, cabelos brancos, dentes estragados, boca de traça, não me atraía. O cabelo era feio, tudo era feio, e a Giulia linda, a Beth Goulart linda. Eu ficava com um ódio delas! Claro que eu não falava isso para elas. Mas eu precisava desenvolver ódio para jogar na Juliana. A minissérie durou uns quatro meses. Fiquei de mau humor esse tempo todo." (Marília Pêra)

OS PIRATAS CHEGARAM!

Piratas invadem o estúdio de uma emissora de TV, interrompem um telejornal, driblam a equipe de produção, alcançam a sala de controle e colocam uma fita na máquina de exibição.

Pronto: a *TV Pirata* entra no ar.

Era esta a vinheta de abertura do novo humorístico dedicado a satirizar a televisão brasileira. As invasões dos "fora-da-lei" dirigidos por Guel Arraes, José Lavigne e Carlos Magalhães passaram a acontecer todas as terças-feiras, durante dois anos. Sorte dos telespectadores desta TV louca, divertidíssima e, muitas vezes, absurda.

calouros *TV Pirata* tinha um timão de roteiristas. Mauro Rasi, Luis Fernando Verissimo, Vicente Pereira, Patrycia Travassos e a dupla Felipe Pinheiro e Pedro Cardoso – coordenados por Cláudio Paiva – dividiam espaço com sete novatos na televisão.

A única experiência desses calouros com humor era o jornal universitário criado por eles para satirizar a tudo e a todos – do "gato" Ferreira Gullar ao presidente Sarney, um dos alvos preferidos – e reclamar da falta de mulheres no curso de engenharia.

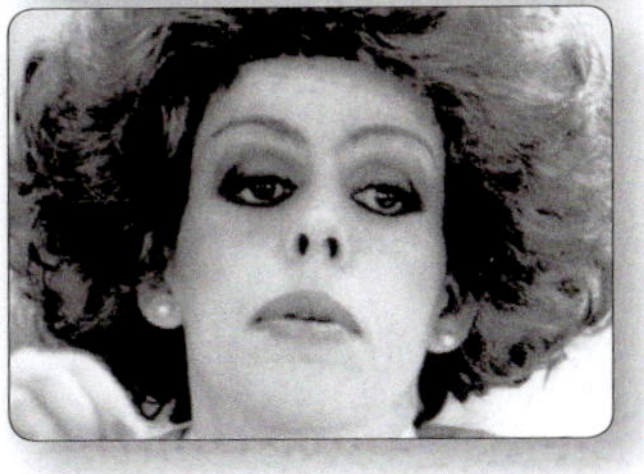

Quem eram eles? Bussunda, Cláudio Manoel, Helio de La Peña, Beto Silva, Hubert, Reinaldo e Marcelo Madureira. Mas pode chamar de "turma do *Casseta & Planeta*".

TV Pirata foi uma espécie de laboratório para o *Casseta & Planeta Urgente*. A ordem era inovar, surpreender e chocar, com uma galeria de tipos e personagens inéditos na TV – muitos deles inesquecíveis.

os piratas O elenco original do programa era composto por Cláudia Raia, Cristina Pereira, Débora Bloch, Diogo Vilela, Guilherme Karam, Louise Cardoso, Luiz Fernando Guimarães, Marco Nanini, Ney Latorraca e Regina Casé.

piratarias

TONHÃO: Uma das presas do quadro "As Presidiárias", chegava a fazer barba e a cuspir no chão enquanto exibia os bíceps às companheiras de prisão, que vivia assediando. Vozeirão tonitruante, jeitão de quem estava sempre pronta para a briga, Tonhão era interpretada por ninguém menos do que Cláudia Raia, a *sex symbol* da vez, que tinha acabado de conquistar o país como a sensual Tancinha. Isso é que era satirizar a televisão...

BARBOSA: O velho mais gagá do planeta tinha mania de repetir a última sílaba da frase de quem falava com ele. "Bar-bo-saaa..." Assim se chamava o personagem de maior sucesso de Ney Latorraca no programa – mas era preciso dizer o nome com a boca bem mole: "Bar-bo-saaaa". O Brasil inteiro repetia.

ZECA BORDOADA: "Boa noite, pessoal da maromba, rapaziada macha do Brasil! Estamos mais uma vez aqui com um programa feito para você, que é macho de verdade." Era assim, dessa forma carinhosa, que Zeca Bordoada (Guilherme Karam) – costeleta, óculos escuros, palito pendurado nos dentes – apresentava o "TV Macho", versão debochada do *TV Mulher*. O quadro sempre terminava com Zeca descendo a bordoada no convidado ou no próprio câmera.

SUPERSAFO: "Mais atrasado do que um trem da Central, mais forte do que Caracu com ovo, mais duro do que um servidor aposentado." Era o Supersafo! Um super-herói superpobre vivido por Diogo Vilela. Bastava uns passos de samba e o refrão "Isso é um biscate para o Supersafo!" para o pobretão se transformar no protetor dos cidadãos em apuros. Tudo era resolvido na lábia, porque ele não tinha superpoder algum. "A gente sempre arranja um jeitinho" era o seu bordão. Nada mais brasileiro.

direto da cozinha Dois apresentadores atrás de uma bancada dão as últimas notícias do dia.

Parecia um telejornal comum, mas quando a câmera se afastava víamos que a tal bancada era, na verdade, o balcão de uma cozinha.

As notícias eram também um tanto esdrúxulas. "Mendigos ameaçam entrar em greve se não houver reajuste de esmola." "Ministros militares desmentem boato de que Mike Tyson dará um golpe de direita." Estava no ar o "Casal Telejornal", com Carlos Alberto (Luiz Fernando Guimarães) e Maria Helena (Regina Casé).

testando

1. Qual era o nome do programa policial apresentado pelo delegado Mariel Mexilhão (Pedro Paulo Rangel) que mostrava a "cotação do presunto na Baixada" e a "parada dos mais procurados pela polícia"?
   a) "Na Mira do Crime"
   b) "Campo Minado"
   c) "Os Periguetes"

2. E qual era o título do programa "feito pelo homem do campo para o homem do campo", às seis da manhã, animado pelas entrevistas "agri-culturais" de Rosinha Longras (Regina Casé)?
   a) "Pirata Rural"
   b) "SOS Curral"
   c) "Campo Rural"

Respostas: 1-a / 2-c

ASPAS

A gente ria muito, muito, muito. Eu me lembro quando o Ney começou a fazer o Barbosa e fazia umas experiências, umas trocas de barriga e de perucas o tempo todo, até compor o personagem. E o teste já era no camarim. A gente tinha uma disposição para se esculhambar, para ficar feio e um ficar sacaneando o outro. Era quase como uma sala de aula de adolescentes, sabe? Um vai detonando o outro com humor, para o bem geral. Divertidíssimo." (Regina Casé)

Rainha Valentine

1989

Povo de Avilan!

Inflação desenfreada, um plano econômico depois do outro (todos desastrosos), índices alarmantes de desemprego e corrupção. Bem-vindos a Avilan, país onde nada funciona direito – nem a guilhotina, que sempre enguiça na hora H.

Enquanto Collor e Lula disputavam o poder na vida real, neste país imaginário (mas nem tanto) quem corria atrás da coroa era o revolucionário Jean-Pierre (Edson Celulari), filho bastardo do rei Petrus II (Gianfrancesco Guarnieri), recém-falecido.

Que Rei Sou Eu?, de Cassiano Gabus Mendes, entrou no ar em fevereiro para se tornar a primeira comédia "capa-e-espada" da televisão brasileira.

Uma sátira afiada ao Brasil da miséria e da disputa por poder.

os bastidores do poder Quando o rei morreu sem deixar herdeiros oficiais, os conselheiros da corte entregaram a coroa ao mendigo Pichot (Tato Gabus Mendes), sempre submisso e obediente. A armação foi obra do bruxo do condado, Ravengar, um manipulador ávido por poder, com influência absoluta sobre a tresloucada rainha Valentine.

vão para o o trono ou não vão?

Valentine Com suas gargalhadas desvairadas e a voz mais desafinada do mundo, Tereza Raquel deu um show no papel da rainha louca de Avilan.

Ravengar Cabelos arrepiados, olhos arregalados, dava medo só de ver. Mágicas do ator Antônio Abujamra.

Corcoran O bobo da corte arrancava as gargalhadas mais agudas de Valentine. Com suas roupas coloridas, rosto pintado e muito jogo de corpo (apesar da corcunda protuberante), o bobo-da-corte fazia jogo duplo e atuava no reino em favor dos revolucionários. Stênio Garcia fez aulas de acrobacia e malabarismo para dar vida e ginga a seu personagem.

Baronesa Eknésia Mãe da rainha Valentine, só deu o ar da graça durante seis capítulos. Foi o suficiente para causar o maior alvoroço. Desbocada e incontrolável, Eknésia não devia nada à atriz que a colocou no mundo: Dercy Gonçalves.

brasil! No último capítulo de *Que Rei Sou Eu?*, explodiu, enfim, a revolta popular. O castelo foi invadido, o tesouro real confiscado, e Jean-Pierre, de espada em punho, saudou a vitória com o grito:

– Ninguém vai mais explorar o trabalho do pobre. Viva o Brasil!

Se alguém tinha dúvida do quanto Avilan era brasileira...

NÚMEROS

- Stênio Garcia gastava quase **2** horas na maquiagem para se transformar em Corcoran.
- A cidade cenográfica, construída no terreno do futuro Projac, tinha **2.200** metros quadrados.
- A torre do Castelo, palco de discursos incendiários de Jean-Pierre, tinha **26** metros de altura.
- A sala do trono tinha **500** metros quadrados.
- **500** peças de roupas foram feitas para os atores e figurantes.

bóia-fria apaixonado

No ano das primeiras eleições diretas para presidente da República depois de 29 anos, estréia na Globo uma novela com título bem sugestivo: *O Salvador da Pátria*, de Lauro César Muniz.

O "Salvador" da trama era o ingênuo (para dizer o mínimo) Sassá Mutema (Lima Duarte), bóia-fria que vivia da colheita da laranja e que, contra todas as expectativas, se torna prefeito da cidade de Tangará, dominada pelo todo-poderoso deputado federal Severo Toledo Blanco (Francisco Cuoco).

beija! beija! Nem tudo era política na vida do ingênuo Sassá. As palavras mal saíam de sua boca, entre uma crise de gagueira e outra, diante da bela e solidária professora Clotilde (Maitê Proença), a quem idolatrava como santa.

– Dona Clotilde – Sassá balbuciava, embevecido.

Com o tempo, o público passou a torcer por um romance entre o matuto e a professora, apesar de Sassá exibir um dos bigodes mais exóticos da história da dramaturgia no Brasil. Ponto para Lima Duarte.

e eles se beijaram! Lima Duarte e Maitê contam que, onde quer que fossem, o público pedia para que seus personagens se beijassem. Como Sassá era inexperiente em questões amorosas, o beijo – quase um estalinho – só veio na reta final da novela.

Lima e Maitê, enfim, puderam descansar em paz.

testando

1. Quem comandava o tráfico de drogas em Tangará?
   a) Lúcia, afilhada de um deputado federal
   b) Bárbara, neta de um banqueiro da região
   c) Fiinho, filho de seu Zé, feirante da praça central

2. Que importante assunto foi abordado no último mês da novela?
   a) A campanha contra a fome, comandada por Betinho
   b) A prevenção e o tratamento da Aids
   c) As formas de combate ao *Aedes aegypt*, mosquito transmissor da dengue

Respostas: 1-b / 2-b

arretadas

Já na vinheta de abertura, a novela de Aguinaldo Silva, Ana Maria Moretzsohn e Ricardo Linhares fez o coração de muito marmanjo bater mais forte. Entre troncos, folhas e raízes de árvores, ganhava forma o corpo escultural de Isadora Ribeiro.

As imagens da natureza (alguém lembra delas?) foram gravadas no litoral de Mangue Seco, na Bahia, e projetadas por Hans Donner no estúdio, onde Isadora gravou nua e encoberta pela penumbra.

bem-vindos a santana do agreste Era este o nome da fictícia cidade natal de Tieta, de onde ela foi expulsa pelo pai, Zé Esteves (Sebastião Vasconcelos), inconformado com o comportamento liberal da moça e influenciado pelas intrigas de sua segunda filha, a insuportável Perpétua.

Os anos se passam, Tieta vence em São Paulo e decide voltar à cidadezinha para se vingar. No ar, repleta de personagens inesquecíveis, mais uma obra de Jorge Amado, *Tieta do Agreste*. O romance, então recém-saído do forno, foi encaminhado à direção da Globo por Betty Faria, que garantiu o papel-título.

polêmicas A igreja protestou contra o romance incestuoso entre Tieta e o sobrinho seminarista Ricardo (Cássio Gabus Mendes), filho da rancorosa Perpétua (Joana Fomm). Mas podia ter sido pior.

Os censores de plantão não meteram suas tesouras nas cenas entre o coronel Artur da Tapitanga (Ary Fontoura) e suas "rolinhas", moças pobres da cidade a quem ele dava abrigo e comida em troca de favores sexuais.

perpétua! A irmã beata e traiçoeira de Tieta, interpretada por Joana Fomm, caiu nas graças do público com seus discursos carolas e seu comportamento nada católico. Uma das cenas antológicas da novela foi aquela em que a vilã teve a peruca arrancada por Tieta em plena igreja, diante do altar. O coque de Perpétua escondia uma careca reluzente.

testando

1. Que atriz comoveu o país no papel da rolinha Imaculada, inconformada com o assédio do coronel Artur da Tapitanga?
   a) Lídia Brondi
   b) Cláudia Ohana
   c) Luciana Braga

2. Perpétua escondia em casa, no fundo do armário, com muito carinho, uma caixa branca, sempre trancada. O que ela guardava ali?
   a) As cinzas de seu saudoso marido
   b) O órgão genital do falecido, conservado em formol
   c) Fotos dela mesma, nua, em poses sensuais

Respostas: 1-c / 2-b

ô loco!

Abram alas para Fausto Silva. Depois de fazer sucesso com seu irreverente e caótico *Perdidos na Noite*, na TV Bandeirantes, Faustão desembarcou na Globo com uma missão espinhosa: conquistar a audiência da família brasileira nas tardes de domingo, um dos horários mais disputados da TV.

No dia 26 de março, Faustão entrou no ar, ao vivo, com seu *Domingão*. E não saiu mais. Todo domingo ele faz a festa do público com um rodízio de shows, entrevistas, brincadeiras, convidados, jogos e as infalíveis videocassetadas.

UMA SURPRESA DEPOIS DA OUTRA

Foram muitos os quadros lançados pelo programa – e muitos ainda vão surgir por aí. Lembra destes?

"Caminhão do Faustão" – A carta sorteada no programa, toda semana, garantia ao remetente um caminhão cheio de móveis e eletrodomésticos. Atores e atrizes da Globo entregavam os prêmios na casa do sortudo, ao vivo, para alegria do premiado, da família dele e dos vizinhos também, que faziam a maior algazarra. Lima Duarte, Glória Pires, Regina Duarte, Marcos Frota e Luigi Baricelli já embarcaram nesse caminhão.

"Melhor de Três" – Seu sonho era ser ator ou atriz da Globo? Pois então valia a pena se inscrever no concurso "Melhor de Três", em que atores iniciantes contracenavam com profissionais no palco do *Domingão*. O jurado era um autor da emissora e o vencedor da prova garantia um papel na próxima novela dele. Flávia Alessandra, Adriana Esteves e Gabriela Duarte foram reveladas nessa peleja. Já Samara Felippo e Nívea Stelmann surgiram em outra versão desse "teste de câmera": o "Estrela por um Dia".

"Olimpíadas do Faustão" – Sucesso de audiência enquanto esteve no ar, as "Olimpíadas" eram um festival de tombos. O público se inscrevia para participar das provas e concorrer a prêmios. Mas era difícil vencer obstáculos como a "Ponte do Rio que Cai" (com suas ripas de madeira atadas por cordas) sob a mira de bolas de borracha lançadas por atiradores. Dureza.

"Arquivo Confidencial" – O convidado vai ao *Domingão* para participar do programa e, de repente, recebe a notícia do Faustão: "Você está no 'Arquivo Confidencial'." Haja coração! Atores, atrizes, cantores, jogadores de futebol como Pelé, apresentadores de telejornal como Fátima Bernardes – muita gente boa e famosa foi às lágrimas e perdeu a fala no palco do *Domingão* ao deparar com depoimentos gravados de amigos de infância, parentes distantes e outras surpresas disparadas ali, ao vivo, por Faustão, sem aviso prévio. Lançado em 1995, o quadro bateu recordes sucessivos de audiência desde a estréia.

"Se vira nos 30" – Sabe fazer algo insólito ou impressionante em meio minuto? Pois, então, se vira nos 30 segundos.

"Videocassetadas" – Precisa explicar?

COM A PALAVRA, FAUSTÃO

- "Ô louco, meu! Brincadeira!"
- "*Domingão do Faustão*: um programa tão inútil quanto o anjo da guarda da família Kennedy."
- "Programa de variedades é que nem leilão de estatal: pode acontecer de tudo, até mesmo nada."
- "Esqueça a chateação do seu vizinho assistindo à tevê do Roberto Marinho."
- "Plano econômico no Brasil é conseguir pagar os carnês no fim do mês."
- "Quando um não quer, o outro vira pro lado e dorme."
- "Quem espera sempre cansa."
- "Criança: se você não estudar, vai acabar trabalhando na televisão, domingo, de pé e falando durante quatro horas."
- "Eu sou tímido, mas com o microfone na mão viro a maioria."

ASPAS

Quem sabe faz ao vivo."

(Faustão)

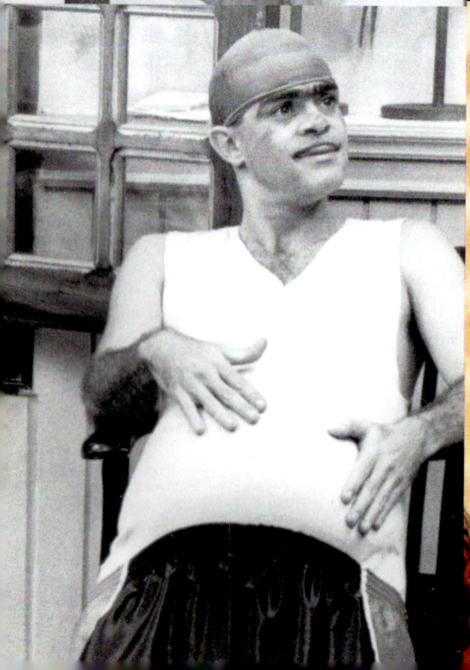

1990

Escola de verdade

Aula todo dia, às cinco da tarde, a partir do dia 29 de outubro. Os alunos mais extravagantes do planeta foram convocados e o Professor Raimundo tomou seu lugar à mesa, diante do quadro-negro, para conduzir as sabatinas mais divertidas da televisão.

Inaugurada em 1952, na Rádio Mayrink Veiga, a *Escolinha do Professor Raimundo* deixou de ser quadro de sucesso nos programas de Chico Anysio para ganhar vida própria – e espaço só para ele – na grade da Globo.

Sorte nossa – e dos comediantes revelados na salinha. Tom Cavalcante (João Canabrava), Claudia Rodrigues (Talia), Claudia Jimenez (Cacilda) e outras revelações dividiram as carteiras com veteranos como os mestres Brandão Filho (Sandoval Quaresma), Antônio Carlos (Jovelino "lá de Barbacena"), Walter D'Ávila (Baltazar da Rocha) e Zezé Macedo (Dona Bela).

testando

1. Qual era a frase repetida pelo jogador barrigudo Seu Boneco (Lug de Paula), depois de cada nota 10?
   a) Bola fora!
   b) Show de bola!
   c) Aí, eu vou pra galera!

2. O aluno mais enrolador de todos, Rolando Lero (Rogério Cardoso), vivia fazendo elogios ao professor só para receber "colas" dele. Quando a dica generosa do mestre vinha, ele dizia...
   a) Tirou daqui...
   b) Tava na ponta da língua.
   c) Captei, captei vossa mensagem, amado mestre!

3. Botas brancas, minissaias coloridas e laçarote na franja loira, dona "Cacilllllda" (Claudia Jimenez) fazia de tudo para seduzir o mestre e, depois de ser rejeitada, despedia-se, lânguida e faceira:
   a) Me aguardem...
   b) Só se for agora!
   c) Beijinho, beijinho, pau, pau!

4. Dona Bela (Zezé Macedo) perdia as estribeiras quando o professor Raimundo perguntava a ela o significado de palavras como "barafunda". Ela via duplo sentido em tudo e protestava, indignada:
   a) Você só pensa na... naquilo.
   b) Se eu fosse feia você não dizia isto.
   c) Todo mundo quer se aproveitar de mim...

5. O caipira Nerso da Capitinga (Pedro Bismarck) era um especialista em levar a conversa a lugar nenhum. Ao ouvir seu nome na chamada, ele respondia:
   a) É ieu.
   b) Num tá.
   c) Tô ino.

6. Rabugento, mal-humorado e contestador, Pedro Pedreira (Francisco Milani) duvidava de tudo o que o professor dizia e vivia repetindo, antes de discordar:
   a) Depende...
   b) Pense bem, Raimundo.
   c) Há controvérsias.

7. Ele era o *gay* da turma, completamente assumido e achava que todo mundo era como ele, inclusive Napoleão, "aquela boneca francesa divina". O professor protestava, e Seu Peru (Orlando Drummond) reagia com a frase de sempre:
   a) O importante é que entrou mais um para a irmandade.
   b) Tem pai que é cego.
   c) Cala-te boca.

Respostas: 1-c / 2-c / 3-c / 4-a / 5-a / 6-c / 7-a

ASPAS

Nós gravamos sem ensaio. Cada um recebe a sua parte e não sabe o que os outros vão falar. E só eu que sei de todo mundo, porque eu tenho ali a relação de todos. É por isso que eles riem do que os outros falam, porque eles não sabem. São elenco e platéia ao mesmo tempo, o que dá ao programa uma aparência de ser ao vivo."

(Chico Anysio)

"sucateira!"

Era este o grito de guerra de Maria do Carmo (Regina Duarte) enquanto vendia sucata pelas ruas de São Paulo. Foi assim, à frente do ferro-velho do pai, que ela venceu a pobreza e se tornou uma autêntica e invejada emergente, feliz proprietária da Do Carmo Veículos e da casa de shows Sucata, em plena avenida Paulista.

Todo mundo estava de olho na fortuna dela. E não era à toa. Faltava dinheiro no mercado.

Escrita por Silvio de Abreu, *Rainha da Sucata* estreou dias depois de o presidente Collor anunciar o confisco das cadernetas de poupança. Na ficção – e na vida real – o clima era de choque.

collor esteve aqui Silvio de Abreu já tinha escrito 30 capítulos da novela quando Collor e a ministra da economia Zélia Cardoso de Mello determinaram o bloqueio de depósitos superiores a 50 mil cruzados. O absurdo da medida – e o impacto dela em nossas vidas – era tamanho que o autor precisou alterar o texto às pressas.

Por que o dinheiro de Maria do Carmo não foi confiscado? Porque, sortuda à beça, ela tinha acabado de investir suas reservas na construção da casa de shows.

ACREDITE SE QUISER

Durante a novela, a estação de metrô do bairro Ponte Pequena – reduto de armênios em São Paulo – foi rebatizada como Armênia, em homenagem à personagem de Aracy Balabanian. A própria atriz participou da reinauguração. O sucesso de Dona Armênia foi tanto que Silvio de Abreu decidiu ressuscitar a personagem e seus três filhos dois anos depois, na novela *Deus nos Acuda*, fato inédito até então.

Já no capítulo de estréia da novela, personagens reclamavam do confisco e Maria do Carmo festejava a própria sorte.

Teve gente que achou que Silvio de Abreu soube do famigerado Plano Collor com antecedência.

ASPAS

O confisco aconteceu numa quarta-feira e a novela estreou na segunda-feira seguinte já falando do dinheiro preso. No outro dia, jornais publicaram que a Globo já sabia do Plano Collor e não avisou o público, pois até a novela das oito falava do plano. Isso criou uma má vontade espantosa com a novela." (Silvio de Abreu)

rir era o melhor remédio E lá vieram eles, com força total: Caio Szemanski e Dona Armênia. Sem eles em cena, o clima ficaria ainda mais pesado.

ca-ca-caio Szemanski. Quando Antônio Fagundes superava a crise de gagueira e completava a frase, a gente respirava aliviado por ele.

O professor Caio Szemanski era gago e atrapalhado, mas a "bailarina da coxa grossa" Adriana Ross (Cláudia Raia) e a sensual Nicinha (Marisa Orth) – apelidada de Purgante pela rival – não se importavam. Resultado: um triângulo amoroso atrapalhado e divertidíssimo. Este foi o primeiro papel cômico de Fagundes na Globo.

"na chon" Mãe controladora de três marmanjos – a quem chamava de "os meus três filhinhas", com seu sotaque carregado de imigrante –, dona Armênia caiu nas graças do público. Interpretada por Aracy Balabanian, a personagem passou a novela inteira babando sua prole e ameaçando implodir o prédio onde Maria do Carmo construiu a concessionária de veículos e a casa de shows. O terreno era de dona Armênia, e ela vivia repetindo:

– Eu quero aquele prédio "na chon". "Na chon".

Virou bordão.

me chama que eu vou... Uma boneca feita de sucata dança lambada com bailarinos de carne e osso, ao som da música *Me chama que eu vou*, de Sidney Magal. Lembra? Era esta a vinheta de abertura de *Rainha da Sucata*, uma das responsáveis por transformar a lambada em mania nacional.

MÚSICA

CANTE COM A GENTE

São cinco elementos
apunhalando o coração
O fogo, a terra, a água
O ar e a paixão
Hey, eh-ô eh-ô!
Me chama que eu vou!"

(*Me chama que eu vou*, Sidney Magal)

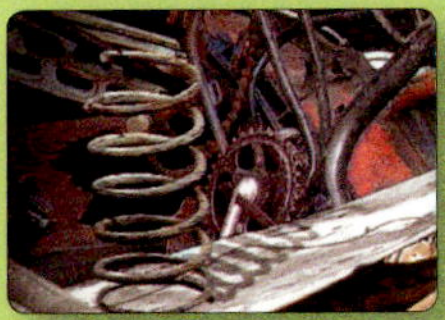

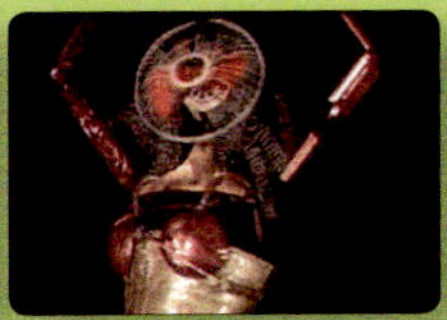

quem é a Mãe?

BARRIGA DE ALUGUEL

Ana (Cássia Kiss), famosa jogadora de vôlei, e Zeca (Victor Fasano), treinador do time, são um casal perfeito, mas falta alguém na vida deles: um filho. Ana tenta de tudo para engravidar, se submete a uma série de tratamentos... e nada.

Solução de emergência: contratar uma mãe de aluguel, Clara (Cláudia Abreu), que aceita alugar o próprio útero e "abrigar" o embrião concebido pelo casal em desespero.

É aí que tudo se complica. Clara fica ligada à criança que cresce em sua barriga e resolve disputar a maternidade com Ana.

Quem é a mãe do bebê – aquela que gerou o embrião ou quem o desenvolve na própria barriga? O caso vai parar na Justiça... e na boca do povo.

Com vocês, *Barriga de Aluguel*, mais uma polêmica de Gloria Perez.

nos tribunais Para desenvolver a trama, Gloria Perez recorreu à assessoria de três juízes. Era preciso encontrar brechas nas sentenças para que as partes pudessem recorrer e o processo fosse encaminhado a três instâncias da Justiça.

- Durante a disputa, Ana e Clara se enfrentaram duas vezes no tribunal.
- O terceiro julgamento – decisivo – já estava marcado, mas *Barriga de Aluguel* terminou antes da martelada final do juiz.

final feliz? Na cena final da novela, as duas "mães" passeiam de mãos dadas com o filho, decididas a encontrar uma solução para o caso, independentemente da decisão da Justiça.

O DONO DO MUNDO

1991

maldita aposta

Quem viu o primeiro capítulo de *O Dono do Mundo*, de Gilberto Braga, ficou pasmo. Em sua estréia como vilão, Antônio Fagundes – no papel do vitorioso e inescrupuloso cirurgião plástico Felipe Barreto – fez a seguinte aposta com um amigo: tiraria a virgindade da bela noiva de um de seus funcionários.

– Quer apostar? – perguntou Felipe Barreto em plena igreja, na cerimônia de casamento, minutos antes de o jovem casal sair para a sonhada lua-de-mel.

O alvo de tanta cobiça era a professorinha suburbana Márcia (Malu Mader). Para abortar os planos do casal, Felipe ofereceu como presente de última hora uma viagem ao Canadá, para onde ele mesmo estava de partida. O casal, deslumbrado, aceitou a oferta... e pronto.

A neve caía lá fora, enquanto Felipe ganhava a aposta.

Para piorar a situação, o noivo traído, Walter (Tadeu Aguiar), ainda morreu num acidente de carro. Resultado: a heroína Márcia virou vilã e os autores precisaram trabalhar duro para vencer a resistência do público, inconformado com tanta traição.

participação especial Muito mais lírica era a vinheta de abertura (ao lado). Hans Donner pegou a clássica cena do filme *O Grande Ditador* e fez Chaplin dançar ao som da música *Querida*, de Tom Jobim. No globo, equilibrado pelo Hitler chapliniano, imagens de belas mulheres.

Letícia Sabatella e Ângelo Antônio

"Longa é a tarde/Longa é a vida/De tristes flores, longa ferida/ Longa é a dor do pecador/Querida..."

O pecador Felipe Barreto que o diga.

codinome beija-flor Márcia (Malu Mader) penava para se redimir perante o público enquanto um casal nada comportado conquistava os telespectadores: Taís (Letícia Sabatella), melhor amiga de Márcia, e Guilherme (Ângelo Antônio), o "Beija-flor".

Ela era garota de programa e usava todos os seus dotes para ascender socialmente. Ele, um *bad-boy* do subúrbio carioca, tinha como hobby uma modalidade esportiva em alta na época: o "*surf* ferroviário".

é carnaval!

E lá vem ela: Valéria Valenssa. A futura Mulata Globeleza entra em cena pela primeira vez em uma vinheta de carnaval criada por Hans Donner. Nessa primeira aparição, ela não está sozinha. Divide as câmeras com a modelo Mônica Santos, ao som do samba *Globeleza, jingle* feito para as chamadas de Carnaval da Globo, composto por Jorge Aragão e Franco Lattari. Dois anos depois, Valéria seria a única musa das vinhetas de carnaval da Globo e hipnotizaria os foliões do Brasil com muito samba no pé e o corpo nu, irretocável, pintado ao longo de quase 12 horas de sessão de maquiagem. Seriam mais de 10 anos de reinado como símbolo máximo da cobertura de Carnaval.

doce vampiro

Mais uma cena antológica para a coleção: Ney Latorraca dança, ao som de *Thriller*, de Michael Jackson, entre as tumbas da novela *Vamp*, de Antonio Calmon. O ex-Mederiquis de *Estúpido Cupido* agora é o líder máximo dos vampiros, o todo-poderoso conde Vladimir Polanski. Vlad, para os íntimos.

crianças, cheguei Vlad e sua tropa *dark* assombravam os moradores da nada pacata cidade de Armação dos Anjos, onde o capitão reformado da Marinha Jonas Rocha (Reginaldo Faria) vivia ao lado de sua paixão, a historiadora Carmem Maura (Joana Fomm). Os dois eram viúvos e tinham – cada um – seis filhos. A nova novela das 19h entrou no ar para conquistar o público jovem com muito humor e *rock-n-roll*. Deu certo.

VOCÊ SE LEMBRA?

Cláudia Ohana era a cantora Natasha, roqueira de fama mundial que só se tornou pop e poderosa depois de fazer um pacto com o vampiro Vlad. Entre os *hits* cantados por ela estava *Simpathy for the devil*, dos Rolling Stones, seu tema na novela.

Os vampiros Matoso (Otávio Augusto) e Mary (Patrycia Travassos) faziam a alegria da criançada quando se transformavam em sapos. Eles tinham dois filhos, Matosão (Flávio Silvino) e Matosinho (André Gonçalves).

Vera Holtz e Marcos Frota eram os desastrados caçadores de vampiros Alice Penn Taylor e Augusto Sérgio.

Nuno Leal Maia fazia o papel de Jurandir, padre de araque que se escondia sob a batina para escapar do perigoso Cachorrão (Paulo Gracindo), líder de marginais que ele assaltou por engano. Malandro e descolado, o pároco era chamado pelos jovens de "Padre Garotão".

VOCÊ SABIA?

- Durante a exibição da novela, dentes de vampiro viraram mania entre a criançada.
- Um álbum de figurinhas com os personagens de *Vamp* também fez sucesso.
- Aficcionados por histórias de terror protestaram contra os hábitos nada vampirescos de Vlad e sua turma. Heresia das heresias: eles circulavam por aí em plena luz do dia.

telegibi

- Com ritmo de videoclipe e linguagem de história em quadrinhos, Vamp esbanjava inovações na linguagem, sob a batuta do diretor Jorge Fernando.
- Uma das novidades era transformar o último *take* de cada capítulo num quadro de histórias em quadrinhos. A imagem ficava congelada em *close* e um traçado a lápis, feito pelo artista gráfico Roger Mello, contornava a cena. Depois de fundir a imagem gravada e o desenho, entrava em cena a animação, que parecia ter sido feita a carvão.

ASPAS

Eles queriam resgatar a figura de um galã que eu nunca fui. Na primeira cena que gravei em São Paulo, com Jorginho (Fernando, diretor da novela), dou uma mordida em (Cláudia) Ohana. Eu tinha de olhar para a câmera e dizer 'Gostoso', mas na hora troquei para 'Gotoso! Gotoso memo!', lembrando minha infância. Fiz isso para o personagem estourar. A idéia era fazer um vampiro simpático. Virou coqueluche." (Ney Latorraca)

qual é a boa?

Que tal encarar um programa de índio – ou um programa inusitado – com Regina Casé e Luiz Fernando Guimarães? Compras em Miami, baile de debutantes, casamento cigano, festa de igreja, baile *funk* lotado.

Era só escolher a "boa" e embarcar no *Programa Legal*, mistura de documentário, ficção e humor dirigida por Guel Arraes e Belisário Franca. A novidade estreou nas noites de terça-feira e ficou no ar quase dois anos, com sucesso absoluto.

MELHORES MOMENTOS

▸▸ No programa sobre baile *funk* em Pilares, zona norte do Rio, Regina Casé acompanha Dercy Gonçalves na gravação do *Melô das Aranhas*, ao lado do DJ Marlboro, nome fundamental do *funk* hoje.

▸▸ No programa sobre samba, o "trapalhão" Mussum (ex-integrante do Originais do Samba) apresenta Regina Casé ao músico Ivo Meirelles: "Ele que fezis aquele sambis: 'Tem xinxim e acarajésis'". Em seguida, faz um breve discurso sobre os perigos que rondam o *rock* nacional: "Alguém tem que fazer algumas coisis para salvar o *rock* nacional! Ele está sofrendis essas influências exterioris...".

▸▸ Vestida de PM, Regina entrevista os lendários Moreira da Silva e Bezerra da Silva. Kid Morengueira canta trechos de seus célebres sambas de breque e acompanha a tenente Regina Casé em uma batida num bar. Os suspeitos presos para averiguação são Bezerra da Silva e o próprio sambista, que cunhou ali uma de suas máximas: "Malandro que é malandro não mora mais no morro".

▸▸ No programa sobre o "brega", ícones da breguice nacional aparecem declamando as seguintes pérolas... Lápis e papel na mão: Odair José ("Sorria, mesmo que seja um sorriso triste. Porque mais triste do que um sorriso triste, é a tristeza de não poder sorrir."); Emilio Santiago ("Construirei o meu castelo com as pedras que me atiraste."); Waldick Soriano ("Estrada reta e mulher sem curva dão um sono..."); Gilliard ("Éramos três: eu, você e a felicidade. Agora somos dois: eu e a saudade."); Sidney Magal ("Maior do que o universo, só o coração de uma mãe.").

roteiro Cada edição do *Programa Legal* envolvia muita pesquisa e pré-produção. Uma equipe de roteiristas de primeira linha – com Luis Fernando Verissimo e Marcelo Tas, por exemplo – ficava encarregada de costurar as gravações na rua com esquetes cômicos, muitas vezes gravados em estúdio. Personagens reais se misturavam aos tipos vividos por Regina Casé e Luiz Fernando Guimarães.

ASPAS

Parece que um programa legal precisa ser chique. Não era assim: eram programas populares, ir ao subúrbio num baile *funk*, aquilo era um programa legal. Era essa nossa ideologia, tinha a visão positiva do Brasil que era comungada por todos nós. A Regina e o Luiz costuravam tudo, os quadros de humor tinham sempre alguma coisa de reportagem, porque eles refletiam um universo real. Foi um dos formatos mais originais de que já participei." (Guel Arraes)

1992

humorismo verdade

Lembra daqueles roteiristas iniciantes do *TV Pirata*: Hubert, Claudio Manoel, Bussunda, Helio de La Peña, Reinaldo, Marcelo Madureira e Beto Silva? Pois é. Chegava a hora de eles saírem dos bastidores e se transferirem para a frente das câmeras no horário nobre da TV Globo. No dia 28 de abril, entrou no ar – ainda como programa mensal – o *Casseta & Planeta Urgente!*

Jornalismo-mentira e humorismo-verdade.

Caberia agora aos autores darem vida – e muita graça – às próprias piadas.

camisa 8 No meio de tantos homens, faltava uma musa. A primeira a ocupar o posto foi Kátia Maranhão, que apresentou o programa durante dois anos. Só depois Maria Paula, ex-VJ da MTV, juntou-se à trupe.

tem de tudo Os Cassetas fazem sucesso na TV, no cinema e nas livrarias, mas quem vende de tudo – tudo mesmo – são as Organizações

Tabajara. Pois é. Seus problemas acabaram, porque já estão nas melhores lojas do ramo produtos milagrosos como:

- Personal Pintovison: "Espelho retrovisor" para gordos poderem ver os "documentos".
- Camapulta Tabajara: "Você bebeu demais e acordou ao lado de um jaburu? Então é só usar a mistura de cama e catapulta para ejetá-la longe. Grátis, uma fronha para tapar a cara dela caso você queira um tempo mais."
- Como Ganhar Mulheres Sendo Feio, Pobre e Sem Carro: O vídeo educativo inclui táticas como autopiedade coletiva ("Dá pra mim, pelo amor de Deus!") e "pentelhação" (dar petelecos na orelha da vítima até ela se entregar).
- Maridocar, o cartão de milhagem para maridos: Trocar fraldas dá 5 pontos, levantar a tampa da privada, 10. Com 1.500 pontos dá para mandar mulher e sogra para uma colônia de férias no Iraque.
- Meleca Disfarceitor: Uma cobertura de papelão para limpar o nariz no trânsito sem ser percebido pelo motorista do carro ao lado.
- Olho Mágico de Caixão: Para o morto vigiar o terreno e evitar a abordagem de assaltantes e outros delinqüentes.

Graças a produtos revolucionários como esses, as Organizações Tabajara cresceram e se transformaram num conglomerado, com banco, estaleiro, editora, gravadora (Tabajara Records), companhia telefônica (Tabajaratel) e até um time de futebol.

FIGURAÇAS

MAÇARANDUBA – Com ele não tem conversa, e a casa sempre cai quando o marombeiro suspeita de que alguém está duvidando de sua masculinidade. "Vou dar porrada", ele diz, e sai surrando quem está pela frente. Quando o personagem estourou, Claudio Manoel, seu intérprete, ouvia o bordão "cerca de 76 vezes por quarteirão". Seus companheiros de luta eram o também *pitboy* Montanha (Bussunda) e o fiel *pitbull* Sadam.

COISINHA DE JESUS – Quanto ritmo e jogo de cintura! Não importa o gênero musical, o segredo é dançar sempre da mesma forma, movendo os cotovelos de um lado para outro. A "técnica" fez tanto sucesso que virou vídeo das Organizações Tabajara. O próprio Carlinhos de Jesus prestigiou o quadro de seu quase xará, dançando ao lado do colega de profissão.

FUCKER & SUCKER – Estagiários da polícia carioca, os policiais americanos Fucker & Sucker são sempre enganados pelos bandidos, pelos companheiros de delegacia e até pelos dubladores. A boca deles se mexe e o som vem sempre depois, com absoluta falta de sincronia.

SAMBABACA – Hubert, Marcelo Madureira e Helio de la Peña formavam o grupo de pagode que vendeu milhões de discos com o *hit Liga pra mim*: "Liga pra mim/Meu coração vai te pegar!/Se tu não vem/Eu vou chorar/Liga pra mim!".

SEU CREYSSON – "O úniquio candidátio que se preucupia com a cunomia!" O banguela mais popular do país é o dono das Organizações Capivara (a única com "équio", ou eco, nos comerciais) e concorreu à presidência da República em 2002 pelo PÇSC (Partido Çocial do Seu Creysson). Sucesso total entre o eleitorado.

Bussunda e Maria Paula em "Falha Nostra"

FALA SÉRIO!

Ceguinho Águia no gol, Múmia na defesa, Marrentinho Carioca no ataque, Pinico no banco e, na linha de frente, como principal artilheira, a Vaca. O Tabajara Futebol Clube entrou em campo para destronar o Íbis, de Pernambuco, considerado o pior time do Brasil até Bussunda e cia. chutarem para todos os lados, menos para o gol. Como diria o Marrentinho Carioca (Bussunda): "Fala sério, aí".

por falar em política... Hubert deu vida, e muito mais graça, ao presidente Fernando Henrique Cardoso, ou melhor, Ficando Henrique Queixoso, Viajando Henrique Cardoso, Folgando Henrique Cardoso... Coube a Bussunda fazer o papel do sucessor de FHC, Luiz Inácio Lula da Silva, ou melhor, Luiz Inescio Lula da Siva ou Lula-La, criador da campanha "Come Zero".

ASPAS

Sempre achamos que o nosso caminho era como autores. Mas, já no meio do *TV Pirata*, tínhamos um problema: os atores não se sentiam desafiados com alguns personagens. A gente inventava e eles falavam: 'É o décimo repórter que eu faço! O que eu vou fazer diferente?'. Eles queriam papéis desafiadores. A idéia do *Casseta & Planeta*, então, surgiu porque começamos a sentir que não adiantava oferecer para o ator o que a gente tinha. Tinha de oferecer para péssimos atores como nós, entendeu?" (Bussunda)

Conta
C99-20067

mar de lama

Uma festa daquelas, com caviar e champanhe, convidados impecáveis fazendo pose e charme, garçons por todos os lados. De repente, um mar de lama invade o salão, mas todos continuam a agir como antes, com a naturalidade fingida de sempre, como se nada estivesse acontecendo.

A lama atinge o rosto dos convidados, cobre as bandejas dos garçons e um rodamoinho se forma no meio do salão. Aviões, iates e lanchas são sugados pela correnteza. Tudo escorre pelo ralo enquanto vemos ao fundo o mapa do Brasil.

Está no ar – com abertura de Hans Donner – a novela *Deus nos Acuda*, de Silvio de Abreu, Alcides Nogueira e Maria Adelaide Amaral. Em pleno "bota-fora" do governo Collor – o *impeachment* foi aprovado na semana da estréia da novela –, é hora de rir do Brasil.

Melhor do que chorar...

missão impossível Adivinhem quem foi escalada para a missão de proteger o Brasil em *Deus nos Acuda*? Dercy Gonçalves. Cabia a ela provar que nem tudo estava perdido por aqui.

Na novela dirigida por Jorge Fernando, Dercy era Celestina, uma espécie de anjo da guarda responsável pelo país. Vivia no bem-bom lá no céu, até ouvir a ameaça do todo-poderoso, inconformado com a "esculhambação" nacional.

Ela teria de "descer" para dar um jeito no país. Celestina, é claro, entrou em pânico... E fez um acordo com o chefe: ficaria mais seis meses no céu, mas com uma condição: a de transformar um malando brasileiro num cidadão honesto, digno e solidário.

Coitada... Caberia a ela corrigir o caráter da trambiqueira Maria Escandalosa (Cláudia Raia), que nem imaginava estar sendo monitorada por uma fiscal do outro mundo.

Era entre o céu e a terra que a novela *Deus nos Acuda* nos ajudava a digerir – ou purgar – o governo moribundo.

eles voltaram! E olha só quem voltou: Dona Armênia, de *Rainha da Sucata*, e seus "filhinhas" Gerson (Gerson Brenner), Gera (Marcello Novaes) e Gino (Jandir Ferrari). Dona Armênia agora era a dona da pensão onde morava a incontrolável Maria Escandalosa.

AS MÁXIMAS DE CELESTINA

- "Me bota pra cuidar de Miami. Primeiro mundo, falando inglês... não precisa mais me chamar de Celestina, me chama de Heaven!"
- "Descer pro Brasil, eu não desço! Essa Maria Escandalosa vai ficar honesta nem que seja na porrada!"
- "Eu fui garçonete da Santa Ceia. Ah, fui. Eu fui grumete da Arca de Noé. Eu fui aeromoça do Zepellin. Não é brincadeira, eu tenho estrada!"

haja coração!

No auge da paixão, os amantes Bettina (Bruna Lombardi) e Diogo (Tarcísio Meira) decidem fugir para Roma, mas, na hora H, Diogo – o casado da dupla – desiste da viagem e deixa a amante esperando no aeroporto. Desesperada, Bettina entra no carro e, a caminho de casa, sofre um acidente fatal. Seu coração é transplantado em Paloma, e o amante arrependido e saudoso passa a viver uma obsessão: a de descobrir quem carrega no peito o coração do amor de sua vida...

Está no ar *De Corpo e Alma*, mais um folhetim rasgado – e polêmico – de Gloria Perez. Diogo e Paloma, é claro, se apaixonam. E haja coração. Ela também era casada.

merchandising social Já na semana de estréia da novela, o Instituto do Coração (Incor), em São Paulo, recebeu nove órgãos para transplante. Na época, a instituição estava há dois meses sem uma única doação.

o último trabalho de daniela perez

De Corpo e Alma foi marcada por uma tragédia que chocou o país, às vésperas do *réveillon*. No auge da carreira, a atriz Daniela Perez, filha da autora, intérprete de Yasmin, foi assassinada no dia 28 de dezembro pelo ator estreante Guilherme de Pádua, com quem fazia par romântico na novela.

Gilberto Braga e Leonor Bassères substituíram Gloria Perez durante uma semana. No final do primeiro capítulo sem Daniela, o elenco e o diretor Fabio Sabag fizeram uma homenagem à atriz. Depoimentos sobre ela foram exibidos e a história continuou. Na trama, Yasmim fez uma viagem de estudos ao exterior. O personagem do assassino deixou de existir.

Quando retomou o trabalho, Gloria acrescentou dois temas à trama: a morosidade da Justiça e a ineficiência do Código Penal ao tratar de crimes hediondos.

VOCÊ SE LEMBRA?

Glória Perez abordou vários temas polêmicos – e muito atuais, na época. Além do *strip-tease* masculino e do transplante de órgãos, entraram em cena em *De Corpo e Alma*:

Troca de bebês: O casal Caíque (José Mayer) e Bia (Maria Zilda Bethlem) descobre que o filho Júnior (Aron Hassan) – com a pele bem mais escura do que a deles – tinha sido trocado no berçário. Como lidar com a descoberta e administrar a relação com o "filho biológico"?

Ônibus piratas: Depois da falência do pai, dono de uma transportadora, Paloma passa a dirigir ônibus ilegal na zona norte do Rio de Janeiro. Na época, o transporte clandestino tomava conta das ruas da cidade.

Juca (Victor Fasano): *stripper*

família contra família

Resplendor, cidadezinha no sertão baiano, é pequena demais para os Pontes e os Batista. As duas famílias vivem às turras na disputa pelo poder na cidade.

O que quase ninguém sabe é que, por trás de tanto ódio, tem amor de sobra. Pilar Batista (Renata Sorrah) e Murilo Pontes (Lima Duarte) que o digam. Marina (Adriana Esteves), filha de Pilar, e Leonardo (Mauricio Mattar), filho de Murilo, também.

Não faltam romances secretos e reprimidos em *Pedra Sobre Pedra*, de Aguinaldo Silva, Ana Maria Moretzsohn e Ricardo Linhares. Nem histórias mirabolantes... e inesquecíveis.

casal modelo Que ninguém duvidasse do poder da flor no túmulo de Jorge Tadeu. A lista de mulheres que sucumbiram aos encantos do falecido era longa. Incluía até mesmo a durona Francisquinha (Arlete Salles), que tirou o próprio marido, Queiroz (Nelson Xavier), do comando da delegacia da cidade. A rivalidade do casal – dentro de casa e pulando cercas por aí – rendeu cenas divertidíssimas à novela.

VOCÊ SE LEMBRA?

Sergio Cabeleira (Osmar Prado) – Flutuava em direção ao céu em noites de lua cheia.

Dona Quirina (Miriam Pires) – Aos 120 anos, surpreendia a todos com sua memória prodigiosa.

Jorge Tadeu (Fábio Jr.) – Destruidor de matrimônios, o fotógrafo teve caso com tudo o que era mulher casada, e bonita, em Resplendor. Acabou assassinado. Mas, como estávamos na cidade de Aguinaldo Silva, seu corpo apareceu coberto de borboletas e, em seu túmulo, nasceu uma flor deslumbrante, capaz de levar à loucura as suas "viúvas"...

Cândido Alegria (Armando Bogus) – Vilão da história, sorrateiro e dissimulado, o trambiqueiro sonhava conquistar Pilar Batista e assumir o poder na cidade. Não deu certo... No final da trama, ele virou uma pedra que, depois, se desfez como argila.

IN MEMORIAN

Pedra Sobre Pedra foi a última novela de Armando Bogus. O ator, já doente na época das gravações, morreu em 1993.

bis!

"Agora você tem de fazer os Anos Rebeldes."

Desde *Anos Dourados*, Gilberto Braga ouvia essa cobrança do público. Era preciso retratar os "anos de chumbo". E Gilberto foi em frente.

O Brasil do regime militar, do golpe de 1964 à anistia em 1979, veio à tona nos 20 capítulos de *Anos Rebeldes*, uma aula de história e de dramaturgia.

som na caixa *Alegria, alegria*, de Caetano Veloso, era o tema de abertura de *Anos Rebeldes*. Uma trilha sonora imbatível – coordenada por Gilberto Braga, com direção musical de Mariozinho Rocha – embalava a trama. *Baby*, na voz de Gal Costa, e *Can't take my eyes off you*, com Frankie Valley & The Four Seasons, nos levaram de volta àqueles anos tropicalistas e viscerais.

dicas de leitura - Para escrever *Anos Rebeldes*, Gilberto Braga contou com a colaboração de Sérgio Marques, militante do movimento estudantil nos anos 60, e se baseou, especialmente, em dois livros: *1968 – O Ano que Não Terminou*, de Zuenir Ventura, e *Os Carbonários*, de Alfredo Sirkis. O painel histórico serviu de pano de fundo e combustível para as paixões e dilemas vividos pelos protagonistas desses anos radicais.

QUAL ERA A SUA TURMA?

MARIA LÚCIA (MALU MADER) – Formanda no colégio Pedro II, era traumatizada pela trajetória do pai, Orlando Damasceno (Geraldo Del Rey), jornalista respeitado, membro do Partido Comunista, que sempre colocou a ideologia acima da realização pessoal. Será que tanto sacrifício valeu a pena?

JOÃO ALFREDO (CÁSSIO GABUS MENDES) – Grande amor de Maria Lúcia no Pedro II, ele tinha um defeito grave e perigoso: era parecido demais com o pai dela. Engajado, preocupado com as questões sociais do país, João Alfredo se tornaria um militante e, ao aderir à luta armada, seguiria o próprio caminho.

EDGAR (MARCELO SERRADO) – Também aluno do Pedro II, e também apaixonado por Maria Lúcia, era o oposto do amigo João Alfredo. Fez questão de manter distância das questões políticas para investir tudo na própria carreira e na conquista de sua colega de turma, com quem acaba se casando.

GALENO (PEDRO CARDOSO) – Enquanto João Alfredo mergulhava de cabeça na luta armada, Galeno vestia batas indianas, acendia incensos e se aliava a um movimento bem mais *light*: o dos *hippies*. Muito mais interessado em cinema e teatro do que em política e armas, ele acabaria se tornando autor de novelas.

HELOÍSA (CLÁUDIA ABREU) – Filha de banqueiro (um dos financiadores do golpe militar), Heloísa era uma jovem fútil e alienada, dedicada a organizar saraus de bossa nova em casa, até sofrer uma transformação profunda e também aderir à luta armada. No último capítulo da minissérie, ela é executada a tiros de metralhadora numa das cenas mais marcantes de *Anos Rebeldes* – e da televisão. Lembra?

lei áurea Como autor de novelas, Galeno (Pedro Cardoso) precisou negociar com os censores a liberação de alguns capítulos de sua trama *A Escrava*. Gilberto Braga reproduziu assim, em *Anos Rebeldes*, uma situação vivida por ele durante a exibição de *A Escrava Isaura*, em 1976. Os censores – acreditem – consideraram alguns trechos da trama subversivos e vetaram, por exemplo, o uso da palavra "escravo" em alguns diálogos.

fora, collor *Anos Rebeldes* foi exibida num dos momentos políticos mais marcantes da história do país: o processo de investigação e *impeachment* do presidente Collor, acusado de corrupção. A minissérie estava no ar quando os estudantes saíram às ruas para protestar contra o governo e exigir a saída do presidente do poder. Muita gente viu na mobilização dos jovens – e no surgimento dos "caras-pintadas" – a influência de Heloísa, João Alfredo e outros personagens engajados de *Anos Rebeldes*.

ASPAS

Muitos pais vieram me falar que seus filhos adolescentes, que nunca se interessaram por política, estavam perguntando se os anos 60 e 70 eram daquele jeito mesmo ou se a minissérie estava exagerando. Fiquei orgulhosa de ter essa interferência na vida das pessoas e senti o poder positivo que a televisão podia ter." (Malu Mader)

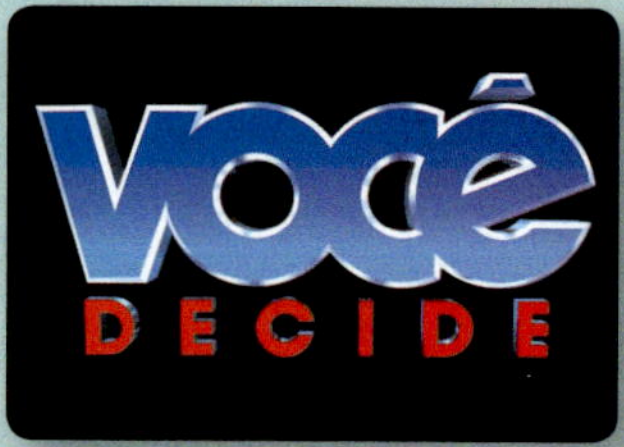

pense rápido

No ar, o primeiro programa da televisão brasileira a permitir que o telespectador escolhesse, ao vivo, o final da história. O padre deve denunciar à polícia a identidade do assassino, revelada em confissão? O desempregado deve devolver ao dono a sacola cheia de dinheiro encontrada por ele? A catadora de lixo deve vender o próprio bebê para livrar os outros três filhos da miséria?

Sim ou não?

Bastava ligar e decidir. A votação começava já no fim do primeiro bloco e vencia o final escolhido pela maioria. Foram 323 dilemas em oito anos de sucesso e polêmica.

dia d

Antônio Fagundes foi o primeiro apresentador do *Você Decide*. No episódio de estréia, *Em Nome do Filho*, de Geraldo Carneiro, o público foi desafiado a resolver o seguinte impasse: um delegado de polícia deve prender o próprio filho, flagrado durante um assalto por um cinegrafista amador? Você decide.

seleção

Muita gente boa conduziu as votações do *Você Decide*. Depois de Antônio Fagundes, que ficou à frente do programa durante um ano, entraram no circuito Walmor Chagas, Tony Ramos, Lima Duarte, Raul Cortez, Renata Ceribelli, Carolina Ferraz, Celso Freitas e Luciano Szafir.

ASPAS

Pegávamos histórias que apresentassem sempre um dilema que colocasse o público entre duas alternativas: sim ou não. Eram situações que geravam problemas de consciência, às vezes entre o dever e o amor, situações clássicas. O programa criou, de certa forma, o hábito no público de telefonar para opinar. No início, as pessoas duvidavam de que as ligações fossem verdadeiras, mas eram. É importante provocar polêmica." (Paulo José, diretor do programa)

DILEMAS

- Um médico tem em suas mãos, numa cirurgia de emergência, a vida da ex-amante, que tenta arruinar seu casamento. Ele deve salvá-la ou não?
- Um jogador de futebol é escalado para bater o pênalti decisivo na partida que pode acabar com a carreira de seu pai, técnico do time adversário. Ele faz o gol ou chuta pra fora?

BOAS NOVAS... OUTRAS, NEM TANTO

Outros formatos foram testados nos oito anos de *Você Decide*. Não faltava ousadia nem criatividade à equipe.

- Houve uma época em que o apresentador conversava com os personagens. Coube a Raul Cortez conduzir algumas dessas conversas ao vivo em 1993.
- Em determinadas fases, os dilemas eram mais cômicos. Por exemplo: o genro deveria gastar todas as suas economias para pagar o resgate da sogra seqüestrada?
- E quem matou Norma? No episódio policial exibido em julho de 1997, *Norma*, o público deveria votar num dos três suspeitos apontados no placar. O "sim" e o "não" ficaram de fora.

ADIVINHA...

Voltando ao caso daquele desempregado que encontrou a sacola cheia de dinheiro. Afinal, ele devolveu a fortuna ao dono ou ficou com ela?

O público decidiu... e o desempregado pagou suas dívidas.

Mariana (Adriana Esteves) entre o pai e o filho

1993

renascendo

Ao chegar nas roças de cacau de Ilhéus, na Bahia, o bravo e destemido José Inocêncio finca seu facão num pé de jequitibá. A árvore passa a simbolizar a coragem e obstinação do personagem. Ao longo dos anos, José Inocêncio construiria um império na região – e nós acompanharíamos sua saga em *Renascer*, de Benedito Ruy Barbosa.

é mentira, terta? Rezava a lenda que José Inocêncio tinha o "corpo fechado" graças a um amuleto poderoso: um diabo guardado dentro da garrafa. Solto durante a noite, o Dito Cujo se transformava em bode e saía por aí, regando tudo com sua urina. O líquido precioso adubou os cacaueiros de Inocêncio... e não deu outra. Fortuna garantida.

e o troféu "roubou a cena" foi para... Osmar Prado, com o seu Tião Galinha. Ele vivia na miséria, caçando caranguejos com a mulher (Teresa Seiblitz) e os filhos no mangue, até se transferir para a Zona do Cacau em busca de uma vida melhor. Para vencer a pobreza, Tião se apropriou do tal amuleto – o diabo engarrafado –, mas deu tudo errado. Quem mandou provocar o bicho?

ASPAS

O Benedito me chamou, eu li a sinopse e fiquei muito impressionado. Fui jantar com ele, e ele é muito emocional, se envolve muito quando conta a história, chora, se emociona mesmo. Nós saímos para jantar e ele falou: 'Eu quero te contar a última cena da novela...'. E eu fiquei impressionado com aquilo, falei: 'Puxa, nem começou...'. E ele me contou a última cena e nós dois terminamos aos prantos no restaurante, porque era uma cena deslumbrante, eu fico arrepiado até hoje de lembrar." (Antônio Fagundes)

testando

1. Na primeira fase da novela, quem fez o papel do jovem José Inocêncio (interpretado por Antônio Fagundes na segunda fase)?
   - a) Tarcísio Filho
   - b) Taumaturgo Ferreira
   - c) Leonardo Vieira

2. José Inocêncio teve quatro filhos, mas só um deles, o caçula João Pedro, decidiu ficar ao lado do pai na fazenda (os outros preferiram a cidade grande). Que ator fazia esse papel?
   - a) Marco Ricca
   - b) Marcos Palmeira
   - c) Tarcísio Filho

3. Que cena final foi essa que tanto emocionou Benedito Ruy Barbosa e Antônio Fagundes?
   - a) José Inocêncio vê sua mulher, Mariana, ser morta quando se atira na frente do filho caçula dele, João Pedro, para protegê-lo de um tiro disparado por um jagunço.
   - b) No leito de morte, José Inocêncio pede perdão e um abraço ao filho caçula, a quem sempre culpou pela morte da mãe durante o parto.
   - c) Já idoso, José Inocêncio caminha em direção ao pé de jequitibá e se lembra das pessoas que amou em sua vida. Ele morre abraçado à árvore.

Respostas: 1-c / 2-b / 3-b

cachorradas

Depois dos piratas, chegou a hora de os cachorros comandarem o próprio canal de televisão. No dia 19 de abril, às oito da manhã, entrou no ar a *TV Colosso*, com uma missão "osso duro de roer": substituir à altura o *Xou da Xuxa* na programação diária.

Para dar conta do recado, foram mobilizados 25 cachorros e três pulgas – fantoches concebidos e manipulados por Luiz Ferré e Roberto Dornelles, do grupo gaúcho de teatro de bonecos Cem Modos. Deu certo.

A equipe canina liderada pela charmosa *sheepdog* Priscila fez bonito. *TV Colosso* ficaria quatro anos no ar e renderia uma série de "filhotes": especial de Natal, dois discos, uma peça teatral, um filme e mais de 120 produtos, entre bonecos, álbuns de figurinha e revistas em quadrinhos.

no ar Bastava sintonizar a *TV Colosso* para acompanhar o noticiário diário "Jornal ColOsso", os números musicais do "Clip-Cão", novelas mexicanas encenadas por nossos astros caninos e, é claro, desenhos animados.

adulto também pode O roteiro ficou em boas mãos: Laerte comandava a equipe que contava com os também cartunistas Angeli, Glauco, Luis Gê e Fernando Gonsalez. Acostumados a fazer humor para gente grande, a turma deixava pistas de que o programa poderia ser visto por marmanjos também. O apresentador do "Jornal ColOsso" chamava-se Walter Gate e o noticiário contava até com a presença de uma "cadelinha do tempo".

malditas pulgas! Apesar do corre-corre diário, até que a TV Colosso funcionava bem. Tudo seria perfeito não fosse o Mega-Trio – três pulgas que moravam nos circuitos eletrônicos e ameaçavam tirar a TV do ar.

VOCÊ SE LEMBRA?

- Borges – O buldogue, diretor de imagem, ficava sempre na cabine de produção. Era o responsável por chamar os desenhos animados.
- Gilmar das Candongas – Um dos ídolos da criançada, Gilmar fugia do trabalho como o diabo da cruz. Sempre que lhe davam uma missão, repetia seu bordão: "Ih, tô fora!"
- Jaca Paladium – Sabia tudo que acontecia lá do outro lado do mundo. Jaca contava casos bizarríssimos e, no final, esclarecia: "Tudo isso aconteceu na Nova Zelândia".
- JF – Era o manda-chuva da *TV Colosso*. E ai de quem o desobedecesse.

gêmeas e rivais

glória pires x 4

Não faltou trabalho para Glória Pires em *Mulheres de Areia*. A atriz se desdobrou para interpretar quatro personagens na trama de Ivani Ribeiro: a doce Ruth, a vingativa Raquel, Ruth fingindo que era Raquel e Raquel fingindo que era Ruth. As irmãs gêmeas passaram a novela inteira disputando o coração do empresário Marcos Assunção (Guilherme Fontes).

Adivinha quem venceu a peleja?

as voltas que o mundo dá Com suas praias ensolaradas, *Mulheres de Areia* fez sucesso na gélida Rússia. A audiência era tão impressionante que o governo exibiu o último capítulo da novela no dia das eleições – um feriado –, para evitar que a população viajasse e não comparecesse às urnas.

VOCÊ SE LEMBRA?

Marcos Frota era o Tonho da Lua. Deficiente mental, ele transformava as areias da praia em belas esculturas. Humilhado pela implacável Raquel e protegido por Ruth, ele acabou se apaixonando pela protetora, mas a "paixonite" não foi para frente. Marcos, o disputado empresário, chegou primeiro.

VOCÊ SABIA?

- Para escrever a novela, Ivani Ribeiro se baseou na primeira versão de *Mulheres de Areia*, exibida pela TV Tupi, e em *O Espantalho*, que foi ao ar na TV Record. Ela misturou os próprios folhetins para criar a nova trama.
- Na primeira versão de *Mulheres de Areia*, as gêmeas Ruth e Raquel foram interpretadas por Eva Wilma, e Tonho da Lua, por Gianfrancesco Guarnieri.

inspiração divina

Um coveiro que fala com os mortos, um anjo que passa a maior parte do tempo dormindo, cenas de amor tão tórridas que fazem tudo em volta pegar fogo.

Bem-vindos a Tubiacanga, o novo endereço dos personagens fantásticos de Aguinaldo Silva, Ana Maria Moretzsohn e Ricardo Linhares. Os autores buscaram inspiração na obra do mestre Lima Barreto para criar *Fera Ferida*, povoada por personagens e influências de romances como *Triste fim de Policarpo Quaresma* e contos como *Nova Califórnia*.

A mistura deu certo e gerou tipos inesquecíveis.

VOCÊ SABIA?

A novela marcou as estréias de Murilo Benício e Camila Pitanga em novelas da Globo.

poções mágicas? Ilka Tibiriçá era uma atração à parte em Tubiacanga. Dona de um guarda-roupa extravagante – no melhor estilo anos 60 –, a personagem de Cássia Kiss passou boa parte da novela tentando inventar uma receita capaz de curar a impotência do amado Ataliba Timbó (Paulo Gorgulho).

Quando não se dedicava a empurrar ervas milagrosas goela abaixo do pobre homem, Ilka estava à frente da TV assistindo pela enésima vez ao filme *O Candelabro Italiano*. As manias e trejeitos da personagem, aliás, eram embalados pela canção *Al di lá*, tema musical de seu filme de estimação.

do outro mundo... Coveiro de Tubiacanga, Orestes Fronteira (Cláudio Marzo) conhecia os segredos mais bem-guardados de todas as famílias da cidade. Quem contava tudo para ele eram os mortos... Orestes vivia fuxicando ao pé das tumbas.

Pobre menina a bela Camila (Cláudia Ohana). De vez em quando, ela se deitava para um cochilo e passava meses dormindo. Num desses "sonos pesados", ficou três meses na cama e acordou levitando. Doença? Nada disso. Camila era um anjo.

mundão Tubiacanga foi a maior cidade cenográfica construída pela Globo até então. Ocupou 30 mil metros quadrados no terreno de Jacarepaguá – onde seria construído o Projac –, com direito a rio artificial com ponte de ferro, praça, jardins, cemitério, uma pedreira e dez prédios em tamanho natural. Lima Barreto e seus personagens batizaram muitos endereços locais, como a praça Policarpo Quaresma, a rua Gonzaga de Sá e o armarinho Bagatelas.

ACREDITE SE QUISER

Raimundo Flamel (Edson Celulari) desembarcou em Tubiacanga envolto em mistério. Alquimista (era assim que ele se apresentava), Flamel alugou um casarão imponente no povoado e aguçou a ambição dos moradores da cidade com o boato de que seria capaz de transformar ossos humanos em ouro.

Na verdade, Flamel se chamava Feliciano Júnior e estava de volta à cidade natal para vingar o pai, ex-prefeito de Tubiacanga, expulso do lugarejo por moradores revoltados. Enquanto planejava sua vingança, Flamel se apaixonou por Linda Inês (Giulia Gam), filha do prefeito Demóstenes (José Wilker), seu principal desafeto. Linda Inês não desconfiava de nada, mas aquele "bruxo" irresistível tinha sido seu namorado na infância.

receitas milagrosas Cozinheira dedicada, Ilka Tibiriçá ficava até três minutos tagarelando só para explicar, tintim por tintim, as receitas de seus quitutes. Telespectadores que pegavam as cenas no meio ligavam para a emissora para pedir a lista completa de ingredientes. Depois da gravação, o fim dos doces era sempre o mesmo: matar a fome do elenco e da equipe de produção da novela. A única que renunciava à comilança era justamente Ilka: Cássia Kiss é macrobiótica convicta.

Rubra Rosa (Suzana Vieira) e Numa (Hugo Carvana)

testando

1. Por que os moradores de Tubiacanga expulsaram o ex-prefeito Feliciano (Tarcísio Meira), pai de Raimundo Flamel, da cidade?

   a) Ele desviou o dinheiro dos impostos para contas-fantasmas das quais era beneficiário.

   b) Sedutor incorrigível, teve casos com as mulheres de seus melhores amigos, inclusive Demóstenes.

   c) Ele usou uma enorme pepita de ouro falsa para convencer a população a investir suas economias na construção de uma empresa de mineração, mas a fraude foi descoberta.

2. Nas cenas de amor entre o prefeito Demóstenes (José Wilker) e a exuberante Rubra Rosa (mais um sucesso de Suzana Vieira), tudo em volta deles pegava fogo. Que personagem serviu de inspiração para um amor tão *caliente*?

   a) Marcina (Sônia Braga), de *Saramandaia*

   b) Vida (Luiza Tomé), de *Pedra sobre Pedra*

   c) Rosa Malena (Glória Menezes), de *Rosa Rebelde*

Respostas: 1-c / 2-a

AGOSTO

"e saio da vida..."

Um empresário é assassinado no dia 1° de agosto de 1954. O incorruptível comissário de polícia Alberto Mattos (José Mayer) é convocado para investigar o crime. As primeiras suspeitas apontam para crime passional, mas a verdade se revela bem diferente.

A morte do empresário, descobre-se depois, está ligada ao atentado contra o governador Carlos Lacerda, na rua Tonelero, em Copacabana (episódio no qual morreu o major da Aeronáutica, Rubens Vaz), e ao suicídio do presidente Getúlio Vargas.

Ficção e realidade se encontram nessa adaptação do romance de Rubem Fonseca, a minissérie *Agosto*.

o rio de janeiro continua lindo... Alugados os carros e as porcelanas, faltava só maquiar o Rio para fazer a cidade voltar 40 anos no tempo. Postes chegaram a ser cobertos com cascas de árvore para sumir de cena. A computação gráfica fez milagres: eliminou as pichações da fachada do Palácio do Catete, ressuscitou o Palácio Monroe (demolido em 1976) e até apagou o Aterro do Flamengo, deixando a Avenida Beira Mar com o mesmo visual de décadas atrás. O que teve de carioca com saudades do Rio Antigo...

NÚMEROS

- **136** atores apareceram nos **16** capítulos de *Agosto*.
- As gravações envolveram **70** locações. A construção de cenários empregou **400** pessoas.
- Para retratar a década de 1950, **4 mil** peças da época foram resgatadas em antiquários no Rio e em São Paulo.
- **40** automóveis das décadas de 1930, 1940 e 1950 foram alugados pela emissora.

RURRRU
CRASH
PLIM
PLIM

1994

Plim plim

E lá vêm os cartunistas de novo, agora para dar um colorido especial às vinhetas do "plim plim", exibidas durante a programação para marcar o início e o fim dos blocos de filmes exibidos pela emissora.

Com menos de 30 segundos de duração, entram em cena, nos intervalos comerciais, os desenhos de Chico Caruso, Ique, Borjalo, Jaguar, Millôr, Lan, Redi, Nani, Chacal, Miguel Paiva, Ziraldo, Aroeira e outros ilustres colaboradores.

Mensagens de cidadania, imagens do bumba-meu-boi, dicas de prevenção à Aids e à dengue, apelos para não se quebrar orelhões – já coube de tudo nessas animações-relâmpago, sempre encerradas com a logomarca da Globo ao som do plim plim.

mostra sua cara

Às vésperas das eleições presidenciais de 1994, Gilberto Braga volta a colocar o Brasil – e a corrupção – na pauta do dia. Depois de *Vale Tudo* e *O Dono do Mundo*, chegava a hora de se indignar com as tramóias de mais um empresário inescrupuloso, Raul Pelegrini (Tarcísio Meira), e torcer pela estudante idealista Alice (Cláudia Abreu), ilustre representante da geração cara-pintada e única testemunha de um atropelamento cometido pelo temido Dr. Pelegrini (e negado por ele).

Entrava no ar a novela *Pátria Minha*.

cara-pintada "Oh, mundo tão desigual/Tudo é tão desigual..."
A letra de *A novidade*, de Gilberto Gil, embalou a saga de Alice. Além de depor contra Raul Pelegrini no processo do atropelamento – e recusar um suborno milionário por seu silêncio –, Alice ainda se juntou ao obstinado Pedro (José Mayer) para lutar contra a desocupação de um terreno na favela e defender os direitos da população ameaçada de despejo.

O dono do terreno: Raul Pelegrini.

pauta do dia

- Alice namorava Rodrigo Laport (Fábio Assunção). O romance entre os dois trouxe à tona conflitos, impasses e tabus enfrentados pela juventude, como a virgindade, a primeira experiência sexual, o uso de preservativos e os riscos da maternidade na adolescência.
- O preconceito racial também foi um dos temas marcantes de *Pátria Minha*. Numa das seqüências mais polêmicas da novela, Raul humilhou o jardineiro negro Kennedy (Alexandre Morenno). Em outra cena, Kennedy sofreu uma revista violenta da polícia numa *blitz*, enquanto seus amigos brancos – Alice e Rodrigo eram ignorados pelos policiais. Tudo ao som da musica *Haiti*, de Caetano Veloso e Gilberto Gil.

favela cenográfica Pela primeira vez uma favela foi construída como cenário de novela. Com 3,5 mil metros quadrados e 60 casas de alvenaria, a favela tinha salão de beleza, barbeiro, birosca, ferro-velho, bar com sinuca e pontos de jogo do bicho. A 500 metros dali foi construído um hotel de quatro andares, também com interiores. Graças aos efeitos da computação gráfica, a favela e o hotel foram ampliados. O prédio chegou aos 11 andares.

Alice (Cláudia Abreu), Natália (Renata Sorrah) e Nando (Rodrigo Santoro)

Loreta (Marieta Severo) e Teresa (Eva Wilma)

mulheres à beira de um ataque de nervos

Abigail (Betty Lago) tem um casamento de aparências com Gustavo (Marcos Paulo). Auxiliadora (Elizabeth Savalla) é expulsa de casa por Alcebíades (Tato Gabus Mendes), que a troca por uma mulher mais jovem. Tatiana (Cristiana Oliveira) é abandonada no altar por Fortunato (Diogo Vilela). Babalu (Letícia Spiller) flagra o namorado Raí (Marcello Novaes) na cama com outra.

Depois de muitos escândalos, as quatro encontram-se na cadeia e prometem se vingar de seus pares. Cada uma será a algoz do homem da outra.

Rapazes, tremei: a vingança foi o prato que Carlos Lombardi serviu em *Quatro por Quatro.* O público comeu com gosto.

musa-mor Letícia Spiller foi a musa do ano. A ex-paquita roubou a cena como a arrasa-quarteirões Barbarella Lurdes, Babalu para os íntimos. O visual da personagem virou moda. Toda Babalu que se prezasse devia usar blusa de elástico com os ombros à mostra e prendedores de margarida no cabelo.

VOCÊ SABIA?

Mônica, a baixinha-gorducha-dentuça das histórias em quadrinhos de Mauricio de Sousa, inspirou Letícia Spiller a compor sua personagem. A bolsinha com que ela descarregava sua irritação em Raí funcionava como uma espécie de coelhinho Sansão. Pobre Raí.

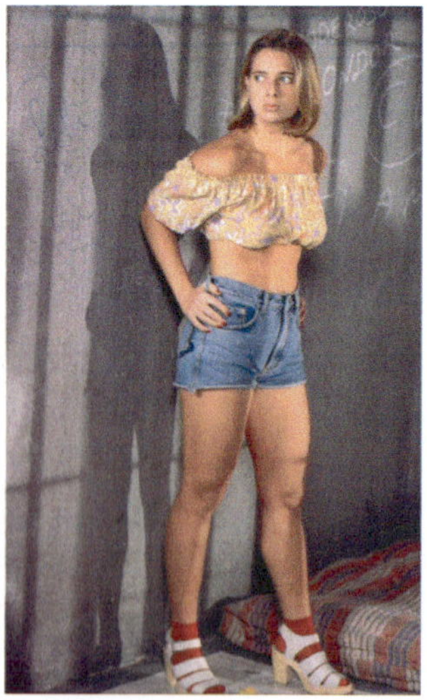

é tetra! é tetra!

Bem, amigos da Rede Globo, começa mais uma Copa do Mundo. E, pela primeira vez, num país sem tradição no futebol, os Estados Unidos. Mesmo com a *performance* inspirada de Romário na última partida das eliminatórias – vitória de 2 a 0 sobre o Uruguai, que carimbou o passaporte da seleção –, os comandados de Parreira aterrissaram na terra do Tio Sam sob os olhares desconfiados da torcida. Ah, se nós soubéssemos...

olha o papai aqui A primeira novidade do Mundial ficou por conta da tecnologia. Nas edições anteriores do evento, as notícias eram enviadas apenas do país-sede da Copa para o Brasil. Dessa vez, o Rio também enviou imagens via satélite para o escritório da TV Globo em Dallas.

Quem se deu muito bem com essa mão-dupla foram os jogadores Leonardo e Bebeto. Foi pela TV, lá do Hemisfério Norte, que o lateral esquerdo e o atacante viram pela primeira vez seus filhos recém-nascidos no Brasil.

jogo de cintura Os adversários do repórter Tino Marcos na Copa do Mundo eram barra-pesada: os truculentos seguranças que separavam a imprensa das seleções brasileira e italiana, na final do Mundial.

Na ocasião, os únicos permitidos a entrar em campo eram os cinegrafistas e fotógrafos. Tino, então, desmontou o microfone sem fio que carregava e apresentou-se como auxiliar de câmera. Autorizado a seguir em frente, conseguiu gravar cinco entrevistas exclusivas logo após o fim da disputa de pênaltis, até finalmente ser expulso de campo.

mulher de verdade

Memorial de Maria Moura

VOCÊ SABIA?

Apesar de ambientada no sertão nordestino, a minissérie foi gravada na mineira Tiradentes. Mais de 200 operários foram contratados para colocar de pé, na cidade histórica, os cenários criados por Mário Monteiro. Foi preciso envelhecer telhados, remover postes de luz, erguer fachadas falsas e paredes de pau-a-pique, mas o que mais deu trabalho mesmo foi "maquiar" a praça central da cidade – forrada com lona plástica para receber terra, plantas e centenas de animais, trazidos de caminhão do Rio.

Ela perdeu o pai na infância, aos 17 anos encontrou a mãe morta e lutou, com todas as suas forças e armas, para escapar da sedução do padrasto e defender suas terras da invasão dos primos ambiciosos.

Com coragem e obstinação de sobra, Maria Moura se impôs como símbolo de resistência no Nordeste do século 19, dominado pelos homens e marcado por disputas sangrentas pela terra.

Foi essa saga – contada por Rachel de Queiroz no romance *Memorial de Maria Moura* – que o público acompanhou ao longo de 24 capítulos na minissérie adaptada por Jorge Furtado e Carlos Gerbase e protagonizada por uma Maria Moura inesquecível: Glória Pires.

final nada feliz Os autores da minissérie não se intimidaram com o peso do romance. As mudanças na adaptação atingiram até mesmo o destino de Maria Moura. Vitoriosa no livro de Rachel de Queiroz, a guerreira tem um final bem mais trágico na televisão.

best-seller Rachel adorou o resultado e os telespectadores, também. O romance se tornou *best-seller*, com mais de 40 mil exemplares vendidos enquanto a minissérie esteve no ar.

década 4

TERROR E VITÓRIA

O impossível aconteceu: a famigerada inflação, devoradora de salários, foi dominada pelo Plano Real de Itamar Franco e de seu ministro da Fazenda, o sociológo Fernando Henrique Cardoso.

E não deu outra: FHC enfrenta Lula na campanha presidencial e ganha. Duas vezes. Seriam oito anos no poder em meio a notícias nada empolgantes: massacre dos sem-terra em Eldorado dos Carajás; desabamento do edifício Palace II, no Rio de Janeiro; queda do avião da TAM, em São Paulo; escândado do desvio de verbas pelo juiz Nicolau dos Santos Neto, o Lalau; a derrota constrangedora da seleção brasileira na final da Copa do Mundo da França, com Ronaldo – então Ronaldinho – trocando pernas pelo gramado.

Mas nem tudo estava perdido. Popó conquista o título mundial no boxe, Pelé é eleito o atleta do século, Guga vira ídolo nacional ao conquistar três vezes o torneio de tênis de Roland Garros, e Daiane dos Santos nos enche de orgulho com suas piruetas fenomenais.

O mundo gira rápido, cada vez mais acelerado. Na ciência, um prodígio chamado Dolly: a primeira ovelha clonada da história. Nas prateleiras das farmácias, uma pílula azul anunciada e consumida como antídoto contra a impotência: uma revolução chamada Viagra. Nos computadores de todo o planeta, um mundo virtual cada vez mais habitado – a internet.

Comoção entre os súditos? A morte da princesa Diana num acidente de carro em Paris. Comoção mundial? A queda das torres gêmeas do World Trade Center, atingidas por dois aviões desviados por terroristas.

11 de setembro de 2001. Um marco.

A Al Qaeda passa a fazer parte das nossas vidas... E George Bush – sucessor do simpático Bill Clinton (parceiro de Mônica Lewinsky no Salão Oval) – passa a se dedicar a um de seus passatempos preferidos: a guerra. Contra o Iraque de Saddam Hussein, contra o Afeganistão de Osama Bin Laden, contra o Inimigo Oculto, esteja onde ele estiver.

E lá vêm os atentados terroristas em Madri e Londres, as ondas gigantes do tsunami, a morte do papa João Paulo II. Fim do mundo? Alerta vermelho.

PT no poder. Em janeiro de 2002, assume a presidência do Brasil o ex-metalúrgico Luiz Inácio Lula da Silva.

E um novo grito de guerra ecoa pelo país: É Peeeeenta!

Sim, senhor. O Brasil vence mais uma... e se perde de novo em meio a novas denúncias de corrupção no governo e no Congresso Nacional. É o Escândalo do Mensalão, às vésperas de mais uma corrida eleitoral.

Que venham os próximos capítulos. E que estejamos todos devidamente conectados.

1995

dois mundos

Rico e pobre toda novela tem, mas cigano é raridade. Especialmente quando eles não vivem acampados, e sim num luxuoso apartamento na zona sul carioca.

Para Jairo (Paulo José), rico comerciante, o destino da filha Dara (Tereza Seiblitz) já estava traçado: ela iria se casar com o também cigano Igor (Ricardo Macchi).

Jairo só não contava com a rebeldia da filha, que decide trocar o noivo cigano por um empresário e político casado. Por mais mirabolante que parecesse, *Explode Coração*, de Gloria Perez, foi inspirada numa história real.

EXPLODE CORAÇÃO

amor virtual Dara e Júlio Falcão (Edson Celulari) se conheceram de forma nada convencional: pela internet, na época, uma novidade acessada por pouca gente. Com câmera e microfone acoplados ao computador, o casal mantinha longas conversas à distância.Coisa que só agora, dez anos depois, começa a se tornar comum. Gloria Perez, que já tinha inovado ao tratar de inseminação artificial, saiu na frente mais uma vez.

procura-se Em *Explode Coração,* Gloria Perez defendeu mais uma causa: a busca por crianças desaparecidas. Na novela, Odaísa (Isadora Ribeiro) vivia uma mãe desesperada à procura do filho Gugu (Luiz Cláudio Jr). Na trama, Odaísa pede apoio ao grupo Mães da Cinelândia, formado por mulheres que dedicam suas vidas à procura dos filhos perdidos.

Mais uma vez, ficção e realidade se cruzaram: em um dos capítulos, uma das mães contou emocionada seu drama. Seu filho foi reconhecido e encaminhado até ela dez dias depois. Os depoimentos, então, passaram a ser freqüentes. Ao fim de cada capítulo, fotos de crianças desaparecidas eram exibidas. Resultado: mais de 60 desaparecidos foram localizados até o fim da novela.

Roberto Marinho na inauguração do Projac

VOCÊ SABIA?

Explode Coração foi a primeira novela gravada do início ao fim no Projac.

testando

Regina Dourado e Rogério Cardoso – a Lucineide e o Salgadinho – roubaram a cena em *Explode Coração*. Uma prova da popularidade do casal é...

a) O célebre bordão de Lucineide ("Stop, Salgadinho, stop!") ter virado marcha de carnaval e refrão do samba-enredo da Imperatriz Leopoldinense, em 1996.

b) O publicitário Nizan Guanaes ter chamado o casal para estrelar a campanha publicitária de uma marca de salgadinhos recém-lançada.

c) Impulsionado pelo sucesso de Salgadinho, Rogério Cardoso ter sido eleito vereador no Rio de Janeiro em 1996.

Resposta: c

ASPAS

Explode Coração nasceu de uma visita que fiz a uma família cigana. Quem me levou até eles foi a Niffer, uma cigana que trabalhou em *Carmem*. Um dia, ela me disse: 'Você pensa, como todo mundo, que os ciganos só vivem em caravana. Pois existem ciganos muito ricos! Quer conhecer?'. Claro que quis. Ela me levou a um apartamento lindo na Avenida Atlântica. A moça da casa, contra a vontade do pai, tinha entrado na faculdade. Estava noiva de um rapaz que ela nunca tinha visto, morava na Europa, e assisti a uma briga tremenda. Ela dizendo que não se casaria com ele e o pai gritando que se casaria sim! Saí de lá com a novela na cabeça."

(Gloria Perez, em depoimento à comunidade no *Orkut* dedicada à novela)

fábrica de sonhos

Adeus, estúdios alugados, pátio da TV Globo na rua Von Martius e cidades cenográficas erguidas nos arredores do Rio. Chegou a hora de a Globo se espalhar por um território do tamanho de suas necessidades de produção. Algo como 1,65 milhão de metros quadrados. Esta é a extensão da área ocupada pelo Projac, a Central Globo de Produção, inaugurada neste ano em Jacarepaguá, zona oeste do Rio de Janeiro.

Em 1989, surgiram as primeiras construções no meio da mata. Hoje, as cidades cenográficas, os estúdios e as oficinas de cenários e figurinos da Globo ocupam 160 mil metros quadrados de área construída. Cabe o mundo inteiro no Projac.

NÚMEROS

- **6 mil** funcionários, entre prestadores de serviço e elenco, trabalham no Projac.
- **131 mil** pessoas passam por ali todos os meses.
- Mais de **1.500** peças de figurino e **4.800** metros quadrados de cenários são produzidos mensalmente.
- **6.445** metros quadrados de cidades cenográficas erguidas por mês.
- Consumo mensal de **2.500** MWh de energia elétrica, equivalente ao de uma cidade de **70 mil** habitantes.
- Média de **2.500** horas de programas produzidos por ano – o equivalente a **1.200** filmes de longa metragem.

legal à beça

Parece até que foi ontem, mas Regina Casé passou a bater pernas pelo país há 12 anos. Microfone na mão, nenhuma dramatização ou esquete no papel, a atriz saiu por aí para garimpar personagens e descobrir belas histórias pelo Brasil afora. *Brasil Legal* era uma aula de bom jornalismo e de bom humor. Acertou em cheio: no tom, nos temas, na emoção. Por falar em tom...

tom do cajueiro Tá no *Guinness*, o livro dos recordes: o maior cajueiro do mundo, com 8,5 mil m^2 de copa, fica no município de Parnamirim, pertinho de Natal (RN). Quem explicou tudo isso para a gente, centímetro por centímetro, foi Antônio Isaías, o Tom do Cajueiro, de apenas 12 anos. Como guia turístico, ele ajudava a família pobre a sobreviver. E foi ele também que emocionou todo o país ao contar sua história. Os risos do início do programa acabaram em lágrimas – da Regina Casé, do cinegrafista, do Brasil inteiro.

pombo-correio *Brasil Legal* bateu pernas pelo exterior. Além de uma série de nove episódios especiais sobre os cearenses espalhados pelo mundo, outra edição marcante uniu brasileiros e portugueses num especial exibido em 26 de dezembro de 1995. Regina Casé atravessou o Atlântico levando presentes de anônimos brasileiros para seus parentes em Portugal e, depois, fez o caminho de volta com a mesma missão.

virou série Depois de um ano e meio no ar e de um episódio especial sobre o Descobrimento do Brasil, o programa fez as malas e foi para o canal Futura, onde virou série educativa: *Histórias do Brasil Legal*.

VOCÊ SABIA?

Graças ao *Brasil Legal*, Tom saiu da sombra do cajueiro para participar do filme *O Cangaceiro* e se transformar em correspondente de seu estado num programa turístico exibido pela TV Cultura.

vida privada

Um homem perde a memória na véspera do Natal. Um casal discute a relação diante das câmeras, enquanto lista as inúmeras maneiras de se destruir um casamento. Um jornalista é escalado para escrever o perfil de um cantor – o mesmo com quem sua namorada está prestes a se casar (o repórter, é claro, ainda não sabe...).

Trágicas, cômicas, divertidas ou sofridas como a vida real, estão no ar os episódios mensais da série *Comédia da Vida Privada,* dirigida por Guel Arraes e baseada em crônicas de Luis Fernando Verissimo. Em cena, a luta contra a barriga da meia-idade, a mania de cobiçar a mulher do outro, a guerra dos sexos. Temas de todos nós, vividos por Marco Nanini, Pedro Cardoso, Cláudia Raia, Paulo Betti, Fernanda Torres, Débora Bloch, Diogo Vilela, Luiz Fernando Guimarães. Enfim, diversão garantida.

e o assassino é...

A mira telescópica da arma busca um rosto na multidão. Entra em foco uma silhueta – desenhada como retrato falado – que, em seguida, desaparece. A abertura criada por Hans Donner para *A Próxima Vítima* dava a pista do que seria uma das novelas policiais de maior sucesso do país. Na trama de Silvio de Abreu, o desafio não era apenas descobrir a identidade do *serial killer,* mas adivinhar quem seria a próxima das 13 vítimas, que aparentemente não tinham relação entre si. Só aparentemente...

DE TÉDIO NINGUÉM MORREU...

- Gigio (Carlos Eduardo Dolabella) levou três tiros no peito enquanto dormia.
- Leontina (Maria Helena Dias) caiu do cavalo.
- Paulo Soares (Reginaldo Faria) foi atropelado logo no primeiro capítulo.
- Hélio Ribeiro (Francisco Cuoco) bebeu uísque envenenado na sala de espera de um aeroporto.

❙ Josias (José Augusto Branco) levou um empurrão que o jogou sobre os trilhos de um trem.
❙ Ivete (Liana Duval) foi estrangulada.
❙ Cléber (Antônio Pitanga) despencou no poço de um elevador.
❙ Romana (Rosamaria Murtinho), depois de dopada, afogou-se na piscina.
❙ Ulysses (Otávio Augusto) morreu numa explosão causada por vazamento de gás numa pizzaria.

testando

1. O que as 13 vítimas tinham em comum?
   a) Todas eram beneficiárias de um seguro de vida deixado por um milionário excêntrico.
   b) Pouco antes de morrer, tinham recebido uma lista do horóscopo chinês.
   c) Todas estavam ligadas a um crime que aconteceu muitos anos antes dos assassinatos.
2. Na novela, o *serial killer* aparecia sempre escondido...
   a) ... atrás dos vidros escuros de um Opala negro.
   b) ... coberto por uma máscara de Zorro.
   c) ... disfarçado com barba e bigode postiços.

Respostas: 1-b e c / 2-a

suspense até o final Para manter o mistério até o último minuto, a cena que revelava o assassino foi gravada uma hora e meia antes da exibição do capítulo final. O *serial killer* foi descoberto pelo detetive Olavo (Paulo Betti). O dono do Opala preto era Adalberto (Cecil Thiré), que, ao tentar fugir, acabou morto pela polícia.

lado b Três meses depois de encerradas as gravações, parte do elenco foi reunido novamente para gravar um final alternativo. Como *A Próxima Vítima* seria exibida em outros países, foi preciso escolher outro assassino, para a história não perder a graça. Na versão internacional, Ulysses (Otávio Augusto) se tornou o *serial killer.* Para dar coerência à história, Silvio de Abreu precisou cortar algumas cenas da novela original. O novo final foi exibido no Brasil quando da reprise da novela, em 2000, no *Vale a Pena Ver de Novo.*

sucesso de zezé Silvio de Abreu encontrou uma forma diferente de abordar o preconceito racial ao mostrar uma família negra de classe média. O clã, chefiado pelo contador Cléber Noronha, era o único que vivia em harmonia, enquanto as outras famílias da trama desmoronavam. Deu certo. Na primeira pesquisa de avaliação da novela, as telespectadoras revelaram que a secretária Fátima (Zezé Motta), mulher de Cléber, era a personagem com quem elas mais se identificavam.

vida real A família de Cléber e Fátima ainda serviu de modelo de tolerância em relação a um tema polêmico. O segundo filho do casal, o estudante de direito Jéferson (Lui Mendes), se envolve com o amigo Sandrinho (André Gonçalves). Sem resvalar em trejeitos caricatos, o casal *gay* não agradou a todos. Os personagens sofreram rejeição na trama e os atores, na vida real: André Gonçalves chegou a ser agredido na rua. Mesmo assim, Jéferson e Sandrinho conquistaram grande popularidade e tiveram direito a final feliz.

ASPAS

A pretensão de fazer *A Próxima Vítima* era assustadora, porque a cada mês morria uma pessoa. As pessoas tinham de descobrir quem ia morrer, quem estava matando e por que estava matando. E qualquer uma dessas três perguntas só seria respondida no último capítulo.

O principal problema era a briga diária com a imprensa, porque eu não queria que eles divulgassem. Então, eu mandava capítulo falso e fazia outra história, era um trabalho do cão.

Foi uma novela que teve aceitação de crítica e público, justamente por causa do gênero novo que ela trazia, o policial. Toda novela tem quem matou, mas *A Próxima Vítima* era feita só sobre isso." (Silvio de Abreu)

crime e castigo

No ar, Nelson Rodrigues, com todas as suas obsessões. Incesto, traição, lesbianismo... estava tudo ali em *Engraçadinha – Seus Amores e Seus Pecados*, minissérie adaptada do primeiro romance de folhetim do escritor carioca. Era só tirar as crianças da sala e se divertir.

coleção de pecados Uma das produções que marcou o aniversário de 30 anos da Rede Globo, *Engraçadinha* começa nos anos 1940, em Vitória, Espírito Santo. Filha de Dr. Arnaldo, um deputado conservador (Cláudio Corrêa e Castro), Engraçadinha (Alessandra Negrini) está noiva de um rapaz correto e bem intencionado, mas se apaixona por Sílvio (Ângelo Antônio), noivo da sua melhor amiga, Letícia (Maria Luisa Mendonça).

Já seria drama suficiente para uma boa minissérie, mas é só o começo da trama de Nelson, adaptada por Leopoldo Serran. Sílvio e Engraçadinha não sabem, mas são irmãos. Quem dá a notícia a eles é o próprio pai, Dr. Arnaldo. Sílvio não resiste à revelação, feita depois de uma noite de amor incestuoso, e se suicida.

VOCÊ SABIA?

Para interpretar a bissexual Letícia, Maria Luisa Mendonça recorreu a uma salada de referências: telas do pintor Pablo Picasso, o visual da atriz Rita Hayworth no filme *Gilda*, a sofisticação da coelhinha fatal Jessica Rabbit, no desenho animado *Uma Cilada Para Roger Rabbit*. Resultado: repetiu com Letícia o sucesso que fez ao encarnar o hermafrodita Buba, de *Renascer*.

QUER MAIS?

Para complicar a história, Letícia se declara apaixonada por Engraçadinha, que foge para o Rio de Janeiro e passa a levar vida de beata.

DEZESSETE ANOS DEPOIS...

... Engraçadinha, agora interpretada por Cláudia Raia, identifica na filha Silene (Mylla Christie) os mesmos sinais de sensualidade de sua juventude. Até Letícia, a amiga da adolescência, volta à cena, agora atraída por Silene.

ENGRAÇADA DEMAIS

Cláudia Raia quase ficou fora da trama. A atriz queria interpretar o papel, mas Carlos Manga, diretor de núcleo, hesitava: "A Cláudia é uma comediante". A diretora Denise Saraceni bateu o pé. Sem dizer nada a Manga, fez um teste com a atriz e com Alessandra Negrini. Quando assistiu à fita, Manga vibrou e saiu gritando pelos corredores da emissora: "Achei a Engraçadinha!".

história sem fim

Uma novela sem data para terminar, na qual os personagens aparecem, saem de cena e às vezes até voltam à trama, para alegria dos fãs. Um sucesso há 11 anos no ar, sempre fiel a uma proposta: falar sobre – e para – o jovem.

Ganha um sanduíche natural quem apostou em *Malhação*. A novela *teen* estreou em 24 de abril de 1995 e não saiu mais do ar. Inspirada no formato das *soap operas* norte-americanas, que se prolongam por décadas, *Malhação* passou por várias fases e inúmeros elencos. Mas não envelheceu. Na academia, no cursinho Múltipla Escolha ou no café Gigabyte, seus personagens contam histórias de amizade, ciúme, virgindade, gravidez não planejada, aborto, Aids...

made by malhação Nos seus 11 anos no ar, a novela lançou uma infinidade de atores. Alguns deles: Ana Paula Tabalipa, André Marques, Bárbara Borges, Cauã Reymond, Cláudio Heinrich, Dado Dolabella, Joana Balaguer, Juliana Didone, Maria Flor, Luigi Baricelli, Mário Frias, Priscila Fantin, Samara Felippo e Susana Werner.

um golaço As participações especiais sempre foram um dos charmes de *Malhação*. Em 1997, o jogador de futebol Ronaldo entrou em campo

VOCÊ SABIA?

Os cantores também encontraram as portas da academia abertas. Na estréia do seriado, Lulu Santos – compositor de *Assim caminha a humanidade*, tema de abertura de *Malhação* – fez um show para o elenco e a equipe de produção. Nos anos seguintes, atrações internacionais soltaram a voz diante das câmeras. Alanis Morissette se apresentou em 1996. No ano seguinte, foi a vez de Jon Bon Jovi.

como ator. De mudança para a Itália, onde atuaria pela Inter de Milão, o craque participou da novelinha como par romântico de sua namorada na época, a atriz Susana Werner. Na TV, os personagens se casaram e foram morar na Europa. Na vida real, não.

merchandising social Nenhum programa da TV brasileira investe tanto na promoção de campanhas sociais como *Malhação*. Cerca de 40% das cenas do seriado divulgam alguma causa ou prestam algum serviço. A lista de temas tratados é longa: câncer de próstata, desvio de verbas de merenda escolar, educação ambiental, penas alternativas, trabalho voluntário, violência contra a criança, participação do pai na educação dos filhos, pais separados, combate ao racismo, doação de sangue, incentivo ao voto jovem, inclusão social de deficientes físicos, adoção, prevenção à Aids, tabagismo, vestibular na terceira idade, pirataria de CD e DVD, obesidade, drogas, corridas ilegais de carro... Tudo isso (e muito mais) já passou pelo horário das cinco e meia.

testando

Odisséia, o *point* dos alunos do Múltipla Escolha teve vários donos, passou por um incêndio e muitas reformas durante todos esses anos de *Malhação*. Descubra qual dos nomes abaixo NÃO batizou o bar ao longo dessas temporadas:

a) Gigabyte b) Faminto's c) Paradinha d) Vilma's Café e) New Giga

Resposta: b

MÚSICA

CANTE COM A GENTE

Não vou dizer que foi ruim
Também não foi tão bom assim
Não imagine que te quero mal
Apenas não te quero mais"

(*Assim caminha a humanidade*, Lulu Santos)

André Marques como Mocotó

O inimigo mora ao lado

O que separa os Mezenga dos Berdinazzi é muito mais do que uma cerca. Divididas pela disputa por terras – e unidas por um amor proibido –, as duas famílias de *O Rei do Gado*, novela de Benedito Ruy Barbosa, não se bicam há três gerações.

A rixa entre os fazendeiros mais ricos da região continuaria por anos, não fosse a chegada da bóia-fria Luana (Patrícia Pillar) e da ambiciosa Marieta (Glória Pires), que laçam os corações dos patriarcas Bruno Mezenga (Antônio Fagundes) e Geremias Berdinazzi (Raul Cortez).

pioneira *O Rei do Gado* foi a primeira novela a retratar a vida dos trabalhadores do Movimento dos Sem-Terra (MST).

protestos Numa das cenas da novela, o senador Roberto Caxias faz um discurso emocionado no Congresso em favor da reforma agrária. Só havia três senadores no plenário – um cochilando, outro atendendo o celular e um

ASPAS

O Benedito Ruy Barbosa falou que o senador Caxias ia morrer. Gravei a cena em que ele é assassinado no acampamento e vim para casa. Missão cumprida, liga o diretor Luiz Fernando Carvalho: 'Vereza, puxa, foi tão bonito. Vamos fazer o velório?'. Eu não queria entrar num caixão, mas fui. Em menos de um minuto, dormi profundamente. Só me lembro do Antônio Fagundes batendo no caixão: 'Toc, toc, toc... Vereza, pára de roncar." (Carlos Vereza)

terceiro lendo o jornal. No dia seguinte à exibição do capítulo, teve político indignado subindo na tribuna para protestar contra a "distorção da realidade"...

pêsames Na luta pela reforma agrária, o senador Roberto Caxias acaba assassinado. O velório foi concorrido. Além dos personagens de ficção, entraram em cena também políticos de carne-e-osso.

superprodução Para gravar as cenas da primeira fase da novela, ambientadas no período da Segunda Guerra Mundial, a equipe dirigida por Luiz Fernando Carvalho viajou à cidade de Craco, na Itália, onde arregimentou cerca de 300 figurantes. As cenas foram filmadas em película 16 mm, próprias para cinema, com todo o requinte de uma superprodução de época.

violência Casada com Bruno Mezenga, Léia (Silvia Pfeifer) não representava exatamente a esposa-modelo. Suas afinidades sexuais eram bem maiores com o cafajeste Ralf (Oscar Magrini), que a tratava como saco de pancadas. Os tabefes chocaram o país e fizeram com que a violência contra a mulher, tema pouco explorado em telenovelas, fosse, enfim, debatido.

testando

Marieta (Glória Pires) conquista a proteção de Geremias (Raul Cortez) ao se apresentar como filha de seu irmão. Por que a sobrinha passou a ser tão importante para o tio?

a) Geremias não tinha filhos e, caso não encontrasse herdeiros, todo seu patrimônio passaria para as mãos do sobrinho e rival Bruno Mezenga.

b) Geremias tem uma dívida eterna com Giácomo, seu irmão e suposto pai de Marieta, a quem roubou e deixou morrer na pobreza.

c) Geremias sabia que Bruno Mezenga estava apaixonado por Marieta. Ele pretendia casar a sobrinha com o rival para ter controle sobre as terras dele.

Resposta: b

sai de baixo — lar, doce lar

Sai de Baixo começou com uma pergunta do ator Luís Gustavo: "Que tal um programa de TV feito como nos tempos do teatro ao vivo?". A direção ouviu a sugestão e aprovou.

O público também. Durante os seis anos de exibição do programa, passaram pela platéia do Teatro Procópio Ferreira, em São Paulo, 500 mil espectadores. O fim do *Sai de Baixo* rendeu até abaixo-assinado na internet, por parte de fãs inconformados com a decisão de tirar Caco Antibes e companhia do ar.

QUEM É QUEM

VAVÁ (LUÍS GUSTAVO): hospeda toda a parentada em seu apartamento, no Largo do Arouche. O local também é sede da VaváTour, sua empresa de turismo, que nunca fechou negócio algum.
CASSANDRA (ARACY BALABANIAN): irmã de Vavá, é uma aristocrata decadente que vive se engalfinhando com a empregada Edileuza.
MAGDA (MARISA ORTH): decotes sempre à mostra e burra como uma porta, a filha de Cassandra e sobrinha de Vavá provoca a ira do marido, Caco Antibes, com seu festival de baboseiras hilariantes.
CACO ANTIBES (MIGUEL FALABELLA): alto, nórdico e de olhos azuis, mas nem um pouco chegado ao trabalho, o genro de Cassandra divide seu tempo entre trambiques e uivos desesperados contra a mulher: "Cala a boca, Magda!".

EDILEUZA (CLAUDIA JIMENEZ): a despeitada empregada de Vavá não tem medo dos metidos a rico que invadiram o apartamento. O principal alvo das suas gracinhas é dona "Casseta", ou Cassandra.
RIBAMAR (TOM CAVALCANTE): o desajeitado porteiro do prédio está sempre na cozinha de Edileuza, tentando conquistar o coração da doméstica. "É ruim, hein?", Edileuza não se cansava de repetir.

benditos erros! Cada episódio de *Sai de Baixo* era gravado duas vezes no teatro. Depois, os editores misturavam as melhores cenas de cada apresentação. No início, tudo ia ao ar de acordo com o *script*, mas não demorou para a produção perceber que o público gostava mesmo era dos erros. Gagueiras, lapsos e risadas fora de hora faziam tanto sucesso que passaram a ser incluídos no fim do programa – e cada vez menos cortados durante cada episódio.

som na caixa! Importantíssimo para garantir o clima de "programa ao vivo" era gravar – muito bem gravado – cada riso, gargalhada e aplauso vindos da platéia. Para garantir a qualidade da captação do som, foram espalhados microfones em todos os cantos do teatro.

aprenda com o falabella Perca o texto, mas não a pose. Este poderia ser o lema de Caco Antibes, ou melhor, de Miguel Falabella. Veja só os truques usados pelo ator quando esquecia as falas durante as gravações.

- Lembre-se da infância: "Batatinha quando nasce esparrama pelo chão. Isso tudo eu estou falando porque o texto não me vem na hora."
- Elogie o topete de Cassandra: "Você está um espetáculo hoje. Olha que cútis maravilhosa." Vale também chamá-la de "cabeção" e exaltar o laquê.
- Faça dossiês: O principal alvo, claro, era Aracy Balabanian. Falabella revelava ao público "histórias secretas" da atriz, tudo devidamente distorcido. Até as participações dela em *Vila Sésamo* eram lembradas, entre um lapso e outro.

momentos de sabedoria (por magda)

"Em briga de marido e colher, não se mete a mulher."
"Todos os animais são seres romanos."
"Como se faz retrato falado? Bota a máquina dentro da boca?"

ode aos pobres (por caco antibes)

"Aniversário de pobre só tem cajuzinho e cocrete."
"Celular de pobre é igual a pai de santo: só recebe."
"A coisa que pobre mais gosta na vida é de máquina fotográfica. Quando você menos espera, eles tiram uma máquina de algum lugar e fotografam tudo. E quando vê artista que *glomera*? 'Ai, deixa eu tirar uma, deixa? Ih, tá com *pobrema* no *frash*'."

o novo jn

Mudança histórica no principal telejornal do país.

Em março, os "monstros sagrados da locução" (com a licença do lugar-comum) Cid Moreira e Sérgio Chapelin são substituídos por William Bonner e Lillian Witte Fibe.

Atrás da bancada, agora, jornalistas encarregados também da edição das notícias, da realização de entrevistas ao vivo e de reportagens especiais na rua. Nesses novos tempos – de democracia consolidada –, é preciso ir além da leitura das últimas notícias do dia para aprofundar a análise e a investigação dos fatos.

nova mudança Dois anos depois de assumir a apresentação do *JN*, Lillian Witte Fibe deixa a bancada do telejornal para editar e apresentar o *Jornal da Globo*.

e a mudança decisiva Um mês depois, o *JN* reúne atrás da bancada William Bonner e Fátima Bernardes. O final desta história, vocês conhecem: o casal vira ícone do *Jornal Nacional*.

Nas Copas do Mundo...

Nas entrevistas com os candidatos à presidência da República...

No palco durante a festa dos 40 anos da TV Globo...

No ônibus do *JN* que cruza o país às vésperas de mais uma eleição – lá vão eles. Sempre no lugar certo, na hora certa – e no tom certo.

revezamento Nas férias e folgas dos titulares, outros apresentadores fazem as honras da casa no principal telejornal do país. Alguns deles: Chico Pinheiro, Renato Machado, Sandra Annenberg, Carlos Tramontina e Heraldo Pereira, o primeiro apresentador negro a ocupar a bancada do *JN*.

testando

Quem foi o primeiro convidado de fora da Globo a se sentar atrás da bancada do *Jornal Nacional* com William Bonner e Fátima Bernardes?

a) Ronaldo, no dia seguinte ao anúncio da convocação para a Copa do Mundo em 2002.

b) Lula, no dia em que foi eleito presidente da República.

c) Fernando Henrique Cardoso, no dia da reeleição.

Resposta: a

VOCÊ SE LEMBRA?

Claro que sim. Durante a Copa do Mundo do Japão, Fátima Bernardes viaja para acompanhar os jogadores da seleção e Bonner fica "em casa", do outro lado do mundo, atrás da bancada do *JN*. Não deu outra. Essa "inversão de papéis" rendeu quadro no *Casseta & Planeta*, com um William Bonner ocupado em apresentar as notícias e dar atenção aos filhos trigêmeos ao mesmo tempo.

VOCÊ SABIA?

As reportagens sobre o 11 de setembro e a eleição do presidente Bush produzidas pelo *Jornal Nacional* foram finalistas do prêmio Emmy International, considerado o Oscar da televisão.

as piores notícias, segundo bonner

Os atentados de 11 de setembro: "Viraram o mundo pelo avesso".

As notícias sobre a morte de companheiros de redação: Tim Lopes, Evandro Carlos de Andrade e Dr. Roberto Marinho: "Me abalaram pessoalmente".

as piores notícias, segundo fátima

O massacre de crianças no atentado terrorista da escola de Beslan, em setembro de 2004, e a morte de crianças em incêndio numa creche no Rio Grande do Sul: "Notícias como essas, que envolvem crianças, são emocionalmente duras pra mim".

uma bela notícia

A conquista do Penta em 2002. Nesta, Bonner e Fátima concordam plenamente.

reportagens em série

▌Exibida entre 17 e 22 de junho, a série de seis reportagens "Caminhos do Brasil" inaugurou uma nova fase no telejornalismo diário: a das reportagens especiais, aprofundadas, sobre temas de interesse nacional.

▌A série marcou a estréia de Miriam Leitão no *JN*. Ela percorreu estados como Roraima, Acre, Minas Gerais, Rio Grande do Sul e São Paulo para mostrar o impacto da estabilização da economia na vida dos brasileiros.

▌As séries estão no ar até hoje. Na pauta, transporte urbano, o drama do idoso, menores infratores, drogas nas escolas, contrabando de armas, a situação calamitosa das estradas do país.

▌O *deficit* da previdência mereceu três séries especiais desde setembro de 1999.

direitos humanos Trabalho infantil, exploração de mão-de-obra escrava em fazendas da Amazônia e do Pará, investigações sobre temas proibidos durante a ditadura, como o atentado do Riocentro e o paradeiro das ossadas de vítimas do governo militar. As séries de reportagens apostam na investigação para expor dramas nacionais e sensibilizar o país.

Em 31 de março, imagens chocantes de uma *blitz* na favela Naval, em Diadema, na grande São Paulo, revelam a crueldade de policiais militares contra cidadão indefesos. Gravados por um cinegrafista amador, os flagrantes mostram cenas de humilhação, espancamento... e execução. Um dos policiais, chamado de Rambo, saca o revólver e dispara contra o passageiro de um carro. Era um mecânico de férias em São Paulo.

Logo após a exibição da reportagem, William Bonner leu o editorial: "Qualquer cidadão atacado por um policial é um ser indefeso diante do mais covarde dos criminosos. Covarde porque usa a autoridade para assaltar, torturar, assassinar a sangue frio pessoas inocentes".

fome Exibida no *Jornal Nacional* de 18 a 22 de junho de 2001, a série "Fome no Brasil" foi uma das mais premiadas na história do telejornal. Para produzir as matérias, o repórter Marcello Canellas e o cinegrafista Lúcio Alves viajaram por seis estados e o Distrito Federal.

Na primeira reportagem, o depoimento comovente de uma lavadeira, Maria Rita Costa, de 51 anos, vítima da fome. No dia seguinte, a notícia dada por vizinhos de Maria Rita: ela tinha morrido, de pneumonia e desnutrição aguda.

a vida real em tempo real

No dia 15 de outubro, entra ano ar a Globo News, primeiro canal de notícias 24 horas do Brasil. Com uma equipe jovem, comandada por editores experientes, o canal iniciou suas transmissões com uma missão nada modesta: a de ficar no ar para todo o sempre. O segredo da permanência: uma grade de programação bem amarrada e azeitada. E lá veio ela, sob a batuta de Alice-Maria:

- De trinta em trinta minutos, *Em Cima da Hora.*
- Às dez da noite, o *Jornal das Dez,* balanço diário dos principais fatos do dia.
- Entrevistas especiais conduzidas por grandes nomes da TV Globo, como Alexandre Garcia e Miriam Leitão? *Espaço Aberto,* às 21h30.
- Um giro pelo Brasil com repórteres de todas as regiões do país? *Via Brasil.*
- Um balanço dos altos e baixos da economia? *Conta Corrente.*

Lançados na noite de estréia, esses programas estão no ar até hoje para mostrar a "vida real em tempo real".

o mix de angélica

E lá vem ela, Angélica, a bordo de uma nuvem, no centro de uma grande letra A em azul, com duas asas e uma auréola. Estava no ar o *Angel Mix*, programa infantil diário animado por brincadeiras, números musicais, desenhos animados e uma novelinha – *Caça Talentos* – exibida a partir das 11h30.

Para comandar o espetáculo e animar a multidão de cerca de 500 crianças reunidas no Teatro Fênix, no Rio de Janeiro, Angélica contava com a ajuda de quatro "angels", dois *angélicos* e um mix de quadros:

- Em "Internautas", Angélica trocava mensagens, pela internet, com meninos e meninas.
- Em "Pé na estrada", apresentava reportagens gravadas em todo o país, que tinham crianças como tema.
- Um ano depois da estréia, o programa passou a promover um concurso de calouros com crianças dos 5 aos 16 anos.
- Em 1998, o programa ganhou visual de revista eletrônica voltada para crianças e adolescentes.
- Em 1999, entrou no ar, em *Angel Mix*, a novelinha infantil *Flora Encantada*.

caça talentos Os pais de Bela (Angélica) morreram num acidente de carro quando ela era bebê. A menina foi criada por fadas num mundo habitado por unicórnios e duendes. Agora, já crescida, precisa escolher: quer ser fada ou humana?

Este era o principal dilema de *Caça Talentos*, novelinha que fazia parte da primeira fase do *Angel Mix*. A trama tem o mesmo nome da agência administrada por Artur (Eduardo Galvão), localizada na fronteira entre o universo mágico e o mundo real. Artur e Bela, aliás, eram bem mais do que amigos. Só que a loira não podia beijá-lo para não perder o vínculo com o mundo mágico.

A série teve 500 capítulos, e Bela, quem diria, acabou sozinha.

VOCÊ SE LEMBRA?

▌A professora de ginástica Malha Sônia, muitos quilos acima do peso, a salva-vidas perua Brigite, a *hippie* Alga Maria. Todas elas tinham um ponto em comum: eram interpretadas por Angélica numa série de esquetes.

VOCÊ SABIA?

Em junho de 2000 o *Angel Mix* sairia do ar. Um ano depois, Angélica passaria a apresentar o "Videogame", no *Videoshow*.

mundo perdido

A cunhada é irresistível, a filha chantageia o pai ao saber de sua vida promíscua fora de casa, o chefe dá em cima da funcionária humilde. Nelson Rodrigues está de volta, agora em *A Vida Como Ela É*, série de quadros com oito minutos de duração, dirigida por Daniel Filho e exibida no *Fantástico*.

batata! Primeiro desafio: escolher quais, das mais de mil histórias escritas pelo autor, seriam levadas à TV. O segundo obstáculo: manter a fidelidade ao texto e preservar expressões como "ora, carambolas" e "é batata!", tão caras ao "Anjo Pornográfico". Por último, ajustar a trama ao tempo minguado. Em nove meses, 40 episódios foram produzidos com um elenco de primeira. Malu Mader, Tony Ramos, Marcos Palmeira, Cássio Gabus Mendes, Cláudia Abreu e Débora Bloch foram alguns dos que viveram as tragicomédias rodrigueanas na TV.

1997

Oxente, my god

Bem-vindo a Greenville, uma cidade de costumes britânicos perdida no interior do Nordeste. Seria só um pitoresco fim de mundo se não fossem a luta de Maria Altiva (Eva Wilma) pela fortuna herdada pela sobrinha Helena (Adriana Esteves), sua birra contra os atentados à moral e aos bons costumes perpetrados no bordel de Zenilda (Renata Sorrah), o eterno bate-boca entre o prefeito Ipiranga Pitiguari (Paulo Betti) e a juíza Mirandinha (Betty Faria) e os ataques de um tarado misterioso conhecido como Cadeirudo.

Não faltava assunto na Greenville de *A Indomada,* escrita por Aguinaldo Silva e Ricardo Linhares.

com a palavra... A refinada Altiva: "Well...". Era assim, em bom inglês, que ela iniciava suas frases.

os metralhas Maria Altiva não aprontava sozinha. Seu companheiro de golpes era o deputado Pitágoras (Ary Fontoura), que alimentava um amor platônico pela malvada. O político fez tanto sucesso que voltou em *Porto dos Milagres,* novela seguinte de Aguinaldo Silva e Ricardo Linhares. Devia ser apenas uma participação especial, mas ele foi ficando, ficando...

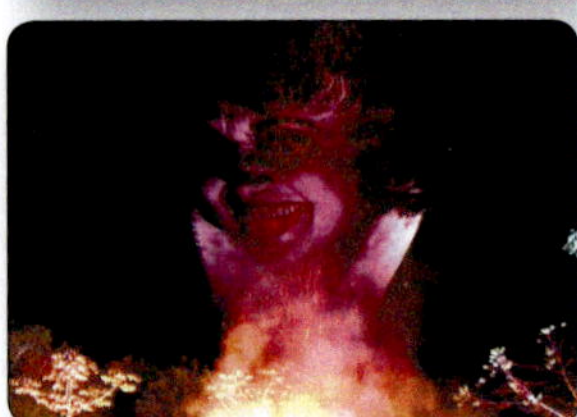

surreal 1 Esta cena, aí do lado, quem viu não esquece. No fim da novela, Maria Altiva sente tanta raiva que simplesmente evapora. Não sem antes bradar ao céus: "*I will be back!*".

surreal 2 O jovem excepcional Emanuel (Selton Mello) – que tinha o dom da adivinhação – vira anjo e sobrevoa Greenville.

surreal 3 E o delegado Motinha (José de Abreu) encontra sua cara-metade no Japão, onde vai parar depois de cair no buraco de uma das obras do prefeito Ipiranga.

corre, maria fernanda! Maria Fernanda Cândido aparecia toda noite na novela, mas não como atriz. Ela era a modelo da abertura de *A Indomada* e – com um belo vestido vermelho – corria entre labirintos, ultrapassava obstáculos metálicos e ainda transformava a terra árida do sertão em canavial. Poderosa.

VOCÊ SE LEMBRA?

Antes de sobrevoar Greenville, Emanuel passava boa parte do tempo com os pés no chão, ao lado de Grampola (Carla Muga), uma das "camélias" do bordel de Zenilda. No fim da trama, a menina escapou da prostituição e se matriculou num colégio – final aprovado com louvor pela Campanha Nacional pelo Fim da Exploração, da Violência e do Turismo Sexual Contra Crianças e Adolescentes.

testando

1. Os moradores de Greenville veneravam todos a mesma santa. Qual?
   a) Santa Diana de Deus
   b) Santa Maria de Buckingham
   c) Santa Margarida da Escócia

2. Um fenômeno astronômico raro tornava a cidade ainda mais exótica, uma vez por ano. Qual?
   a) Uma noite com três luas cheias no céu.
   b) Uma chuva de meteoros, comemorada pelo prefeito como boa desculpa para iniciar novas obras, todas superfaturadas.
   c) As estrelas juntam-se para formar mensagens enigmáticas no céu.

Respostas: 1-c / 2-a

ela voltou

Em 1976, a babá Nice (Suzana Vieira) passou por cima de meio mundo para se casar com o rico Rodrigo (José Wilker). Conseguiu aplicar o golpe do baú, mas a moral da época e a censura vigente falaram mais alto: a vilã morreu no parto do filho que teria com o patrão. Dezenove anos depois, Nice está de volta, agora vivida por Glória Pires – e com direito a final feliz. Livre dos censores, a babá nada perfeita sobreviveu ao parto e ao casamento com o patrão, agora interpretado por Kadu Moliterno.

eterna nice No último capítulo da novela, Suzana Vieira – a Nice original – entrou em cena como a nova babá contratada pela família Medeiros. Palavras da novelista Maria Adelaide Amaral, autora do *remake*, no roteiro deste capítulo final:

ASPAS

A Suzana Vieira, a nossa primeira Nice. A Cassiano Gabus Mendes, autor de *Anjo Mau* e mestre de todos nós. Em nome de toda a equipe e elenco, o nosso respeito." (Maria Adelaide Amaral)

anjo mau

VOCÊ SABIA?

O único ator a interpretar o mesmo papel nas duas versões de *Anjo Mau* foi Átila Iório, como o pai de Nice.

AMOR POR

mãe é mãe

O amor de mãe, incondicional, moveu a trama de *Por Amor*, nova novela de Manoel Carlos. Helena (Regina Duarte) e Maria Eduarda (Gabriela Duarte) – mãe e filha – engravidam e dão à luz no mesmo dia. O bebê de Maria Eduarda morre no parto e Helena decide pôr seu próprio filho no lugar do bebê morto, tudo com a ajuda do médico César (Marcelo Serrado), apaixonado por Maria Eduarda.

Um sacrifício e tanto – típico das Helenas de Manoel Carlos –, que só será descoberto no final da novela.

"eu odeio maria eduarda" Maria Eduarda ganhou o filho, mas não conquistou a simpatia do público. Em menos de um mês, o *site* "Eu odeio a Maria Eduarda" recebeu 8 mil visitas. Ao entrar na página, o internauta era estimulado a enviar *e-mails* a Manoel Carlos, sugerindo fins trágicos para a personagem. Gabriela Duarte se divertiu com a chiadeira virtual. Nem ela simpatizou de primeira com a menina mimada... "Eduarda" foi a pioneira da grife *online* "Eu Odeio". Mais tarde, outros personagens de novela se tornariam alvo dos internautas, como Camila (*Laços de*

Família, também de Manoel Carlos) e *Cristal* (*Estrela Guia*, de Ana Maria Moretzsohn).

dureza Orestes (Paulo José) deixou muita gente com lágrimas nos olhos. Rejeitado pela filha Eduarda, ele passou a novela lutando contra o alcoolismo e o desemprego. Conseguiu trabalho como *office boy*, mas foi despedido depois de perder o dinheiro da empresa num assalto. O drama de Orestes valorizou o trabalho dos Alcoólicos Anônimos e chamou a atenção para o desrespeito aos trabalhadores da terceira idade.

VOCÊ SABIA?

- Em *Por Amor*, Regina Duarte viveu a personagem Helena pela segunda vez. A primeira foi em *História de Amor* (1995). A atriz ainda viveria mais uma Helena em *Páginas da Vida*.
- A primeira Helena (Lilian Lemmertz) de Manoel Carlos surgiu na novela *Baila Comigo*, em 1981.
- "Típica heroína de classe média" – como o autor costuma definir a protagonista de suas tramas –, Helena só não fez parte de uma novela de Manoel Carlos: *Sol de Verão* (1982).

Diana
Diego
Beto
MADE IN
BRAZIL

Explosões, perseguições, tiros por todo lado. Seriado americano? Não. Brasileiro – e com Malu Mader com o dedo no gatilho, pronta para disparar. Criado por Daniel Filho, Antonio Calmon, Aguinaldo Silva e Doc Comparato, o seriado semanal *A Justiceira* entrou no ar com missão espinhosa: a de mostrar que, no Brasil, também era possível produzir seqüências de ação eletrizantes, com tiroteios tão verossímeis quanto os da chamada vida real (nestes, somos craques).

Ai, ai, ai Diana (Malu Mader) era policial e abandonou a carreira depois de matar o parceiro por acidente. Levava vida pacata longe das armas até o dia em que seu filho foi seqüestrado por uma quadrilha de traficantes a quem seu ex-marido (Ângelo Antônio) devia dinheiro. Para resgatar o filho, Diana interrompe a aposentadoria e passa a fazer parte de uma organização internacional dedicada à luta contra o crime organizado.

Haja munição!

PRIMEIRO MUNDO

- A série foi gravada em película de 35 mm.
- Todos os 12 episódios da série, com 40 minutos de duração cada um, foram sonorizados e finalizados em Nova York.
- Armas e munições (e um pacote de efeitos especiais como faíscas e sangue) foram importados da Califórnia.
- Nas seqüências mais arriscadas, entravam em cena dublês da equipe do mexicano Javier Lambert, que presta serviços a Hollywood.
- O fotógrafo Edgar Moura ficou responsável pela direção de fotografia da série.

Augusta (Nívea Maria): luta contra o crime

TORRE
DE BABEL

1998

até tu, tony ramos?

José Clementino mata a mulher e o amante dela a golpes de pá no primeiro capítulo de *Torre de Babel*, de Silvio de Abreu. O pior de tudo é que o assassino era interpretado pelo até então heróico Tony Ramos. Foi o primeiro choque de uma série.

Clementino amargou 20 anos na prisão e, logo depois de sair da cadeia, foi acusado de explodir o *shopping center* do empresário César Toledo (Tarcísio Meira), seu antigo patrão e principal testemunha contra ele no caso do duplo homicídio.

explosivos A polêmica não ficou restrita ao primeiro capítulo, considerado violento demais pelos telespectadores. O que não faltava era personagem controvertido. Lembra deles?

I ÂNGELA (CLÁUDIA RAIA): A grande vilã da história alimentava um amor obsessivo por seu melhor amigo, Henrique (Edson Celulari), filho de César Toledo. Para conseguir o que queria, Ângela era capaz de matar... E não só matava como também comemorava em seguida.

I RAFAELA (CHRISTIANE TORLONI) E LEILA (SÍLVIA PFEIFER): Casal gay da novela, causou polêmica desde o início ao aparecer de mãos dadas ou lado a lado na mesma cama. Até a Igreja protestou.

testando

O que aconteceu com esses personagens polêmicos?

a) Morreram todos na explosão do *shopping center*.

b) Rafaela, Leila e Guilherme morreram na explosão e Ângela se jogou do alto do *shopping center*, quando ele foi reerguido.

c) Tiveram um final feliz, apesar de todas as polêmicas.

Resposta: b

ASPAS

Eu achava que, se fizesse o personagem da Silvia Pfeifer negar sua condição homossexual, estaria traindo minha idéia. Se fizesse ela morrer com a outra, eu estaria alicerçando uma idéia, mostrando as duas como vítimas do preconceito. Quando elas morrem, a Christiane Torloni diz: 'É o preconceito que está nos matando'. E isso era verdade." (Silvio de Abreu)

▌**GUILHERME (MARCELLO ANTONY):** Um dos três filhos de César Toledo, era dependente químico e vivia às voltas com drogas pesadas.

cabum! A explosão do *shopping center* teve função parecida com a do terremoto da novela *Anastácia, a Mulher Sem Destino* (1967): eliminar da trama personagens rejeitados pelo público.

percebe, luzineide? Nem tudo foi polêmico em *Torre de Babel*. Os personagens cômicos deram um show na trama de Silvio de Abreu. Lembra deles?

▌Gustinho (Oscar Magrini) encantou o público falando "percebe" no final de cada frase.

▌Jamanta (Cacá Carvalho), deficiente mental apaixonado por Sandrinha (Adriana Esteves), virou ídolo das crianças com sua fala meio "Tarzan": "Jamanta sabe", "Jamanta quer". Jamanta acabaria ressuscitando anos depois em *Belíssima*, outro sucesso de Silvio de Abreu.

▌Outro bordão que caiu na boca do povo foi "cala a boca, Luzineide", repetido por Bina Colombo (Claudia Jimenez) sempre que a amiga Luzineide (Eliane Costa) ameaçava dizer alguma coisa. De tanto ser reprimida, Luzineide passou a novela inteira de bico calado. Só ouvimos sua voz no último capítulo, quando ela revela quem explodiu o *shopping center*.

O assassino era interpretado pelo até então heróico Tony Ramos. Foi o primeiro choque de uma série.

Claudia Jimenez

Cacá Carvalho

na dúvida...

O que é mais importante: a segurança do lar ou os prazeres da cama? Este é o dilema de *Dona Flor e Seus Dois Maridos*, minissérie de Dias Gomes baseada no livro homônimo de Jorge Amado. Dona Flor (Giulia Gam) precisa escolher entre o estável Teodoro (Marco Nanini) e o finado Vadinho (Edson Celulari), malandro sempre presente nos sonhos e visões da viúva. Como não é boba nem nada, acaba ficando com os dois.

na telona Antes de estrear na TV, Dona Flor bateu pernas pelo cinema. Em 1975, o cineasta Bruno Barreto transformou a história de Jorge Amado em filme, com José Wilker, Sônia Braga e Mauro Mendonça no triângulo amoroso. Deu certo. Doze milhões de espectadores se divertiram com a comédia. É, até hoje, um dos maiores fenômenos de bilheteria do cinema nacional.

essa é pra guardar A cena final da minissérie tem lugar garantido entre as mais marcantes da televisão. Dona Flor caminha no meio de uma multidão no Pelourinho, de mãos dadas com seus dois amores. Vestido com seu impecável terno branco, Teodoro, à direita, tem os cabelos molhados e simetricamente jogados pra trás. Do outro lado, Vadinho, como veio ao mundo, tão vivo como nos sonhos eróticos da mulher.

MUVUCA

Ela bateu pernas pelo Brasil inteiro – e por outros países – conversando com anônimos e celebridades. Agora, chega a hora de a cigana Regina Casé ter endereço fixo: uma belíssima casa no alto do bairro do Humaitá, no Rio de Janeiro. Estava no ar o semanal *Muvuca*, um dos pontos de encontro mais divertidos e surpreendentes da televisão brasileira.

VOCÊ SE LEMBRA?

- As câmeras registravam tudo: o trabalho da equipe na redação, os jogos de futebol no quintal, entrevistas em todo o canto... até no banheiro. Angélica que o diga.
- Dois bichos de estimação circulavam pela casa entre a equipe de 40 inquilinos: o dogue alemão Muvucão e a gata Muvuquete, presente de Ana Paula Arósio.

VOCÊ SABIA?

- A casa tinha seis quartos, três salões e um belo jardim com uma baita piscina, onde Zeca Pagodinho e toda a família deram boas braçadas entre partidas de futebol e rodadas de cerveja.

furacão mineiro

Benza Deus e tirem as crianças da sala, porque lá vem ela: Hilda Furacão, na pele da estonteante Ana Paula Arósio. Nem o frade dominicano Malthus (Rodrigo Santoro) resistiu à beleza da mulher mais desejada da zona boêmia de Belo Horizonte.

Adaptação do romance *Hilda Furacão*, de Roberto Drummond, a minissérie de Gloria Perez contou a história de Hilda Muller, filha de uma tradicional família mineira que escandalizou a sociedade ao fugir do altar para se tornar prostituta.

VOCÊ SABIA?

A minissérie marcou a estréia da modelo Ana Paula Arósio na Globo. Belíssima estréia.

LEMBRA DELES?

Matheus Nachtergaele foi outra revelação no papel do travesti Cintura Fina. E Rosi Campos também brilhou como a prostituta Maria Tomba-Homem.

testando

1. Qual o nome do hotel freqüentado por Cintura Fina e Maria Tomba-Homem?
   a) Maravilhoso Hotel
   b) Carinhoso
   c) Boemia

2. O que o frade Malthus comia para tentar esquecer Hilda?
   a) Doce de jabuticaba
   b) Bolo de fubá
   c) Coxinhas de catupiri

Respostas: 1-a / 2-a

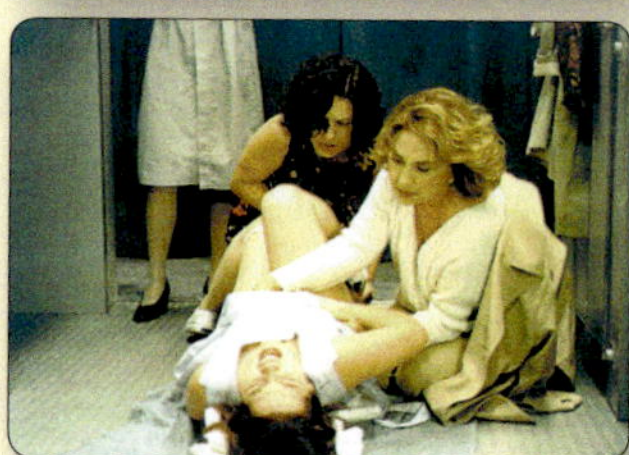

altas definições

Duas médicas abnegadas, a experiente Martha Corrêa Lopes (Eva Wilma) e a jovem Cristina Brandão (Patrícia Pillar) se conhecem num vôo para o Rio de Janeiro. No avião, Tetê (Natália Lage), grávida de oito meses, passa mal. Sem nunca terem se visto, Martha e Cristina trabalham juntas no parto de emergência nas alturas, e tudo termina bem.

Este foi o primeiro capítulo do seriado *Mulher*, um mergulho na alma e nos dilemas femininos, protagonizado pelas médicas ginecologistas e pontuado por temas polêmicos como câncer de mama e frigidez.

Ao todo seriam 80 viagens – 80 episódios – toda quinta-feira.

direto dos estados unidos A roteirista americana Lynn Mammet, *expert* em seriados, foi convocada para ajudar a formatar *Mulher*. Lynn inovou: antes mesmo de o primeiro episódio ser transmitido, a equipe de criação definiu o tema de cada capítulo da primeira temporada. Foi ela também quem convenceu os roteiristas a "darem" a Martha um câncer de mama.

VOCÊ SABIA?

Todos os episódios do primeiro ano de *Mulher* foram gravados com câmeras de cinema. As filmagens demoravam um bocado – os atores chegavam a ficar 12 horas nos estúdios –, mas o acabamento era impecável. O último capítulo foi além: pela primeira vez, na televisão brasileira, foram usadas câmeras de tevê de alta definição (HDTV).

testando

1. Qual o nome da clínica onde trabalhavam Martha e Cristina?
   a) Machado de Assis
   b) José de Alencar
   c) Machado de Alencar

2. Que ator fazia o papel do dono da clínica, Afrânio, médico de ética duvidosa?
   a) José Mayer
   b) Paulo Gorgulho
   c) Cássio Gabus Mendes

Respostas: 1-c/2-c

cidadania

Ainda faltavam dois anos para o Brasil festejar seu 500° aniversário, mas as comemorações já estavam começando. Além de promover shows por todo o país, o projeto *Brasil 500* começou a investir numa meta mais ambiciosa: a de contribuir para a melhoria da educação.

Angélica apareceu na TV para falar da importância da leitura, e artistas participaram de gincanas educativas e competições esportivas com alunos e professores. No ano seguinte, foi lançado o projeto *Amigos da Escola*, que, entre outras ações, estimulava o trabalho voluntário em instituições de ensino fundamental e médio.

Muita gente entendeu o recado. Prova disso é a correspondência que chegou à emissora quando o *Brasil 500* publicou formulários nos principais jornais do país, pedindo sugestões para melhorar o ensino público fundamental. Nada menos do que 40 mil cartas foram enviadas ao projeto.

ô, psit

E lá vem ele de novo: Didi Mocó. Depois de três anos de dedicação integral ao *Criança Esperança*, Renato Aragão retoma as boas e velhas trapalhadas em *A Turma do Didi*. Abrigado nas manhãs de domingo, o infanto-juvenil conta sempre com participações especiais, além da velha fórmula que consagrou Didi: muitos bordões e encrencas com finais felizes. A criançada agradece. E os marmanjos saudosos, também.

1999

amore mio!

A bela Giuliana (Ana Paula Arósio) conhece o jovem Matteo (Thiago Lacerda) no navio que os traz da Itália ao Brasil. Os dois, é claro, se apaixonam, mas – quando desembarcam aqui – perdem-se um do outro e seguem, cada um, o seu caminho.

Giuliana é acolhida por Francesco (Raul Cortez), grande amigo de seu pai. Matteo vai trabalhar na fazenda de Gumercindo (Antônio Fagundes). Os dois sonham se reencontrar. E nós torcemos por eles.

No ar, *Terra Nostra*, assinada por Benedito Ruy Barbosa e dirigida por Jayme Monjardim. Um projeto incentivado pelo diretor geral artístico Mário Lúcio Vaz.

inspirado Benedito se inspirou em lembranças da infância, relatos de amigos e familiares e cartas de telespectadores para criar a história do "amor que resiste a tudo", tendo, como pano de fundo, a imigração italiana. Correspondências de filhos e netos de imigrantes inspiraram algumas situações levadas para a TV.

prezado benedito Logo no primeiro capítulo de *Terra Nostra*, um casal implora para que seu bebê, dado como morto pela peste, não seja atirado ao mar durante a viagem de navio da Itália

ao Brasil. A mãe se recusa a entregar a filha aos marinheiros. Quando eles tentam arrancar a criança dos braços da mulher, o bebê chora.

Foi a filha sobrevivente quem escreveu a carta a Benedito.

bela donna Maria Fernanda Cândido foi a grande revelação da novela no papel de Paola. Francesco, interpretado por um impecável Raul Cortez, que o diga. A jovem cozinheira italiana e o empresário maduro viveram uma dessas paixões fulminantes, que não respeitam limites de idade nem barreiras sociais.

"Amore mio" – ela dizia. E o Brasil repetia em coro.

al mare Para gravar os dois primeiros capítulos de *Terra Nostra* – que retratavam a longa travessia da Itália para o Brasil –, elenco e técnicos embarcaram no navio *S. S. Shiedhall,* construído em 1940 e descoberto, depois de muita pesquisa, no sul da Inglaterra.

A embarcação foi reformada e ganhou novo nome: *Andrea I*, como queria Benedito. Uma equipe de mais de 50 profissionais viajou para Southampton, onde se realizaram as gravações do embarque. Para o desembarque dos imigrantes, foi escolhido o Porto de Santos.

NÚMERO Quase **5 mil** figurinos completos de época foram produzidos para a novela.

joão grilo e chicó

João Grilo (Matheus Nachtergaele) e Chicó (Selton Mello) levavam a vida aplicando golpes e fazendo bicos em Taperoá, no interior paraibano, até o dia em que desembarcou na cidade o implacável cangaceiro Severino (Marco Nanini). A esperteza de João Grilo e toda a sua lábia não foram páreo para a espingada do forasteiro, que tratou de despachar o espertalhão para um julgamento no Além.

Resultado: João Grilo precisou enfrentar o "Tribunal das Almas", onde foi julgado por um Jesus negro (Maurício Gonçalves) e ameaçado pelo Diabo em pessoa (Luís Melo), até ser salvo por Nossa Senhora (Fernanda Montenegro).

Não faltaram cenas memoráveis e divertidíssimas na adaptação de *O Auto da Compadecida*, obra-prima de Ariano Suassuna, dirigida por Guel Arraes.

NOS TRINQUES

- Matheus Nachtergaele recebeu uma prótese para ficar com os dentes amarelos e irregulares, e teve a pele escurecida pela maquiagem para ficar o mais parecido possível com o João Grilo de Ariano Suassuna.
- Marco Nanini também não brincou em serviço. Usou olho de vidro, peruca, látex no rosto e roupas de até oito quilos para dar vida a seu cangaceiro.
- Todos os figurinos, antes de usados, foram jogados num caldeirão, tingidos e lixados até parecerem bem gastos.

na telona Filmados em película, os quatro capítulos de *O Auto da Compadecida* foram reeditados e levados ao cinema em 2000. Dois anos depois, o filme já tinha sido visto por mais de 2 milhões de espectadores.

recordar é viver

1935. O Teatro Municipal do Rio de Janeiro está lotado. No palco, um espetáculo em homenagem a Chiquinha Gonzaga, primeira compositora e maestrina brasileira, do final do século 19. No camarote, a homenageada, então com 87 anos.

Enquanto o espetáculo se desenrola, Chiquinha (interpretada por Regina Duarte) volta no tempo e faz um balanço de sua vida. São essas recordações que movem os 38 capítulos da minissérie *Chiquinha Gonzaga*, escrita por Lauro César Muniz e dirigida por Jayme Monjardim.

Gabriela Duarte fez o papel de Chiquinha Gonzaga na primeira fase da saga

52 ANOS, MAS COM ROSTINHO DE 87

Coube ao maquiador americano David Press – importado de Hollywood – a tarefa de transformar Regina Duarte (então aos 52 anos) em Chiquinha Gonzaga, aos 87 anos. Para a transformação, ele recorreu a máscaras de silicone e tintas especiais.

trilha sonora Filha de militar, Chiquinha Gonzaga chocou a sociedade da época ao abandonar o primeiro marido, quando proibida por ele de se dedicar à música. Libertária, casou-se duas vezes – o segundo marido tinha idade para ser seu filho – e viveu entre boêmios enquanto extravasava suas paixões e decepções em mais de 2 mil composições.

NÚMEROS*

- **1.500** programas.
- **1.478** receitas preparadas na bancada do programa.
- A equipe do *Mais Você* já percorreu **309 mil** quilômetros, o equivalente a quase **8** voltas ao redor da Terra, para gravar reportagens.

*(*até fevereiro de 2006)*

muito mais você!

E lá vem ela com a missão de tornar mais saborosa, saudável e divertida as manhãs da mulher brasileira. Ana Maria Braga assume a sala de visitas e a bancada da cozinha do *Mais Você* para preparar receitas, receber convidados e exibir reportagens e mensagens sob medida para quem quer viver mais e melhor.

Não é à toa que o programa se chama *Mais Você*.

dá o pé, louro O saudoso Topo Gigio que nos perdoe, mas ninguém é páreo para o Louro José, companheiro de palco de Ana Maria Braga. Com o bico sempre afiado – respostas na ponta da língua –, ele canta, dança, conta piadas, dá receitas, promove competições de charadas com Ana Maria Braga e ainda arranja tempo para bater asas por aí como repórter. Até na Copa do Mundo da Alemanha ele aterrissou. Por trás do papagaio mais animado do país está o diretor de palco Tom Veiga. Querem ver a foto dele? Nem pensar.

hummmmmmmmmmmmmmmmm! É sempre assim. Ana Maria ou um de seus convidados *gourmets* preparam delícias na cozinha do *Mais Você*, ela prova a receita e... corre para baixo da bancada a fim de saborear os doces e salgados imbatíveis. Dá água na boca.

exemplo 26 de agosto de 2001 foi um dia especial para Ana Maria. A apresentadora dedicou o último bloco de seu programa para anunciar que sofria de câncer. Horas depois, ela foi internada no Hospital Sírio-Libanês, em São Paulo, para iniciar o tratamento. Quando voltou a apresentar o programa ao vivo, no dia 12 de novembro, Ana Maria recebeu a equipe médica responsável por seu tratamento. Os médicos destacaram o bom exemplo dado pela apresentadora: o importante é reconhecer a doença e saber enfrentá-la, com coragem e disciplina.

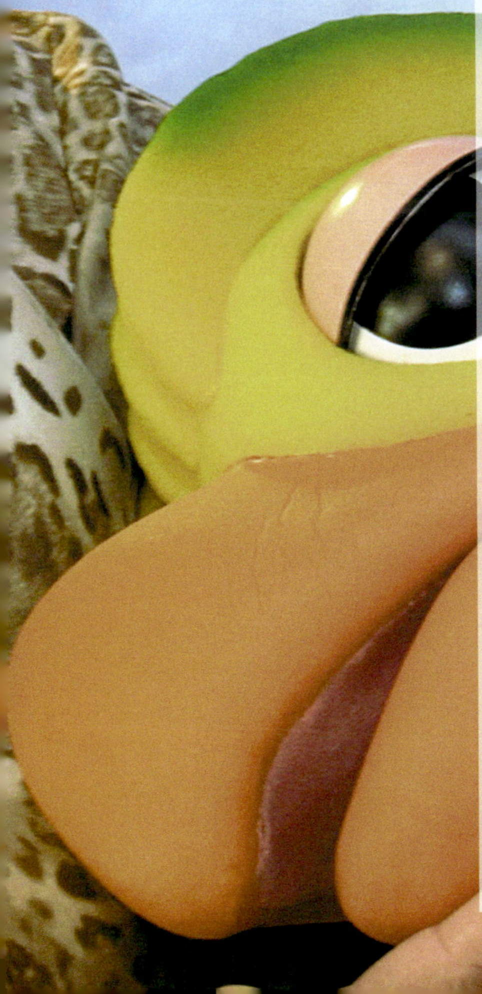

PENSAMENTO DO LOURO:

- Uma constatação: existem dois tipos de esparadrapo – os que não grudam e os que não saem...
- Diga-me com quem andas... Se for de carro, quero carona.
- O seu futuro depende dos seus sonhos. Então, vá dormir!

PEGADINHAS

- Como é a reprodução do porco-espinho? Com muito cuidado
- Em quantas categorias se dividem os homens? Três: os tristes, os deprimidos e os solteiros.

NÚMEROS

- Mais de **150** profissionais (entre jornalistas, cenógrafos, figurinistas, atores) estão envolvidos na produção dos **2** episódios do programa apresentados a cada noite.
- Até agora, graças às denúncias anônimas, mais de **350** criminosos foram presos.

justiça seja feita

Denúncia, investigação. Crimes que continuam sem punição. Ou melhor: continuavam. Porque está no ar o *Linha Direta*, programa semanal que reúne jornalismo e dramaturgia para reconstituir casos policiais ainda sem solução e levar para a cadeia – a partir de denúncias anônimas de telespectadores, encaminhadas às autoridades – foragidos da justiça.

O programa foi o primeiro a ser realizado em parceria entre a Central Globo de Jornalismo e a Central Globo de Produção.

ligue já *Linha Direta* tem uma central telefônica disponível 24 horas para receber denúncias de telespectadores, com garantia de sigilo total. A partir de maio de 2000, as denúncias passaram a ser feitas também pela página do programa na internet.

abaixo-assinado Em setembro de 2002, representantes do Centro Brasileiro de Defesa dos Direitos Humanos e de parentes de vítimas de crimes impunes entregaram à TV Globo um abaixo-assinado pedindo a permanência de *Linha Direta* na programação da emissora. No documento, o programa é citado como um dos poucos de utilidade pública da televisão brasileira e de importância fundamental num país que não dispõe de um cadastro nacional de procurados.

PAUTAS DO DIA

Entre os casos abordados pelo programa, alguns tiveram repercussão nacional:

- A morte de Paulo César Farias, tesoureiro da campanha do ex-presidente da República Fernando Collor de Mello, e de sua namorada, Suzana Marcolino.
- O assassinato da estudante Ana Carolina da Costa Lino, durante um assalto no Rio de Janeiro.
- O seqüestro de Wellington de Camargo, irmão dos cantores Zeze Di Camargo e Luciano.
- A tragédia envolvendo o estudante Márcio Gasparim da Silva, morto em uma briga de torcidas no estádio do Pacaembu, em São Paulo.

ACREDITE SE QUISER

- Atores que interpretaram acusados em alguns episódios chegaram a ser confundidos com os foragidos e denunciados à polícia por engano. Ninguém foi preso...
- Algumas denúncias levaram à prisão dos acusados antes mesmo de o programa ir ao ar: bastou as imagens dos foragidos serem exibidas nas chamadas de programação.
- No presídio Aníbal Bruno, em Recife, três bandidos presos graças ao programa foram apelidados de "Linha Direta 1, 2 e 3".

na boca do povo...

A boa e velha comédia está de volta, com humoristas veteranos e belas revelações. Dirigido por Maurício Sherman, *Zorra Total* entra no ar nas noites de quinta-feira e, pouco depois, já está animando as noites de sábado. Professor Raimundo e seus alunos tresloucados se juntam a outros tipos impagáveis...

figuraças

Dá uma choradinha: Madeira (Agildo Ribeiro) adora fazer a empregada chorar, só para vê-la levantar a saia e enxugar as lágrimas. O bordão virou mania: "Dá uma choradinha".

Vem cá, te conheço?: É assim que Laura reage quando ouve sugestões, críticas e outros comentários de desconhecidos folgados. A atriz Maria Clara Gueiros – que deu vida e graça à personagem – faz o Brasil inteiro rir com Laura e outras personagens à beira de um ataque de nervos.

Cara, crachá, cara, crachá: Faltou algum objeto para a gravação de uma cena no estúdio da TV? Pois então chame o porteiro Severino. Ele dá um jeito só para ficar bem perto das atrizes envolvidas nas gravações. Mais uma criação imbatível do mestre Paulo Silvino.

Issso não te pertence mais:
É com este "grito de guerra" que a *personal trainer* de "novos-pobres" Gislaine (Fabiana Karla) reage quando seus clientes demonstram algum apego à saudosa vida de luxos e mordomias. A missão de Gislaine: ensinar os pobres coitados a aproveitar a pobreza da melhor maneira possível. No Natal, por exemplo, nada de champanhe importado. As garrafas agora são outras: de refrigerante pet vazias para montar lindas árvores de Natal recicladas.

casa nova

Em janeiro, são abertas as portas da nova sede da Globo em São Paulo. De um lado, a redação do jornalismo. Do outro, os estúdios da Central Globo de Produção, que vão abrigar as novas estréias da emissora.

pelo mundo Em agosto, entra no ar a Globo Internacional. A partir de agora a programação está disponível para todo o planeta por sistema de assinatura.

2000

terra de ninguém

Cem anos depois do Descobrimento, o Brasil ainda era uma terra sem lei, e a maior preocupação de quem habitava a colônia consistia em sobreviver em meio a conflitos de terra sangrentos. Acuados por forasteiros, os bandeirantes expulsavam os índios para expandir seus domínios até os limites da Muralha, como era chamada a imensa cadeia de elevações da Serra do Mar. A nova colônia portuguesa era pequena demais para Dom Braz (Mauro Mendonça) e seu arquiinimigo, Dom Jerônimo (Tarcísio Meira). A guerra moveu os 49 capítulos de *A Muralha*, minissérie dirigida por Denise Saraceni, como parte dos eventos comemorativos dos 500 anos do Descobrimento do Brasil.

tarcísio é mau Cínico, opressor, pervertido e cruel. Qualquer ofensa define bem o perfil do comerciante Dom Jerônimo. E Tarcísio Meira pôs toda a maldade para fora. Seu personagem – católico fervoroso, apesar de tudo – só se fazia de santo diante dos padres. Ele ignorava as leis e se dedicava a torturar e castigar Ana (Letícia Sabatella), cristã-nova que escapara dos horrores da Inquisição graças ao irmão.

a melhor idade Esta foi a segunda adaptação do romance *A Muralha*, de Dinah Silveira de Queiroz, para a TV. Na versão anterior, em 1968, para a TV Excelsior, um rapaz de 37 anos interpretava o setentão Dom Braz: Mauro Mendonça. Mais de três décadas depois, o ator voltou a viver o personagem, dispensando as horas e horas de maquiagem para parecer mais velho. Com 67 anos, Mendonça estava no ponto para encarnar o bandeirante durão.

consultoria indígena A produção da minissérie contou com a assessoria de 51 índios xavante do Alto Xingu, 20 kamaiurá e 20 waurá, além de índios guarani e um coral infantil formado por índios da aldeia Paratimirim.

O Instituto Brasileiro do Meio Ambiente e dos Recursos Naturais Renováveis (Ibama) também se envolveu no projeto. O órgão federal indicou um biólogo e uma veterinária para ajudarem a equipe de TV a cuidar dos animais envolvidos nas gravações. O elenco selvagem contava com araras, onças, macacos, veados, cobras, capivaras, emas e jaguatiricas.

NÚMEROS

- **200** pessoas participaram da produção.
- Construída perto do Projac, a Vila de São Paulo ocupou uma área de **10 mil** metros quadrados.
- Mais de **2 mil** peças de figurinos foram criadas por Cao Albuquerque e Emília Duncan.

terra à vista

Guel Arraes e Jorge Furtado já tinham unido forças no *Programa Legal*, em *Comédia da Vida Privada* e no *Brasil Legal*. Agora, nas comemorações dos 500 anos do Descobrimento, mergulharam juntos na leitura de romances históricos em busca de uma boa história e de um belo personagem. E lá veio ele: Diogo Álvares Corrêa, o Caramuru.

A idéia era simples: montar uma microssérie de três capítulos sobre a vida do aventureiro, um náufrago português que viveu entre os índios tupinambá. Mas nada de didatismos. Os roteiristas apelaram para sua especialidade – misturar realidade com ficção – e criaram um retrato nada glorioso, mas muito divertido, dos conquistadores... e dos conquistados.

Nada mais brasileiro.

VOCÊ SABIA?

Cao Albuquerque, criador dos figurinos da microssérie, inovou nos materiais. As roupas foram feitas com folhas secas, cascas de coco, palha, cordas, escamas de peixes e penas. A matéria-prima para confecção dos brincos das índias era – argh! – besouros secos. Ao todo, os figurinos produzidos para *A Invenção do Brasil* pesavam respeitáveis 800 quilos.

NO LIMITE

VOCÊ SE LEMBRA?

▌A Praia dos Anjos, no Ceará, foi escolhida como cenário para a primeira edição de *No Limite*, que reuniu 12 pessoas, com idades entre 20 e 54 anos. Na direção-geral, J.B. de Oliveira, o Boninho.

▌O cenário do *No Limite 2* foi a Chapada dos Guimarães, no Mato Grosso. As gravações aconteceram numa fazenda de 5 mil hectares, inundada pela produção com a construção de uma barragem.

▌Uma ilha no Pará abrigou a terceira edição do programa.

nova febre

Um novo fenômeno sacode a audiência dos EUA: os *reality shows*, programas em que pessoas comuns vivem situações limites, sob a mira de câmeras. O desafio: sobreviver a situações e ambientes hostis. A Globo produziu o seu próprio programa e o intitulou *No Limite*.

lei da selva A fórmula era simples: divididos em duas equipes, os participantes enfrentavam desafios que exigiam força física, resistência psicológica e coragem. O time perdedor precisava eliminar um concorrente do grupo. Na reta final, a competição tornava-se individual. A seleção dos participantes da primeira edição do programa, apresentado pelo jornalista Zeca Camargo, foi feita por uma empresa de recursos humanos. Com o sucesso do *reality show*, o número de candidatos se multiplicou. Cinqüenta mil pessoas se inscreveram para a segunda edição de *No Limite*, que tinha competidores de oito estados.

E OS VENCEDORES FORAM...

No Limite 1: a cabeleireira Elaine
No Limite 2: o estudante Léo
No Limite 3: o policial militar Rodrigo

conte com a gente Vá para um lugar silencioso, feche os olhos e conte um minuto e 23 segundos. Será que você acerta? Esta era a prova final da segunda edição do *No Limite*. O goiano Léo chegou mais perto e levou R$ 100 mil para casa. Em tempo: Léo contou até 1 minuto e 18 segundos.

duro de engolir Outras provas do *No Limite* exigiam mais do que paciência para contar segundos. A mais polêmica era o desafio culinário, em que os participantes experimentavam iguarias um tanto extravagantes. Olha só o que os pobres coitados tiveram de engolir: testículos de búfalo, cérebro de boi fresco, brigadeiro de olho de cabra, fígado cru, ovo de camaleoa semi-cozido e linguine ao alho e óleo regado com minhocas vivas.

BRAVA GENTE

> **VOCÊ SABIA?**
>
> Jorge Fernando, então diretor do *Sai de Baixo*, levou uma atração do humorístico para seu episódio no *Brava Gente:* a platéia. A história do preguiçoso Gamela (Luiz Fernando Guimarães), protagonista de *Um Edifício Chamado 200*, foi gravada duas vezes: com e sem público. Na edição, as versões foram misturadas.

retratos do brasil

Diretores e roteiristas, uni-vos. A missão: produzir retratos do Brasil com 30 minutos de duração, para exibir na última semana de dezembro. Lançado o desafio, a equipe de criação da Globo levou ao ar oito episódios para marcar o encerramento das comemorações dos 500 anos do Descobrimento. Missão cumprida?

Nada disso. Era só o começo. O projeto deu tão certo que gerou outros 53 programas. Na telinha, em *Brava Gente,* o Brasil e os brasileiros, sob os mais diferentes ângulos. Do sertão nordestino às favelas cariocas, dos traumas da ditadura às alegrias da Copa do Mundo, tudo passou pelo programa, que ganhou lugar cativo na grade da emissora de 2001 a 2003.

calouros Na primeira leva do *Brava Gente,* o episódio de maior destaque foi *Palace II*, dirigido por Fernando Meirelles e Kátia Lund, a dupla responsável pelo longa-metragem *Cidade de Deus*. Os protagonistas eram dois moleques que, dois anos depois, tornaram-se conhecidos do público: Laranjinha (Darlan Cunha) e Acerola (Douglas Silva), futuros astros de *Cidade dos Homens,* sempre às voltas com o desafio de viver num morro do Rio sem se render ao tráfico.

vida real

Parecia história de Hollywood. Em 1990, nos Estados Unidos, a mãe de uma filha com leucemia engravida e, assim, consegue uma doadora para o transplante de medula. Manoel Carlos jurava que o cinema norte-americano não deixaria a história passar em branco. Passou.

Mas não por ele. A notícia, publicada em jornais na época, inspirou *Laços de Família.*

sacrifícios de mãe Uma guerreira capaz de qualquer sacrifício pela filha. A nova Helena de Manoel Carlos – interpretada por Vera Fischer – fez de tudo e mais um pouco por Camila (Carolina Dieckmann). Até abrir mão de seu romance com Edu (Reynaldo Gianecchini), ao descobrir que a filha morria de amores pelo rapaz.

Querem mais?

Helena também desistiu de seu romance com o apaixonado Miguel (Tony Ramos) para engravidar do primeiro marido, Pedro (José Mayer), pai de Camila, a fim de tentar salvar a filha da leucemia – o bebê seria o doador de medula óssea compatível.

vida dura "Eu odeio Camila." Pois é, a filha mimada e carente de Helena também foi rejeitada por internautas indignados. Mais sorte teve outra personagem da trama: Capitu (Giovanna Antonelli), a universitária que se prostituía para sustentar os pais e o filho. Perseguida e chantageada por um

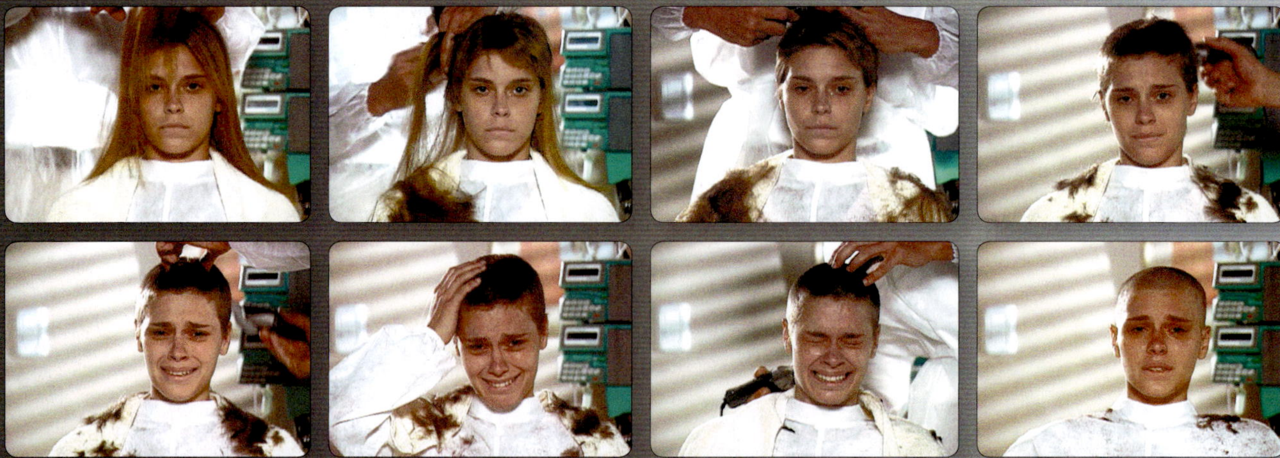

antológica A luta de Camila contra a leucemia rendeu a cena mais memorável da novela. Diante do espelho, a personagem de Carolina Dieckmann tem o cabelo raspado antes da série de sessões de quimioterapia. Os cachos caem no chão, as lágrimas escorrem e o público desaba em casa. O drama de Camila mobilizou o país e multiplicou o número de interessados em doar medula óssea.

efeito camila Antes da novela, a média de doadores cadastrados pelo Instituto Nacional do Câncer era de 10 por mês. Em janeiro de 2001 – quando Camila lutava pela vida –, o número saltou para 149.

PRÊMIO

Laços de Família deu à TV Globo o Global Leadership Award de 2001, o mais importante prêmio de responsabilidade social do mundo.

cliente e pelo ex-marido, Capitu fez o público torcer por ela e mudou a visão de muita gente sobre as garotas de programa.

assessoria literária Quer uma dica de leitura? Vá até a livraria Dom Casmurro e pergunte ao dono da loja, Miguel (Tony Ramos). Os papos entre as estantes renderam boas indicações literárias aos personagens e aos telespectadores. As obras recomendadas pelo livreiro da ficção tinham as vendas aumentadas em até 30% na vida real. O Sindicato Nacional dos Editores de Livros adorou a idéia e deu a Manoel Carlos o Prêmio José Olympio 2001.

ASPAS

As pessoas choravam muito com a novela. Era uma coisa maluca. Eu recebia telefonemas de amigos, de conhecidos aos prantos! A minha mulher, às vezes, saía da sala chorando. Eu ficava preocupado e dizia: 'Deus, que responsabilidade!'. Pegando pela emoção, você consegue não agredir tanto com a realidade, as pessoas aceitam as coisas polêmicas. Até o final, tive uma dificuldade muito grande de fazer essa novela." (Manoel Carlos)

gente pensante

Ele dá voz à platéia jovem, já apresentou um programa ao vivo direto da Casa de Detenção de São Paulo e imortalizou o bordão "Fala, garoto!". Serginho Groisman desembarcou na Globo para levar "vida inteligente para a madrugada", missão e *slogan* do seu *Altas Horas*. O apresentador diverte insones e recém-chegados das noitadas com convidados especiais e muita música, tudo embalado pela banda Altas Horas e pela animação da platéia ao vivo: 280 garotos e garotas prontos a fazer perguntas aos entrevistados e a dar suas opiniões.

vale tudo No palco, a atriz Suzana Vieira, o cartunista Ziraldo e a banda Jota Quest trocam idéias com Serginho Groisman e a platéia. Essas misturas ecléticas fazem parte do cardápio fixo do programa. Muita gente já passou pelo palco para conversar com o apresentador e sua turma. O leque é amplo, até entre os convidados internacionais. A musa *teen* Shakira e a setentona Sue Johanson (apresentadora de um programa sobre sexo na TV paga) foram algumas das atrações do programa.

uôu! daqui a pouco a gente volta

Doze anos depois de sair da TV Globo como humorista consagrado, Jô Soares volta como apresentador de *talk show*, tocador de bongô, saxofonista, escritor... enfim, como Jô Soares.

Para comandar o *Programa do Jô*, o "Gordo" trouxe 22 profissionais que trabalhavam com ele no SBT, ressuscitou quadros cômicos que protagonizou nos anos 80 (reprisados em alguns programas) e investiu no Sexteto, grupo de *jazz* responsável pela trilha sonora da atração e por muito mais. Como as risadas do baixista Bira... ou as tiradas do saxofonista Derico.

Aí, é só trazer os entrevistados e fazer a festa.

pau pra toda obra Derico, o mais atrevido da turma do Sexteto, ganhou uma honraria muito especial do chefe: o cargo de "assessor para assuntos aleatórios" (mais conhecido pela sigla AAA). Além de dar pitaco sobre qualquer assunto, o saxofonista é convocado por Jô para missões das mais inglórias, como tomar leite de jacaré, comer buquê de flores, lutar boxe com a tia do pugilista Éder Jofre e vestir roupas eróticas.

jo@globo.com Quando o assunto é figurino, no entanto, Derico não é o único a passar vergonha. Para divulgar o *e-mail* do programa ao longo dos primeiros anos da atração, Jô e o Sexteto inventaram *jingles* bem criativos.

Os sete já gravaram vinhetas como super-heróis, baianas, caipiras, cangaceiros, mafiosos e até como anões – Jô, dessa vez, encarnou a Branca de Neve.

Tanta pagação de mico deu resultado. A equipe do programa recebe 500 sugestões de pauta por semana. A competição é dura: só 50 chegam a ser avaliadas na reunião semanal entre os produtores.

testando

1. Como se chama o quadro do programa em que Jô reprisa alguns de seus melhores momentos em programas humorísticos, como *Viva o Gordo*?
   a) "Do Fundo da Caneca"
   b) "Vale a Pena Ver de Novo"
   c) "Museu do Gordo"

2. O que o Jô coloca na caneca dele?
   a) refrigerante *light*
   b) água de coco
   c) depende

Respostas: 1-a / 2-c

VOCÊ SABIA?

▌Na primeira edição do programa, transmitida em 3 de abril, Jô conversou com o ator Tarcísio Meira, o goleiro Dida e a cantora Marisa Monte, acompanhada da Velha Guarda da Portela. Mas o destaque da estréia foi a entrevista gravada dias antes com Roberto Marinho, presidente das Organizações Globo, no jardim de sua casa, no Rio de Janeiro.

▌O *Programa do Jô* foi a primeira atração de variedades da emissora a oferecer o serviço de *closed caption*, que permite a portadores de deficiência auditiva acompanhar as entrevistas por meio de legendas.

UGA UGA!

Lembra de Tatuapu? Coitado. Ainda criança, ele sobreviveu a um acidente de avião que matou seus pais e, sozinho na selva, foi adotado pelo pajé de uma tribo indígena. Tudo ia muito bem entre as cobras e jacarés até o dia em que o moço foi descoberto pelo avô, Nikos (Lima Duarte), e levado para a cidade grande.

Tatuapu (Cláudio Heinrich) era o único herdeiro da fortuna da família e caberia a ele administrar os negócios de Nikos quando o avô partisse desta para a melhor. Só havia um problema. Aliás, dois: a tia Santa (Vera Holtz) e o primo Rolando (Heitor Martinez), ambos de olho na fortuna do patriarca.

Saudades da selva...

VOCÊ SABIA?

Uga Uga também foi baseada em fatos reais. Carlos Lombardi criou Tatuapu depois de ler no jornal a notícia sobre o seqüestro do filho de um posseiro por índios da Amazônia. O pai só foi encontrar o filho anos depois, em uma tribo.

modelito Bem básico. Uma sunga, corpo coberto de urucum e pronto – Cláudio Heinrich estava pronto para entrar em cena. O idioma falado por ele foi inventado pelo autor Carlos Lombardi. Um dialeto todo especial, pontuado por grunhidos e gestos, digamos, primitivos.

tá com ele, tá com deus O melhor amigo do intrépido Tatuapu era o destemido sargento Baldochi, interpretado por Humberto Martins. Ele forjou a própria morte para escapar de bandidos e passou a novela inteira se livrando de armadilhas. Até do próprio funeral Baldochi fugiu. Enterrado vivo depois de levar uma surra, o sargento conseguiu sacar o canivete da bota, cortar as cordas que prendiam seus braços e escapulir do caixão.

laboratório indígena Para não fazer feio como índio, Cláudio Heinrich passou uma semana na tribo Uailapiti, no Xingu.

era uma vez...

Com chafariz de pipoca, biscoiteca e bebedouros de sucos naturais, Bambuluá é a cidade dos sonhos de qualquer criança. Mas o paraíso governado pelo Senhor Dubem está ameaçado pelos vilões de Magush, a Cidade das Sombras.

Os comandados do Senhor Dumal querem derrotar os sete Cavaleiros do Futuro, guardiães de Bambuluá, que convocam um reforço especial para ajudá-los: Angélica. Recém-chegada à cidade, ela não sabia que, desde criança, estava predestinada a ser peça-chave na luta contra os vilões. Chegou a hora de mostrar serviço.

plim plim A Cidade dos Sonhos também tinha televisão. Entre as principais atrações da TV Globinho, a âncora Angélica apresentava a Turma da Mônica, de Mauricio de Sousa. E, como crianças também precisam estar bem informadas, o canal ainda contava com oito mini-repórteres, os primeiros a dar as últimas notícias de Bambuluá.

VOCÊ SE LEMBRA?

O Senhor Dumal e o Senhor Dubem eram bonecos virtuais, inspirados em personagens de *videogame*. Os sete Cavaleiros do Futuro eram atores mirins.

VOCÊ SABIA?

Bambuluá significa "uma terra que olhos maus não podem ver". A palavra foi extraída do conto *A princesa de Bambuluá*, de Câmara Cascudo.

feitos um pro outro

Catarina (Adriana Esteves) é uma jovem rica, feminista, que diz que nunca vai se casar. Petruchio (Eduardo Moscovis) é um fazendeiro rude, machista e endividado, que luta para salvar sua fazenda. Resultado: aos trancos e barrancos, em meio a muita confusão, os dois acabam se apaixonando em *O Cravo e a Rosa*, de Walcyr Carrasco.

arre, égua Bem-vindos aos anos 20. Os atores de *O Cravo e a Rosa* tiveram aulas de história – e de vocabulário de época – para entender melhor o Brasil de oito décadas atrás. Depois das aulas teóricas, veio a prática. O elenco foi dividido para se dedicar a treinos de equitação, remo, corte e costura, piano e dança. Alguns aprenderam até a ordenhar vaca, fabricar queijo e pegar galinhas!

DICIONÁRIO DOS ANOS 20

Cabecinha de borboleta:	**Moça avoada; forma pejorativa.**
Estribo de bonde:	**Moça fácil, que dá bola para todo mundo.**
Fiteiro:	**Moço paquerador. Também chamado de flertador.**
Gigolete:	**Mulher da vida, prostituta.**
Homessa!:	**"Puxa vida!" "Que droga!"**
Maneirosa:	**Forma carinhosa de se referir à mulher. Também usava-se tetéia (moça bonita), bijouzinho, creaturinha e perfilada.**
Vá passear na beira do telhado:	**"Vá plantar batatas."**

nossa próxima atração *O Cravo e a Rosa* inovou no lançamento. Semanas antes da estréia, os intervalos comerciais da emissora foram invadidos por pequenas paródias de filmes mudos, protagonizadas pelos atores da novela. As imagens foram misturadas a filmes de época e receberam tratamento de película antiga e arranhada.

fumegante

A abertura já diz tudo: um boneco de Luciano Huck, preparado com massa e silicone, joga um microcomputador, um berimbau, um microfone, um jacaré, uma mulher e a si próprio num fumegante caldeirão.

A mistura imbatível de shows ao vivo, belas mulheres e outras surpresas se repete todos os sábados à tarde, quando bandas dos mais variados estilos se revezam no palco em meio às esculturais "coleguinhas" (assistentes do apresentador) e a concursos inusitados, que distribuem prêmios e provocam crises de choro também.

Prepare seu coração porque está no ar o *Caldeirão do Huck*.

NO CALDEIRÃO

"ABRA SEU CORAÇÃO" – Para que chorar, jogar lembrancinhas fora e fazer bonecos de vodu do ex-namorado? Leve-o ao *Caldeirão* e Luciano Huck vai ajudá-los a reatar o relacionamento. E não é que encarnar o cupido dava certo?

"ACORRENTADOS" – Um homem, algemado a seis mulheres, tem seis dias para descobrir, entre elas, a parceira ideal. A cada semana, uma concorrente era eliminada. As feministas deram o troco na segunda edição do programa, quando os papéis se inverteram: seis rapazes tentavam conquistar o coração de uma mulher.

"AMOR A BORDO" – Ô vidinha mais ou menos: sete homens e sete mulheres, todos solteiros, se conheciam durante um passeio de iate por ilhas paradisíacas do litoral do Rio e de São Paulo. Após nove semanas de viagem – animada por uma série de provas –, os pombinhos mais entrosados ganhavam um cruzeiro num navio de luxo.

"ESSA É PRA CASAR" – Versão bem mais animada dos concursos de miss. A candidata eleita a mais bonita pela platéia levava R$ 5 mil, além de uma bênção de Santo Antônio.

"GUERRA DO SONO" – Que tal ficar 24 horas sem dormir? Este era o desafio lançado aos participantes deste *reality show*. E ninguém podia recorrer a banhos frios, café ou qualquer bebida estimulante para manter os olhos abertos. Depois de um dia inteiro acordados, os insones ainda tinham de participar de uma série de provas. O último a fechar os olhos era o vencedor.

"SUPERCHANCE" – O candidato encara desafios esportivos e concorre a boladas na reta final. O primeiro desafio – acertar dez cestas de basquete consecutivas – valia R$ 25 mil ao vencedor. Mas não foi nada fácil levar o dinheiro para casa. O prêmio foi acumulando até um felizardo cravar as dez cestas e faturar R$ 100 mil. Só então mudava a modalidade: sinuca, futebol de praia, boliche, golfe... Já rolou de tudo.

"LATA VELHA" – Sucesso total. Sabe aquele carro caindo aos pedaços que você tem na garagem? Pois ele pode ficar novo em folha, tinindo, se você conseguir uma vaga neste quadro do Luciano Huck.

"LAR DOCE LAR" – Que tal reformar sua casa sem gastar nada e em tempo recorde? Luciano Huck realiza esta mágica – e o sonho dos telespectadores – com a ajuda do arquiteto Marcelo Rosembaum. Decoração, mobília, tudo muda a jato, enquanto o drama das famílias, quase sempre necessitadas, é reconstituído no programa. Sucesso total.

Caldeirão do Huck

2001

três vezes murilo!

Não faltou trabalho a Murilo Benício na nova novela de Gloria Perez! Em *O Clone*, o ator desempenhou três papéis: Lucas, que se apaixona por Jade (Giovanna Antonelli), o irmão gêmeo Diogo, morto num acidente de helicóptero no início da novela, e o clone Léo, criado secretamente pelo cientista Albieri (Juca de Oliveira) a partir das células de Diogo.

Muita gente jurava que a história de clones nunca daria certo. Morderam a língua...

meu deus! Nunca se viu triângulo amoroso como o dessa novela: apaixonada pelo quase sempre carrancudo e monocórdio Lucas, Jade acaba se envolvendo também com Léo, a versão 20 anos mais jovem – e descontraída – de sua antiga paixão.

Mas a ousadia de Gloria Perez foi além. A trama era pontuada pelo debate sobre os riscos e a ética da clonagem humana, o drama de viciados em drogas e a cultura do mundo islâmico, revelada no núcleo de Jade, filha de muçulmanos nascida e criada no Brasil. Detalhe: O Clone estreou apenas três semanas depois dos ataques terroristas de 11 de setembro de 2001, que apresentaram ao planeta a fúria do fanatismo religioso.

de volta Albieri não era o único que usava jaleco branco e falava sobre clonagem. Doutor Molina (Mário Lago) e Miss Brown (Beatriz Segall), os médicos de *Barriga de Aluguel* (1990), também apareceram em *O Clone* para opinar se valia ou não a pena investir na cópia de seres humanos. Foi a última aparição de Mário Lago na TV. O ator morreu em maio do ano seguinte, aos 90 anos.

o vício na vida real... A realidade mais uma vez roubou a cena na novela de Gloria Perez. Depois das crianças desaparecidas *(Explode Coração),* chegava a hora de expor o drama dos dependentes químicos. Carlos Vereza, Cissa Guimarães e Nana Caymmi, entre outros famosos, deram seus depoimentos sobre o tema.

... e na ficção Em *O Clone,* Mel (Débora Falabella), Lobato (Osmar Prado) e Nando (Thiago Fragoso) vivem o drama de quem não consegue manter distância do álcool ou das drogas. Numa das cenas mais fortes da novela, Mel revira gavetas e armário em casa e chega a beber perfume durante uma crise de abstinência.

final feliz No fim de tudo, Mel e Nando entram para os Narcóticos Anônimos e abrem uma clínica para viciados em drogas.

palmas pra ela Pelo trabalho em *O Clone,* Gloria Perez foi homenageada pela Associação Brasileira de Alcoolismo e Drogas (Abraad), eleita Personalidade do Ano pelo Conselho Estadual Antidrogas (Cead/RJ) e premiada até pelo FBI, a polícia federal norte-americana.

"não é brinquedo, não" Nem tudo era conversa séria em *O Clone.* Para quem curte papo furado, o Bar da Dona Jura, em São Cristóvão, era a grande pedida. Solange Couto, que vivia a feliz proprietária do estabelecimento, imortalizou o bordão "não é brinquedo, não". O bar recebeu visitas ilustres como Pelé, Zeca Pagodinho, Ronaldinho Gaúcho e Jorge Aragão.

comprinhas no marrocos Além de Jade, caidinha por dois brasileiros, o núcleo muçulmano contava com o sábio Ali (Stênio Garcia), Zoraide (Jandira Martini), porta-voz dos costumes tradicionais, e o bígamo Said (Dalton Vigh). A equipe de *O Clone* ficou 40 dias gravando no Marrocos. Por onde passou, fez a alegria dos comerciantes, comprando acessórios e bugigangas para colocar em cena.

inshalá O *Clone* revelou diferenças culturais entre árabes e brasileiros e popularizou expressões como "maktub", "inshalá" e "arder no mármore do inferno", que caíram na boca do povo.

lá fora *O Clone* fez sucesso pelo mundo afora. O programa foi comprado por 53 países, do Chile à Romênia. No canal Telemundo, voltado para a comunidade hispânica dos Estados Unidos, a novela aumentou em 60% a audiência média do horário em que foi transmitida.

ASPAS

Graças ao tio Ali, hoje consigo ser querido pelas mulheres. É como se eu tivesse me transformado de repente em *sex symbol*, aos 70 anos. É a força do veículo. E é claro que isso interfere na emoção das pessoas. Uma vez, eu estava com a minha mulher andando na rua, quando fui agarrado por 15 moças, de brincadeira. Elas me beijavam e me abraçavam, e a minha mulher se divertia com aquilo." (Stênio Garcia)

NÚMERO Sabem quantos vestidos os figurinistas trouxeram do Marrocos? **700.**

Esmeralda (Camila Pitanga), capaz de tudo para conquistar Guma

histórias de pescador

Adma (Cássia Kiss) e Félix (Antônio Fagundes) não poupam esforços nem maldades para conseguir dinheiro e poder. O casal de golpistas, que vivia escondido na Espanha, já chega ao Brasil disposto a tudo: mata Bartolomeu (também Antônio Fagundes), irmão gêmeo de Félix, e se apossa de sua fortuna. Quando descobrem que a vítima deixou herdeiros, mandam um capanga atrás de Arlete (Letícia Sabatella) e seu filho recém-nascido. O bebê, porém, escapa do massacre. O cesto em que estava cai no mar e "navega" até o barco de Eulália (Cristiana Oliveira), cujo filho acabara de nascer morto. A bela morre logo depois, devido a complicações do parto, mas o pescador Frederico (Maurício Mattar), seu marido, se encarrega de cuidar da criança. E assim começa a saga de Guma (Marcos Palmeira), o bebê perdido que cresce e se torna herói de *Porto dos Milagres*, de Aguinaldo Silva e Ricardo Linhares.

arretada Quem diria que aquela menina meiga e sonhadora mataria alguém? Foi o que aconteceu com Rosa Palmeirão (Luiza Tomé), condenada a 20 anos de prisão por assassinar o estuprador de sua irmã caçula. Solta – sem papas na língua e com coragem de sobra –, Rosa Palmeirão volta a Porto dos Milagres e abre um bordel, terror das beatas da cidade. Nas horas vagas, ela ainda luta para descobrir o paradeiro do filho da finada Arlete, sua irmã, e desvendar a identidade do assassino dela.

ele voltou! O deputado Pitágoras (Ary Fontoura), aquele corrupto que tinha uma paixonite por Altiva em *A Indomada*, voltou. E, como ninguém pôs vassoura atrás da porta, o que era para ser uma visitinha durou até o fim da novela.

A volta do personagem, é claro, agradou o público. Autor das duas novelas estreladas pelo político, Aguinaldo Silva afirma que não há nada mais natural do que Pitágoras continuar dando as caras em suas tramas. Afinal de contas, na vida real, os envolvidos em propinas e caixa dois volta e meia reaparecem...

testando

1. Rosa Palmeirão acaba tendo um caso com:
- a) O sobrinho Guma
- b) Félix, o cúmplice de Adma
- c) O pescador Frederico

2. Qual o nome do bordel fundado por Rosa Palmeirão?
- a) Bataclã
- b) Centro de Lazer Noturno
- c) Casa dos Prazeres

Respostas: 1-b / 2-b

Os Maias

obra-prima

O desafio era imenso: adaptar para a TV *Os Maias*, obra-prima de Eça de Queiroz. O diretor Luiz Fernando Carvalho convocou para os papéis principais Ana Paula Arósio e Fábio Assunção e ainda revelou ao país o talento de uma atriz estreante na TV, Simone Spoladore. Com roteiro de Maria Adelaide Amaral, a versão televisiva fez jus à obra do autor português.

inesquecível Quem viu não esquece. Na cama – em sua última noite de paixão – os irmãos Carlos Eduardo (Fábio Assunção) e Maria Eduarda (Ana Paula Arósio). Um tabu se quebrava ali.

na terrinha Nunca uma produção da Globo ficou tanto tempo sendo gravada no exterior. A equipe de *Os Maias* passou seis semanas em Portugal. Metade do elenco e 95 funcionários da área técnica participaram da operação, que mobilizou também 50 portugueses.

testando

1. Por que o patricarca Afonso da Maia (Walmor Chagas) era contra os romances do filho Pedro (Leonardo Vieira) e do neto Carlos Eduardo (Fábio Assunção)?
   a) Os dois se apaixonam por judias. Na época, as famílias católicas não se envolviam com pessoas de outras religiões.
   b) Suas mulheres, além do passado nebuloso, não faziam parte da alta sociedade lisboeta.
   c) Afonso sabia que a mulher de Pedro era adúltera e desconfiava de que a esposa de Carlos estava planejando uma viagem sem volta ao Brasil.
2. Que ator narrou *Os Maias*, como se fosse o próprio Eça de Queiroz?
   a) Raul Cortez
   b) Antônio Fagundes
   c) Carlos Alberto Ricelli

Respostas: 1-b / 2-a

pegando fogo

PRESENÇA DE anita

Pobre Fernando (José Mayer). Em plena crise conjugal com Lúcia Helena (Helena Ranaldi), o escritor viaja com a mulher e os dois filhos para a cidade natal dela e dá de cara com uma dessas ninfetas irresistíveis de livro de Nabokov. O nome dela: Anita. O resultado do encontro todo mundo viu: uma dessas paixões incendiárias (de verdade), que terminam mal, muito mal. Com 16 capítulos, a minissérie *Presença de Anita,* de Manoel Carlos, esbanjou sensualidade em cenas de sexo e nudez embaladas pela música de abertura *Ne me quite pas,* de volta às paradas de sucesso.

revelação Manoel Carlos queria que o papel principal fosse dado a uma atriz desconhecida. Mais de 100 jovens se candidataram para viver a personagem. Ganhou Mel Lisboa, estudante de cinema da Universidade Federal Fluminense (UFF).

doidos demais

Rui (Luiz Fernando Guimarães) e Vani (Fernanda Torres) são noivos e vivem entre tapas e beijos em meio a situações surreais e conversas impagáveis. De preferência, sobre sexo. Com texto de Alexandre Machado e Fernanda Young e direção de José Alvarenga Júnior, *Os Normais* entrou no ar para durar 12 episódios, mas fez tanto sucesso que se prolongou por três anos e virou até filme, sucesso de bilheteria.

sem roteiro Na última cena de cada episódio, Luiz Fernando Guimarães e Fernanda Torres ficavam livres para improvisar. E eles aproveitavam: falavam sobre o que lhes dava na cabeça e quase sempre acabavam caindo na gargalhada. Eles e o estúdio inteiro.

bem acompanhados Volta e meia, Rui e Vani viravam para a câmera e buscavam a cumplicidade do telespectador, conversando diretamente com ele.

De vez em quando, recebiam a companhia de convidados especiais. Antônio Calloni, Murilo Benício, Cláudia Abreu, Zezé Polessa e Diogo Vilela foram alguns dos que contracenaram com o casal mais desbocado da TV. Mas quem ficou mais tempo no ar com Rui e Vani foram Selton Mello e Graziella Moretto, que ganharam papéis fixos na última temporada do humorístico.

CENA

Rui e Vani no elevador. Ela usa uma camisola preta de seda como vestido (fica bom, parecendo um traje de noite ousado).

Rui: Você vai insistir nessa criancice?

Vani: Camisola de seda pode usar como vestido. É a última moda em Paris.

Rui: Ah, sim, é a última moda entre as piranhas de Paris.

Vani: Você usou as toalhas, eu vou usar a camisola. Antes que não caiba mais.

Rui: É? Então, em represália a essa sua atitude infantil, eu vou passar o resto da noite começando todas as frases com "veja bem".

Vani: Não entendi.

Rui: Veja bem: vou explicar pela última vez. Tudo que eu falar, eu vou começar assim, com "veja bem".

Vani (achando graça): Você acha que isso vai me irritar?

Rui: Veja bem: eu compreendo que isso seja irritante, mas vai ser assim.

Vani (já irritada): Pode falar "veja bem" um trilhão de vezes que eu tô cagando!

Rui: Veja bem: eu não acho que esse seu linguajar seja apropriado.

Rui e Vani entram em um restaurante.

Vani: Desde quando restaurante português é restaurante chique?

Rui: Veja bem: Portugal fica na Europa e todo restaurante europeu é chique.

essa família é muito unida

Lineu (Marco Nanini) continua dando sermão no genro Agostinho (Pedro Cardoso), Nenê (Marieta Severo) ainda é a mãezona e Seu Flor (Rogério Cardoso), o rei da ironia. Parece que o tempo não passou para *A Grande Família,* de volta após 26 anos fora do ar. Para garantir a boa forma, a família Silva passou por alguns ajustes. Junior, o filho combativo (personagem típico dos anos 70), ficou de fora do *remake* do humorístico. Tuco (Lúcio Mauro Filho), que era *hippie*, virou funkeiro. E Bebel (Guta Stresser) ficou mais tinhosa. Tudo para garantir as boas e velhas risadas dessa família "muito unida e ouriçada".

aperto! Na casa simples de *A Grande Família*, o aperto é grande. Mesmo porque têm que caber lá dentro não só os "moradores" oficiais, mas também toda a equipe técnica responsável pelas gravações. Resultado: nos bastidores do seriado, a câmera pode estar em qualquer lugar: nos armários, no fundo da pia da cozinha, no box do banheiro. Sem ter onde circular, os cinegrafistas acabam ficando pertinho dos atores. A produção gostou do resultado. O excesso de *closes* nos personagens deixou o programa mais intimista.

viva rogério! 24 de julho de 2003 foi um dia triste para a família Silva. Rogério Cardoso, que interpretava Seu Flor, morreu de infarto. Em homenagem ao humorista, foi reapresentado o episódio *O velhinho pocotó*, cuja trama girava em torno de seu personagem. Rogério, porém, continuou por mais algumas semanas no seriado. Todas as cenas que deixou gravadas entraram no ar. Mas, pouco depois, Seu Flor morreu também. No episódio de 11 de setembro, Nenê, em tom leve e bem-humorado, lamenta o fato de o pai não estar mais ali. Ela lembra de algumas manias dele, como a obsessão por jogos de biriba e as implicâncias com Agostinho.

Deixou mesmo saudade.

pesquisa imobiliária Onde a grande família deveria morar nesse *remake*? Guel Arraes e equipe pensaram e chegaram a um meio termo: o bairro não deveria ser emergente nem favelizado. Pesquisadores saíram às ruas para uma pesquisa de locação. O felizardo foi o bairro de Realengo, no subúrbio carioca. Toda a montagem dos cenários obedeceu à realidade social da região.

VOCÊ SABIA?

Antes de virar o taxista Agostinho, Pedro Cardoso foi o maior rival do personagem. Explica-se: o ator participou, em 1987, de um programa especial mostrando como estava a *Grande Família* 12 anos depois de sair do ar. Pedro fez o papel de um estudante de teatro por quem Bebel se apaixonava após largar Agostinho (interpretado, no especial, por Nuno Leal Maia).

a nova família

I LINEU (MARCO NANINI): Bem-comportado, caxias, honesto... enfim, uma vítima em potencial da maluquice da família. Veterinário, Lineu tem de sustentar a mulher, a prole e os agregados com o salário de fiscal sanitário. Só abandona o bom senso quando está com o copo cheio. Aí deixa a caretice habitual.

I NENÊ (MARIETA SEVERO): Forte candidata a uma futura beatificação, Nenê está sempre pronta a acobertar a confusão alheia. É ela quem cozinha, arruma a casa e se dedica em tempo integral ao maridão Lineu e às "crianças", Bebel e Tuco. Pena que nem sempre eles retribuem como deviam. Aí, a supermulher explode.

I BEBEL (GUTA STRESSER): Ela começou mimada, quase adolescente, mas finalmente ficou adulta. Bastou começar a trabalhar e sair da casa da família. Como quem depende do "Tinho" para comer tende a passar fome, Bebel precisou tomar jeito. E não é que conseguiu?

I TUCO (LÚCIO MAURO FILHO): Outro que se recusava a crescer. Foi preciso ganhar um filho de uma antiga namorada para procurar emprego. Mas Tuco está disposto a trocar sua penca de casos por Marilda (Andréa Beltrão). Mendonça (Tonico Pereira), seu concorrente, está de olho no rapaz.

I AGOSTINHO (PEDRO CARDOSO): Malandro até dizer chega, o "Tinho" da Bebel só é fiel às camisas estampadas *à la* anos 70. Agostinho já foi garçom de motel, porteiro e motorista de táxi, mas especializou-se em envolver o sogro, Lineu, em furadas. Já fez até o pobre coitado ser preso.

I MARILDA (ANDRÉA BELTRÃO): Parece mentira, mas Marilda, feliz proprietária do salão de beleza Cabelo's Hair, não tem sorte com homens. Personalidade forte, charme de sobra, a solteirona já teve um caso às escondidas com Tuco – o filho de sua grande amiga Nenê – e até se envolveu com o malandríssimo Mendonça, chefe do Lineu. Entre um romance e outro – enquanto a fila de namorados anda –, ela se dedica a mandingas e simpatias. Um dia dá certo.

I MENDONÇA (TONICO PEREIRA): Mulherengo incorrigível, o chefe fanfarrão de Lineu está sempre colocando seu funcionário-modelo nas maiores roubadas. O que Lineu tem de compenetrado, Mendonça tem de malandro... Até Marilda, que de boba não tem nada, caiu na lábia dele.

I BEIÇOLA (MARCOS OLIVEIRA): Quase um agregado da família Silva. Dono do bar da esquina, é quase tão destemperado quanto Agostinho. Já ensaiou namoro com outro homem e foi para a rua vestindo as roupas da mãe. Entre um desatino e outro, viveu uma paixão não correspondida por Nenê.

Lineu

Nenê

Bebel

Tuco

Agostinho

Marilda

Mendonça

Beiçola

O HORROR

11 de setembro. As torres gêmeas do World Trade Center, em Manhattan, desabam depois de ser atingidas, cada uma, por um Boeing 757.
Às 9h52 – apenas sete minutos depois do choque do primeiro avião com a Torre Norte –, a emissora põe no ar as imagens da tragédia.
Foi a primeira TV aberta brasileira a mostrar um *flash* do atentado terrorista nos Estados Unidos.
A programação da manhã foi substituída pela transmissão ao vivo das cenas de terror e de entrevistas com especialistas sobre as conseqüências do atentado.

de volta ao sítio

Uma bela notícia para as crianças – e para os adultos saudosos, também. A nova versão do *Sítio do Picapau Amarelo,* obra imortal de Monteiro Lobato, chega cheia de novidades e com aquelas maravilhas de sempre: Emília continua falante, Dona Benta ainda se diverte com as histórias dos netos, o Visconde de Sabugosa vive inventando maluquices...

versão infantil O papel da boneca Emília sempre coube a atrizes adultas. Dirce Migliaccio, Reny de Oliveira e Suzana Abranches se revezaram como a boneca falante de Narizinho na versão anterior do *Sítio,* de 1977 a 1986. Os tempos mudaram e agora a menina de pano é vivida por uma criança: Isabelle Drummond. A Emília também ficou diferente, menos interesseira do que antes – mas sem perder o jeito espevitado, é claro.

A nova versão do *Sítio do Picapau Amarelo* reestreou no Dia das Crianças, no programa *Bambuluá.* A atração agradou tanto que se separou do infantil comandado por Angélica e teve sua duração dobrada, de 15 minutos para meia hora. A trama também foi crescendo.

VOCÊ SABIA?

Já foi mais difícil ser Emília. Nos tempos da Suzana Abranches, de 1983 a 1986, a atriz precisava ficar quase duas horas se maquiando. Eram tantos penduricalhos que o vestido precisou ter um buraquinho, para a atriz poder ir ao banheiro. Para colocar a peruca, era preciso instalar uma armação de arame na cabeça.

Nastácia (Dhu Moraes) e D. Benta (Nicete Bruno)

Em 2002, as histórias passaram a se desenrolar por cerca de um mês. Três anos depois, elas ficaram ainda maiores: ganharam 180 capítulos, como uma novela.

bela debutante Cuca, que sempre foi um boneco grande, manipulado por controle remoto, ganhou vida num programa especial no fim do ano. Na festa de seus 15 mil anos, a jacaré se transforma em beldade (Malu Mader) para conquistar um galã, Reynaldo Gianecchini, na verdade um disfarce do Saci Pererê.

2002

Vamos dar uma espiadinha?

Nada de cenários naturais inóspitos e selvagens para testar os participantes. Depois de *No Limite*, chegou a hora do *Big Brother Brasil*. Confinados numa bela casa – cercados de câmeras por todos os lados, 24 horas por dia –, os ilustres candidatos à fama e a um prêmio de R$ 500 mil (depois aumentado para R$ 1 milhão) têm seus nervos, vaidade e caráter testados toda noite, sob a batuta de Pedro Bial, com a direção de Carlos Magalhães e direção geral de J. B. de Oliveira, o Boninho.

Bem vindos à "Nave Big Brother".

AS POLÊMICAS Quem deu o que falar no *BBB*.

I LEKA: A empresária paulista Alessandra tomou porres homéricos na primeira edição do programa, revelou sofrer de bulimia e foi flagrada pelas câmeras forçando o próprio vômito em frente ao vaso sanitário. Criou, também, um bordão: "Como assim, Bial?".

I KLÉBER "BAMBAM": O vencedor do *BBB1* conquistou a simpatia do público com pérolas como "faz parte" e "do meu modo de vista". Uma das cenas mais marcantes do programa foi seu choro quando a produção do *reality show* tirou da casa Maria Eugênia, a boneca criada por ele. A musa foi devolvida logo depois, mas Bambam, ainda em lágrimas, deu pela falta de uma parte de sua invenção: "Falta a cabeça, falta a cabeça!".

I SOLANGE: O Brasil inteiro cantou "iarnuou" com a frentista. Não conhece a música? É uma versão especial de *We are the world*, de Michael Jackson e Lionel Ritchie. A língua portuguesa também foi detonada sem dó pela participante do *BBB4*, dona de pérolas como "broco" (brócolis) e "ofurúnculo" (ofurô).

me dei mal Ser um *big brother* pode ser sinônimo de dor de cabeça. Sérgio, o franco-angolano que participou da primeira edição, quase foi obrigado a desistir do programa. É que, enquanto estava confinado na casa, a Polícia Federal descobriu que ele estava em situação irregular no país. Através de seu advogado, o cabeleireiro recorreu e garantiu sua permanência no *reality show*.

Com Joseane, do *BBB3*, não teve jeito. Enquanto deixava os marmanjos da casa de queixo caído, um jornal gaúcho publicou a certidão de casamento da jovem, registrada antes de sua vitória como Miss Brasil. Mulheres casadas não podem concorrer ao cobiçado título. Joseane perdeu a faixa.

espiadona As BBBs fizeram de tudo para não ficar nuas em frente às câmeras, mas algumas não resistiram a tirar a roupa assim que saíram da casa. Veja abaixo quem deixou o público masculino dar mais uma espiadinha:

- *BBB 1:* Xaiane, Helena e Leka
- *BBB 2:* Manuela, Thaís, Andréa e Tarciana
- *BBB 3:* Viviane, Sabrina, Samantha, Marcela e Joseane
- *BBB 4:* Antonella, Tatiana e Solange
- *BBB 5:* Natalia, Carla, Tathy Rio e Grazielli

VOCÊ SABIA?

Só uma pessoa apareceu como veio ao mundo no *BBB*. Curiosamente, não foi um dos confinados. Numa noite de paredão da terceira edição do programa, uma loira invadiu o *set* onde Pedro Bial apresentava o programa ao vivo. Só restou ao apresentador pedir ajuda: "Opa, opa, segurança, segurança!". A exibida era uma carioca de 18 anos, dançarina de um grupo de pagode, que classificou o ato como protesto contra a falta de espaço para sua banda nas rádios.

OS VENCEDORES

Edição	Período	Vencedor	Profissão
BBB 1	1–4/2002	Kléber "Bambam"	Dançarino
BBB 2	5–7/2002	Rodrigo	Adestrador de cavalos
BBB 3	1–4/2003	Dhomini	Secretário parlamentar
BBB 4	1–4/2004	Cida	Babá
BBB 5	1–4/2005	Jean Wyllis	Professor universitário
BBB 6	1–3/2006	Mara	Auxiliar de enfermagem

NÚMEROS

Criado pelo grupo holandês Endemol, o *Big Brother* virou febre em todo o mundo e fenômeno de audiência no Brasil:

- Versões do *Big Brother* já foram exibidas em **50** países até agora.
- **38** países produziram e exibiram versões do programa. **12** países africanos transmitiram a versão do *Big Brother* produzida na África do Sull.
- A casa construída no Projac já recebeu **77** inquilinos até hoje.
- Cerca de **600** profissionais participam de cada edição do *Big Brother Brasil*.
- Total de fitas gravadas em cada temporada: **4.500.**
- Nos quatro primeiros programas, os vencedores levaram para casa **R$ 500 mil.** Os ganhadores das duas últimas edições ganharam o dobro: **R$ 1 milhão.**

NO CARDÁPIO

Os tripulantes da nave *Big Brother* precisaram fazer muita esteira para queimar as calorias da dieta *BBB*. Desapareceram da despensa na sexta edição do programa:

- 15 quilos de queijo
- 7 quilos de sal
- 25 quilos de açúcar
- 85 quilos de arroz
- 70 quilos de feijão
- 25 quilos de farinha
- 102 quilos de carne, peixe e frango (juntos)

E no banheiro... 560 rolos de papel higiênico.

infernais

Os bastidores da Independência do Brasil, desde a vinda da família real até a volta de Dom Pedro I a Portugal. Documentário? Nada disso. Comédia mesmo, e das boas, assinada por Carlos Lombardi para o horário das 22h30.

Ao longo de 48 capítulos, o público se divertiu com o apetite insaciável de Dom João VI (Cássio Gabus Mendes/André Mattos), vítima de sucessivas traições de Carlota Joaquina (Raissa Medeiros/Betty Lago), e com as peripécias de Dom Pedro I (Marcos Pasquim). Descendentes da família real e jornalistas portugueses chiaram, mas os súditos deram boas gargalhadas com a minissérie *O Quinto dos Infernos.*

let me sing, let me sing Para uma minissérie que começa em 1785, *O Quinto dos Infernos* tinha uma trilha sonora nada aristocrática. A mistura de pop e brega, com direito a *hits* internacionais, agradou ao público. Chalaça (Humberto Martins) – melhor amigo de Dom Pedro I – perambulava ao som de *Raindrops keep falling on my head,* e Dom Pedro (Marcos Pasquim) exibia seus dotes para as damas da aristocracia, no embalo de *September,* do Earth, Wind & Fire.

testando

O título da minissérie nasceu de uma expressão usada por um dos personagens da trama para definir o Brasil colonial. Quem era?

a) Dom João IV
b) Carlota Joaquina
c) Maria, a Louca

Resposta: b

tim lopes

"A notícia que o jornalismo da Rede Globo não gostaria de dar foi, afinal, confirmada nesta tarde de domingo." Com esta frase, lida pelo apresentador Zeca Camargo, começou o *Fantástico* de 9 de junho. Depois de uma semana de investigações, a polícia confirmou as suspeitas: o repórter Tim Lopes, da TV Globo, tinha sido executado por traficantes da favela da Vila Cruzeiro quando realizava uma reportagem sobre o abuso de menores e o tráfico de drogas num baile *funk*.

No dia seguinte, o *Jornal Nacional* foi dedicado à memória de Tim Lopes. No encerramento da edição especial, William Bonner leu o seguinte texto: "Tim, você sabe que em dias tristes como o de hoje nós costumamos evitar o 'boa noite', deixando que o silêncio dos estúdios mostre toda a eloqüência de nossa dor. Mas hoje decidimos fazer diferente."

O apresentador encerrou o telejornal com aplausos. Ao fundo, na redação, toda a equipe de preto, em pé, também aplaudiu, enquanto uma imagem ampliada de Tim, sorridente, era projetada.

ASPAS

Eu chorei copiosamente, mas ninguém viu. A câmera não estava mais em mim." (William Bonner)

nós do morro

E lá vêm eles, direto do *Brava Gente*. Laranjinha (Darlan Cunha) e Acerola (Douglas Silva) ganham vida nova na série *Cidade dos Homens* para contar outras histórias do morro. Os dois amigos, de 13 anos, moram numa favela no Rio de Janeiro e enfrentam os problemas típicos desse universo, como o tráfico de drogas e a falta de dinheiro. Mas nem tudo é tristeza. As paqueras na escola, por exemplo, ajudam a aliviar a tensão...

VOCÊ SABIA?

- *Cidade dos Homens* foi exibido durante a Semana da Criança, promovida pela Globo.
- Os episódios exibidos em 2002 fizeram tanto sucesso que a série voltou nos anos seguintes. Ao todo, foram 19 aventuras, que trataram desde o tráfico até as paqueras adolescentes.
- As histórias foram gravadas, em grande parte, nas favelas Santa Marta e Rocinha, no Rio.
- Além de Darlan Cunha e Douglas Silva, todo o elenco de *Cidade dos Homens* foi formado por atores dos grupos Nós do Morro e Nós do Cinema, criados durante as filmagens do longa-metragem *Cidade de Deus*, de Fernando Meirelles e Kátia Lund.

Darlan Cunha e Douglas Silva cresceram diante das câmeras. A cada episódio, dilemas próprios da idade. Douglas foi finalista do prêmio Emmy Internacional por sua atuação no episódio "Pais e Filhos".

ponta da língua Com a palavra, Laranjinha, Acerola e sua turma.

Alemão: inimigo
Bonde: grupo, galera
Braço/*Brother*: amigo, irmão
Chapa quente: tensão, conflito
Desenrolar: conversar
Dichavar: esconder, ficar quieto
É nós/Demorou/Já é: está confirmado
Floridão: cheio de mulher bonita
Legalaize: calmo, tranqüilo
Mandar a real: falar a verdade
Partir pra guerra: conquistar a mulher
Regular: olhar para a mulher, flertar
Situação: lugar onde a galera está reunida

Tá Sobrando
14.05.2 1.08
DATA
SOM
SEQUÊNCIA
PLANO
TAKE
CAM
O2 FILMES
CDH 2005
PAULO MORELLI
ADRIANO GOLDMAN

é penta!

E nós voltamos da Ásia com o caneco na mão. Esta foi a Copa da volta por cima de Ronaldo e do grito de guerra de Galvão Bueno: "Vai que é sua...!". E lá fomos nós – 160 milhões em ação – ao som do novo hino da seleção de Luís Felipe Scolari, *Deixa a vida me levar,* cantado por Zeca Pagodinho... e pelo Brasil inteiro.

e a musa foi... Fátima Bernardes. A repórter seguiu os passos da seleção de Scolari pelo Japão e Coréia do Sul. Depois da final contra a Alemanha, os craques deram carona para Fátima no ônibus que os levou de volta ao hotel. Uma viagem regada a pagode e, é claro, entrevistas exclusivas.

MÚSICA

CANTE COM A GENTE

"Deixa a vida me levar,
Vida, leva eu
Sou feliz e agradeço
Por tudo que Deus me deu"

(*Deixe a vida me levar*, Zeca Pagodinho)

no delay A tecnologia ainda não conseguiu driblar o *delay*, um atraso na transmissão de informações via satélite. As notícias, divulgadas ao vivo direto do Japão, demoravam até 2,5 segundos para chegar ao Brasil – e vice-versa. Resultado: durante a Copa, o que mais se viu foi repórter em silêncio, diante da câmera, à espera de uma pergunta feita do outro lado do planeta. Bonner e Fátima combinaram uma estratégia para reduzir – ou eliminar – esses silêncios constrangedores. Antes de entrarem no ar, eles combinavam uma palavra-chave. Quando essa palavra fosse dita, o outro já começaria a falar – antes de a frase inteira ser concluída. Por exemplo: "Fátima, o que o Felipão disse para você hoje sobre a contusão do Ronaldinho?". Quando a pergunta estava no meio (a palavra-chave, por exemplo, seria "você"), Fátima já começava a responder.

Adeus, *delay*.

RECADO PARA AS CRIANÇAS

Na véspera do início da campanha nacional de vacinação contra a poliomielite, Bonner e Fátima prepararam uma surpresa para o telespectador. Da bancada do *Jornal Nacional*, no Rio de Janeiro, Bonner – que ficou em casa com os trigêmeos – acionou a mulher no Japão:

– Ah não, Fátima, espera um pouquinho. Antes de terminar, tem muita gente aqui querendo que você mande um recado para as crianças.

O público arregalou os olhos. Fátima mandaria beijos para os filhos?

– Ah, então eu vou mandar um recado para todas as crianças brasileiras: todas têm que ser vacinadas amanhã.

ASPAS

Teve dias em que a Fátima ancorou o jornal do aeroporto. Aquela confusão desgraçada e a coordenação toda feita por um celular. E cada vez que a Fátima mudava de cidade, eu perguntava onde ela estava. Isso acabou virando um bordão. Recebi *e-mails*, telefonemas, saía nos jornais, nas revistas, todo mundo comentava. Eu perguntava: 'Onde está você, Fátima Bernardes?', em tom quase de súplica. 'Pelo amor de Deus, onde está você? Eu fiquei com três filhos aqui!'"

(William Bonner)

autógrafos, por favor

A agente de novos talentos Maria Clara Diniz (Malu Mader) era um sucesso total: rica, bonita, famosa, freqüentadora assídua de capas de revistas. Invejada à beça. E foi aí que ela começou a penar em *Celebridade*, de Gilberto Braga. Porque na nova novela do autor de *Vale Tudo* o que não faltava era gente disposta a qualquer coisa para se livrar do anonimato – com muito dinheiro no bolso, de preferência. Quem não queria estar no lugar de Maria Clara?

venenosa Tirem as crianças da sala, porque Laura Prudente da Costa (Cláudia Abreu) chegou para acabar com Maria Clara e tomar seu lugar em casa e na empresa. Com um lenço colorido atado ao pescoço (como uma espécie de coleira) e um vocabulário nada católico na ponta da língua, ela protagonizou cenas de maldades explícitas e de perversões impagáveis ao lado de seu *partner* nessa guerra por fama e dinheiro: o michê Marcos (Márcio Garcia).

"Cachorra", dizia Marcos em meio a tórridas cenas de "amor" e cinismo. Casal 20 destes novos tempos.

gravando

Laura: Homem é só a terceira coisa que eu mais curto.
Marcos: Terceira? Legal, tô sabendo. Em primeiro lugar vem a grana... e o segundo lance, é o que mesmo?
Laura: Poder. Fama. O mundo na minha mão. Os nossos planos tão mais firmeza do que nunca. Ferrar a vagaba da Maria Clara, então, tá que é firmeza só. Sexo, prazer... isso tudo vem depois.
Marcos: Bom, amor, nesse caso...
Laura: Amor? Que que é isso?

página policial E Fábio Assunção também virou vilão. No papel do inescrupuloso jornalista Renato Mendes – editor da revista de celebridades *Fama* –, ele aprontou o quanto pôde para destruir Maria Clara e conquistar cada vez mais poder no Grupo Vasconcelos, patrocinador da publicação.

No fim, porém, acabou demitido pelo ex-alcoólatra Cristiano (Alexandre Borges), um dos principais alvos de suas maldades. Desesperado depois da derrota, mandou sua pretensa sofisticação às favas e propôs a Marcos e Laura que eliminassem alguns rivais. Mas quem sujou as mãos num revólver foi ele mesmo. Os alvos: Marcos e Laura.

sucesso total! Darlene (Deborah Secco) era capaz de qualquer loucura para ficar famosa: forjou uma tentativa de suicídio, acusou o pai de espancá-la, tirou a roupa. A quantidade de sandices foi tanta que acabou afugentando o bombeiro Vladimir (Marcelo Faria), com quem ela insistia em namorar, entre idas e vindas e muitos vexames.

Caso perdido? Nada disto. No fim das contas tudo terminou bem, com uma Darlene arrependida e um Vladimir apaixonado devidamente casados.

nas bancas A revista *Fama*, editada por Renato, ganhou uma versão de verdade, como encarte do semanário *Quem Acontece*. Gilberto Braga assinou uma coluna social fictícia, estrelada pelos personagens de *Celebridade*.

modelitos Virou moda o lencinho que Cláudia Abreu usava no pescoço. As mais jovens se inspiraram em Deborah Secco, sempre de saias curtas e meias coloridas.

barraco Quem disse que a mocinha precisa sofrer calada? Maria Clara fez questão de se vingar das cafajestices de Laura. A bela se trancou num banheiro feminino com a arqui-rival e lhe cobriu de tabefes, enquanto enumerava todas as maldades cometidas pela picareta.

Depois da surra, Maria Clara retocou calmamente o batom e foi embora. Laura foi parar no hospital e só saiu de lá depois de repor um dente perdido e se livrar dos hematomas. Para quem perguntava, ela dizia ter sido atropelada. Foi mais ou menos isso.

apaixonadas

Abram alas para a nova Helena de Manoel Carlos. A sexta heroína da série agora é interpretada por Christiane Torloni em *Mulheres Apaixonadas*. Desta vez, ela está dividida entre o casamento sólido com o músico Téo (Tony Ramos) e o desejo de viver uma nova paixão. Desejo que se torna incontrolável quando ela reencontra o ex-namorado Cesar (José Mayer), neurocirurgião frio, exigente, muito bem-sucedido e... viúvo.

exagerada Helena sofre com um casamento sem emoções e a irmã dela, Heloísa (Giulia Gam), sobe pelas paredes, atormentada por crises alucinadas de ciúmes do marido Sérgio (Marcello Antony). Inconformada com supostas traições, Heloísa se descontrola e ataca Sérgio com uma faca. Ameaçado de morte, vítima de cobranças e desconfianças doentias, Sérgio decide se separar... e a situação só piora. Exagerada? Nem tanto. A personagem foi criada a partir de depoimentos de participantes do grupo Mulheres que Amam Demais (MADA), que Heloísa passa a freqüentar na ficção.

mau, muito mau Lembra dele? As pacatas raquetes de tênis nunca mais foram encaradas da mesma maneira por quem as viu nas mãos de Marcos (Dan Stulbach). Era com raquetadas que o psicopata de *Mulheres Apaixonadas* castigava a ex-mulher Raquel (Helena Ranaldi). Inconformado com a separação, ele protaganizou as cenas mais violentas da novela. Pobre Raquel.

má, muito má Dóris (Regiane Alves) não precisava de raquetes de tênis para maltratar os avós Leopoldo (Oswaldo Louzada) e Flora (Carmem Silva). Bastavam a língua afiada e um acervo inesgotável de insultos. Tudo porque os "velhos" passaram a morar em sua casa e – pior – ocupar o seu quarto. Depois de uma série de humilhações, veio o castigo. Carlão (Marcos Caruso) – pai da garota e

VOCÊ SABIA?

- As cenas de agressão protagonizadas por Dan Stulbach e Helena Ranaldi ajudaram a colocar na pauta do dia a legislação de combate à violência contra a mulher no Brasil. Os atores foram as estrelas da cerimônia de lançamento da nova política do governo federal sobre o assunto, lançada em agosto de 2003, quando tomou posse o novo Conselho Nacional da Mulher. O presidente Lula participou do evento e, ao empossar o novo conselho, iniciou seu discurso com a seguinte frase: "Mulheres do mundo, uni-vos contra os raqueteiros!".
- O drama dos idosos Leopoldo e Flora ajudou a acelerar a aprovação do Estatuto do Idoso na Câmara dos Deputados. Os atores Oswaldo Louzada e Carmem Silva aproveitaram a repercussão da novela para alertar sobre o estado precário do Retiro dos Artistas, asilo destinado a ex-profissionais da categoria em Jacarepaguá, na zona oeste do Rio de Janeiro.

filho do casal de idosos – puniu a filha sádica com uma surra de cinto. Foi uma das cenas de maior audiência de toda a novela.

duro de matar Estava no roteiro: Fernanda (Vanessa Gerbeli), ex-namorada de Téo, morre atingida por uma bala perdida no Leblon. E começou a confusão.

A missão mais difícil foi conseguir autorização da prefeitura para gravar nas ruas de um dos bairros mais valorizados do Rio de Janeiro. Donos de hotéis, comerciantes e moradores temiam que o episódio abalasse o turismo e reduzisse o valor dos imóveis. A polêmica foi notícia até em jornal italiano.

O aval do governo demorou, mas saiu, e Fernanda passou a integrar a lista de vítimas da violência no Rio. O Leblon continua muito bem, obrigado – cenário central das tramas de Manoel Carlos.

às ruas! A morte de Fernanda contribuiu para levar 40 mil pessoas à passeata Brasil Sem Armas, em Copacabana. Os atores gravaram em meio ao protesto, para reinvidicar a aprovação do Estatuto do Desarmamento no Congresso Nacional. A iniciativa teve efeito. O Estatuto entrou em vigor em dezembro e instituiu um plebiscito para decidir se o comércio de armas de fogo deveria ou não ser proibido. O resultado da votação, realizada em 2005, vocês sabem qual foi: sim... às armas.

NÚMEROS

A cena envolveu **400** profissionais, **120** carros e **500** tiros de festim.

deu o que falar... O romance entre as estudantes Clara (Alinne Moraes) e Rafaela (Paula Picarelli), sempre atormentadas pelos comentários maldosos da invejosa Paulinha (Ana Roberta Gualda) e pela perseguição de Margareth (Laura Lustosa), mãe de Clara, contrária ao namoro. Apesar de tantas "urucubacas" e preconceitos, as duas continuaram juntas até o fim da novela, com o apoio entusiasmado de um fã-clube na internet, de onde pipocavam pedidos para que as duas se beijassem. Na cena final, o beijo tão pedido aconteceu. Mas só no palco, durante a encenação de uma peça em que Clara e Rafaela interpretavam *Romeu e Julieta*, de Shakespeare.

olha o passarinho! Na abertura de *Mulheres apaixonadas*, os efeitos especiais deram lugar a fotos de anônimos, todas mostrando mulheres com seus filhos, maridos, parentes ou amigas. A idéia era renovar as fotos todo mês. Mas a quantidade de retratos enviados à emissora pelo público foi tão grande – mais de 100 mil –, que a vinheta passou a ser atualizada a cada 15 dias. Na última semana da novela, a abertura exibiu fotos de parentes da equipe envolvida na produção do folhetim.

ilha da fantasia

Primeiro, um furacão devasta o país. Depois, um general aspirante a ditador – Carlos Camacho (Humberto Martins) – toma o poder. Kubanacan (uma ilha fictícia no Caribe) vive tempos agitados. Parece a América Latina de décadas atrás... Pois foram os desmandos políticos deste nosso combalido território que serviram de matéria-prima para Carlos Lombardi em *Kubanacan.*

vida e obra Esteban (Marcos Pasquim) levaria qualquer biógrafo à loucura. Haja história para contar... O rapaz sofre um acidente e acorda sem lembrar seu nome, casa-se com sua salvadora, Marisol (Danielle Winits), vira pescador e depois é abandonado por ela.

Sozinho e ainda desmemoriado, muda-se para a capital, apaixona-se por outra mulher, Lola (Adriana Esteves), salva a vida do general Camacho, entra para o governo e, ufa!, ganha as eleições para a Presidência. Durante sua

gestão, enfrenta a ira do padrinho político e uma guerrilha comunista, até descobrir sua verdadeira identidade e resolver alguns de seus inúmeros dilemas afetivos.

você está aqui Duas inovações tornaram *Kubanacan* ainda mais frenética.. A tela dividida em determinadas seqüências permitia ao público acompanhar mais de um personagem ao mesmo tempo. A outra novidade era a exibição do mapa da ilha, visto de cima, para mostrar a localização de cada personagem.

testando

1. Onde estava escondida a fórmula da fênix, um dos maiores mistérios da trama?
   a) Nos seios de Marisol
   b) No uniforme do general Camacho
   c) Na tatuagem de Esteban

2. Quem, afinal, era Esteban?
   a) Seu nome era Leon. Ele veio do futuro numa máquina do tempo para impedir a destruição de Kubanacan.
   b) Era o irmão bastardo do general Camacho, Leoni Alcatraz.
   c) Um bruxo expulso de seu povoado por conversar com os mortos.

Respostas: 1-c / 2-a

de patinho feio a cisne

Pobre Ana Francisca (Mariana Ximenez). Faxineira da fábrica de chocolates Bombom, ela fisgou o coração do cobiçado Danilo (Murilo Benício) e foi punida com um banho de gosma lançada do teto pelas rivais, durante um baile da "elite" no clube local.

Com seus óculos fundo de garrafa e dentes fora do lugar, Ana Francisca saiu de cena depois do vexame... mas voltou, linda e loira,

Chocolate com Pimenta

bela, faceira e rica, para dar o troco, sete anos depois. Danilo que se cuidasse... e as invejosas também. No ar,

Chocolate com Pimenta, de Walcyr Carrasco.

receita do sucesso Numa viagem a Londres, Walcyr Carrasco experimentou um bolo de chocolate que levava pimenta e tratou de trazer a receita ao Brasil para promover sua nova novela. A campanha de lançamento de *Chocolate com Pimenta* foi temperada por um festival gastronômico promovido em restaurantes do Rio e de São Paulo. No cardápio, delícias preparadas com essa inusitada combinação de ingredientes, todas batizadas com nomes dos personagens da trama.

será que ela é? E esta menina aí do lado? Sabem quem é? Ele mesmo, Kayky Brito.

O ator – em plena adolescência e campeão de cartas de fãs na Globo – ouviu muita piadinha no colégio onde estudava quando aceitou o papel... Mas valeu a pena. O pesonagem dele, Bernardete, foi um dos maiores sucessos da novela. O porquê desse vestido – e desse penteado? Perguntem à mãe dele, a, digamos, distraída Jezebel (Elizabeth Savalla). Ela jurava que o filho era uma menina...

VOCÊ SABIA?

A fábrica Bombom deixou muita gente com água na boca, mas quem visitava os estúdios saía de lá meio jururu. É que os chocolates usados em cena eram todos cenográficos. A produção da novela criou 10 mil quitutes de 15 formatos diferentes. Todos de plástico. Para enganar a fome, o elenco atacava doces e pãezinhos recém-saídos do fogão a lenha que fazia parte do cenário. Em poucas semanas, o diretor Jorge Fernando recuperou 10 dos 22 quilos perdidos em uma dieta.

testando

1. *Chocolate com Pimenta* foi a segunda incursão de Walcyr Carrasco pelos anos 20. Qual foi a primeira?
   a) *A padroeira*
   b) *O Cravo e a Rosa*
   c) *Fascinação*

2. Quem era o principal aliado da faxineira da fábrica?
   a) O dono da empresa, o poderoso Ludovico (Ary Fontoura)
   b) O pai de Danilo, responsável pela fabricação dos chocolates, Almeida Franco (Raul Cortez)
   c) A irmã de Danilo, Amelinda (Vera Holtz), sucessora de Ludovico na empresa

Respostas: 1-b / 2-a

sete mulheres

diário de uma espera Província do Rio Grande, 1835 a 1845. Dez anos de conflitos entre os "farrapos" liderados pelo insurgente Bento Gonçalves (Werner Schünemann) e as tropas do Império. A Revolução Farroupilha é o pano de fundo da minissérie *A Casa das Sete Mulheres*, baseada na obra homônima da escritora gaúcha Letícia Wierzchowski.

A saga de Bento Gonçalves é narrada pelas sete mulheres de sua família, exiladas na Estância da Barra durante a caça ao líder dos farrapos. Esse longo exílio é o cenário de amores interrompidos e sonhos fulminados a tiros de canhão – cenas inesquecíveis dirigidas por Jayme Monjardim e Marcos Schechtman.

Thiago Lacerda

Werner Schünemann

guerra particular Nada de ficar trancada em casa. O negócio de Anita (Giovanna Antonelli) é lutar. A guerreira catarinense abandona o marido para cerrar fileiras ao lado de Giuseppe Garibaldi (Thiago Lacerda), um dos comandantes da Guerra dos Farrapos.

Desde a primeira vez em que vê o revolucionário, a quem define como "um bardo que parece Jesus Cristo", Anita se apaixona. Mas a batalha amorosa não será nada fácil. Anita tem uma rival: Manuela, sobrinha de Bento Gonçalves e dona do diário de onde sai toda a história de *A Casa das Sete Mulheres*.

O público torceu por Manuela, mas Anita levou a melhor. Diz a lenda que Manuela se vestiu de branco até o fim de seus dias, à espera do amado...

do outro lado da vida Rosário (Mariana Ximenes), sobrinha de Bento Gonçalves, vivia um amor proibido com o capitão das tropas imperiais, Estevão (Thiago Fragoso). Além de ser inimigo do líder dos farrapos, Estevão enfrentava um outro problema: estava morto! Era um fantasma que cismava em aparecer – e desaparecer – para a personagem.

O drama do casal rendeu algumas das cenas mais comoventes da minissérie. Rosário e Estevão só se uniram no último capítulo, quando ela foi encontrada morta pela família. Só assim os amantes se encontraram para ser felizes para sempre – literalmente.

tour As gravações externas da minissérie foram realizadas em quatro cidades do Rio Grande do Sul: Cambará do Sul, São José dos Ausentes, Pelotas e Uruguaiana. Nesta última cidade aconteceram as cenas de batalhas, que envolveram mais de 150 figurantes por dia.

VOCÊ SABIA?

- O diário de Manuela foi todo ele escrito, ou melhor, desenhado com muito zelo, por um calígrafo.
- A minissérie marcou as estréias de Werner Schünemann e Camila Morgado na televisão.

VOCÊ SE LEMBRA?

Bento Manuel (Luís Melo) era o principal rival de Bento Gonçalves. O grande vilão da minissérie teria feito um pacto com o diabo através de Teiniaguá, princesa moura que aparecia para ele numa cachoeira e se transformava em lagarto. A figura folclórica foi interpretada por Juliana Paes, que, durante toda a minissérie, não abriu a boca uma vez sequer.

as sete mulheres (a partir do alto, em sentido horário): Caetana (Eliane Giardini), Maria (Nívea Maria), Ana Joaquina (Bete Mendes), Perpétua (Daniela Escobar), Rosário (Mariana Ximenes), Manuela (Camila Morgado) e Mariana (Samara Felippo).

justiça

Chegou a hora de reconstituir crimes clássicos ou misteriosos, que chocaram ou intrigaram o país e entraram para a história da Justiça no Brasil. A equipe do *Linha Direta* voltou a juntar jornalismo e dramaturgia, imagens de arquivo e simulações afiadas para resgatar dramas como o assassinato de Ângela Diniz ou o "suicídio" do jornalista Wladimir Herzog nos porões da ditadura. Com atores consagrados em cena e uma história bem contada por edição, o *Linha Direta Justiça* passou a ir ao ar uma vez por mês em edições caprichadas, elogiadas pela crítica e pelo público.

NA PAUTA DO LINHA DIRETA JUSTIÇA

- O desaparecimento da milionária Dana de Teffé.
- Hosmany Ramos, o cirurgião que largou o bisturi e virou criminoso.
- O suicídio do jornalista Vladimir Herzog nos porões da ditadura.
- A controversa morte da *socialite* Zuzu Angel na época do regime militar.
- O naufrágio do barco *Bateau Mouche*, no Réveillon de 1988.

mistérios A série *Linha Direta Justiça* foi seguida pela reconstituição de casos clássicos de mistério e espiritualidade. Em *Linha Direta Mistério*, histórias do "outro mundo" passaram a ser reconstituídas. Um dos programas de maior sucesso tratou das cartas psicografadas por Chico Xavier (Gracindo Jr.), que inocentaram réus nos tribunais. Nessas cartas, os próprios mortos – vítimas de crimes – enviavam mensagens do além para defender a inocência dos acusados.

de volta às estradas

O público pediu, enviou cartas, fax, *e-mail*, os caminhoneiros viviam cobrando... Deu certo. Vinte e dois anos depois de se separarem, Pedro (Antônio Fagundes) e Bino (Stênio Garcia) se reencontram na volta de *Carga Pesada*. Bino, agora dono de sua própria empresa de transportes, procura o amigo para uma última viagem quando suspeita de que sofre de um câncer terminal. A suspeita não se confirma e a dupla continua na estrada até hoje, para alegria dos fãs.

túnel do tempo Fagundes e Stênio comemoraram a volta do seriado. Há tempos os atores sonhavam ressuscitar o programa, mas um deles sempre estava com a agenda ocupada. Além de festejarem a volta de Pedro e Bino, a dupla ficou feliz da vida com a inserção de *flashbacks* dos bons e velhos tempos. Para reconstituir o passado, eles não precisaram "rejuvenescer" na sala de maquiagem. Bastava reexibir as cenas de duas décadas atrás. "Não vai precisar puxar nossos olhos e rugas com esparadrapo, como fizeram em *O Clone*", brincou Stênio, numa entrevista.

tem seguro de vida? A passagem do tempo fez bem aos cinegrafistas. Na primeira versão do programa, eles eram amarrados à porta do caminhão para que pudessem filmar Pedro e Bino conversando dentro do veículo. Sim, os atores dirigiam de verdade.

Agora é moleza: a produção do seriado encomendou um estúdio móvel equipado com uma cabine de caminhão no centro. Nos diálogos mais longos, os atores apenas simulam que estão ao volante. O verdadeiro motorista fica na parte da frente do veículo. A cabine cenográfica é rodeada de trilhos, sobre os quais deslizam, tranqüilamente, as câmeras de última geração.

VOCÊ SABIA?

A reedição de *Carga Pesada* teria apenas quatro episódios, intitulados "A grande viagem", com paradas em Foz do Iguaçu, Juazeiro do Norte e Chapada Diamantina. Mas, com o sucesso do programa, Pedro e Bino continuam na estrada até hoje.

2004

Paulicéia desvairada

Rica, determinada e ousada, a *marchand* Yolanda Penteado (Ana Paula Arósio) tinha todas as qualidades – e defeitos também – para causar rebuliço nos anos 20. A moça chocou a sociedade ao largar o marido, apaixonar-se por um anarquista e se envolver com os modernistas da Semana de Arte Moderna de 1922, empenhados em transformar São Paulo na nova vitrine cultural do país.

Ninguém melhor do que Yolanda – uma das mulheres mais inquietas daqueles anos dourados da Paulicéia Desvairada – para dar início a uma série de homenagens aos 450 anos de São Paulo. No ar, a minissérie *Um Só Coração*, de Maria Adelaide Amaral e Alcides Nogueira, baseada em fatos e personagens reais e embalada por belas histórias fictícias.

vida real Yolanda não foi a única que passou da vida real para a telinha. Outros nomes ilustres da *high society* paulistana aterrissaram na minissérie. Ciccilo Matarazzo (Edson Celulari), Santos Dumont (Cássio Scapin), o jornalista Assis Chateaubriand (Antonio Calloni) e a trupe modernista foram retratados. A direção de arte caprichou: alguns atores, como Pascoal da Conceição (Mário de Andrade), impressionaram pela semelhança física com seus personagens.

a volta da cabocla

E lá vem ela de novo: Zuca, a cabocla tímida do interior do Espírito Santo, que se apaixona pelo jovem da capital, Luís Jerônimo (Daniel de Oliveira). Vinte e cinco anos depois de ter sido interpretada por Glória Pires (em sua estréia como protagonista), a personagem da novela de Benedito Ruy Barbosa, *Cabocla,* ressuscita na pele de uma nova atriz-revelação: Vanessa Giácomo.

de pai para filho Benedito Ruy Barbosa assina as duas versões de *Cabocla.* Desta vez, porém, quem suou mesmo a camisa foram as filhas do novelista, Edmara e Edilene Barbosa, responsáveis pela adaptação da obra. A dupla atualizou os diálogos, aumentou a participação de alguns personagens e aproveitou o fim da censura (em voga em 1979) para escrever novas cenas. O pai ficou responsável pela supervisão do texto. Marcelo, outro filho de Benedito, também participou da nova produção. É dele a música de abertura do *remake,* que na primeira versão era interpretada por Nelson Gonçalves.

livre das tesouras Em tratamento contra a tuberculose, Luís Jerônimo passa mal na fazenda onde está hospedado. A tosse chama a atenção de Zuca, que entra no quarto para saber se ele precisa de ajuda. Escrita para a primeira versão de *Cabocla,* esta cena não foi ao ar. Motivo: a censura não queria que a novela mostrasse dois solteiros conversando a sós no recinto. Mesmo porque Zuca estava noiva de outro homem... Na nova versão, livres dos censores, os dois não só conversam como se beijam.

pobre filho rico

Humilde e modesto, o botânico Paco (Reynaldo Gianecchini) leva uma vida de classe média no Rio de Janeiro e faz questão de manter distância do ambicioso Afonso Lambertini (Lima Duarte), milionário capaz de tudo para ficar ainda mais rico e poderoso. Eles viveriam separados, felizes para sempre, se não fossem pai e filho na novela *Da Cor do Pecado*.

vovô é 10 O coração de pedra de Afonso Lambertini começa a amolecer graças a um menino de 11 anos. Após salvar o empresário de uma tentativa de assassinato, Raí (Sérgio Malheiros) vira a razão de viver do velho, que, mais tarde, descobre ser seu avô. A química entre os atores deu tão certo que João Emanuel Carneiro, autor da novela, adiou a morte de Afonso, prevista para o início da trama.

Sorte de Malheiros, que teve mais tempo para aprender com o mestre Lima.

com vocês, a família sardinha Apolo (Reynaldo Gianecchini) tem quatro irmãos: Ulysses (Leonardo Brício), Thor (Cauã Reymond), Dionísio (Pedro Neschling) e Abelardo (Caio Blat). Uma família de lutadores, comandada com mão-de-ferro pela incansável Edilásia Sardinha (Rosi Campos), a "Mamuska". Ela criou sua prole para honrar o nome do saudoso marido Napoleão, imbatível nos ringues.

Com a ajuda de uma sopa mágica, que aumentava o muque da trupe toda, a família Sardinha era mesmo dura na queda. Ou melhor: quase todos eram invencíveis. Porque Abelardo (Caio Blat), o caçula, preferia mesmo estar entre *blushes* e batons, dedicado à sua vocação: a maquiagem.

rainha do lar Os Sardinhas trocaram muitos tabefes por causa de Tina (Karina Bacchi), "maria-tatame" confessa. A musa, que só namorava vencedores, trocou juras de amor com Apolo, caiu nos braços de Thor, agarrou Dionísio e até ensaiou um romance com Abelardo.

Mamuska resmungou o quanto pôde da menina, mas esqueceu a rabugice ao ganhar três netos. Um era a cara de Thor, outro parecia muito com o "Dio" e o terceiro tinha o jeito de Abelardo... A nova geração dos Sardinhas veio com nomes caprichados: Flaubert de Crecy, Agenor e Diocese.

querido papuska Napoleão Sardinha quase não apareceu na novela, mas seu rosto era presença constante em cena, graças a um retrato venerado por toda a família. O semblante orgulhoso, na verdade, é do aposentado Jamil Hamdan, de 70 anos, localizado pela produção da emissora na fase de pesquisa da novela.

Quando começaram a fotografá-lo, Jamil achou que fosse uma brincadeira. Só acreditou depois de ser clicado 60 vezes. "Acho que o corpo musculoso e uma leve semelhança com Lima Duarte ajudaram na escolha", avaliou, sem falsas modéstias.

VOCÊ SABIA?

- Taís Araújo foi a primeira atriz negra a protagonizar uma novela que não fosse de época.
- Para fazer bonito no ar, a família Sardinha suou muito antes da estréia do folhetim. Reynaldo Gianecchini, Leonardo Brício, Cauã Reymond e Pedro Neschling tiveram aulas de *kung fu*. As coreografias misturavam artes marciais com golpes... cômicos. Caio Blat aprendeu *aikido* e Rosi Campos praticou *tai-chi-chuan*. Bem zen.

testando

1. Paco é noivo da interesseira Bárbara (Giovanna Antonelli), mas se apaixona por Preta, interpretada por:
   a) Camila Pitanga
   b) Letícia Spiller
   c) Taís Araújo

2. Reynaldo Gianecchini interpreta outro papel na trama. Qual?
   a) Brito Pimenta, um primo lá do "interiorrrr", bem caipira, que passa a disputar Preta com Paco.
   b) Apolo Sardinha, irmão gêmeo de Paco. Os dois não sabem da existência um do outro.
   c) O "almofadinha" Amoedo Valadares, executivo que luta para assumir a direção das empresas de Afonso.

3. Mesmo desistindo da carreira de lutador, Abelardo encheu Mamuska de orgulho ao derrotar o campeão Maciste Brasil. Por que o maquiador encarou o combate?
   a) Para impressionar seus irmãos, que duvidavam de sua força.
   b) Para pagar as dívidas de Ulisses e salvar a academia da família.
   c) Para conseguir o dinheiro necessário a uma viagem de estudos da moda em Milão.

Respostas: 1-c / 2-b / 3-b

Giovanni Improta

loucuras de mãe

Dezembro de 1968. A retirante nordestina Maria do Carmo (Carolina Dieckmann) desembarca no Rio, acompanhada de seus cinco filhos. Em busca de emprego, o que ela encontra na cidade grande é o caos dos tempos do AI-5: estudantes nas ruas para protestar contra o regime militar e tropas em ação à caça de "subversivos".

Desorientada, só resta a Maria do Carmo aceitar a ajuda oferecida pela enfermeira Lourdes (Adriana Esteves) – a mesma "benfeitora" que foge com sua filha recém-nascida, Lindalva. Para piorar tudo, Maria do Carmo, a mãe deseseperada, ainda é presa por engano como agitadora subversiva.

No ar, um sucesso retumbante chamado *Senhora do Destino*, de Aguinaldo Silva.

três décadas depois... O carma de Do Carmo (agora interpretada por Suzana Vieira) continua. Com os filhos criados e dinheiro na conta, só lhe falta agora abraçar Lindalva, a filha desaparecida. Mas, para realizar esse sonho, ela vai precisar enfrentar a incrivelmente má Nazaré (Renata Sorrah), verdadeiro nome daquela enfermeira "solidária" de trinta anos atrás.

A retirante nordestina Maria do Carmo (Carolina Dieckmann), na primeira fase da novela

felomenal! José Wilker conquistou o público na pele do bicheiro Giovanni Improta. Apaixonado por Do Carmo, o malandro aposenta os ternos roxos e pede dicas de figurino ao elegante Barão de Bonsucesso (Raul Cortez). Giovanni também se esforça para incrementar o vocabulário. Nada que impeça um longo desfiar de pérolas impagáveis...

com a palavra, giovanni improta:

"Toca pra frente, Valdir, que o tempo *ruge*."

"Há malas que vêm de trem."

"Vou pirulitar-me."

"Então fica o dito, o não-dito pelo dito e, como sempre, vale o escrito."

"A cobra vai fumar."

"A vaca vai voar."

colaboração especial Até os figurantes ajudaram Wilker a rechear o repertório de Giovanni. Durante gravações na quadra da fictícia Unidos de Vila São Miguel, um integrante da escola de samba Grande Rio apontou para as listras de sua gravata e brincou: "Cor sim, cor não, cor sim, cor não...". A piada foi ao ar logo depois.

diante do espelho Bastava Nazaré se admirar diante do espelho para soltar comentários entusiasmados sobre a própria beleza irresistível:

- "Gostosa! Impressionante como o tempo só te valoriza."
- "Eu estou bem... estou linda, estou ótima, estou cheia de vida."
- "Loiraça gostosa, gostosona, bocão. Ah, se eu te pego!"

ASPAS

Achado não é roubado."

(Frase de Nazaré para justificar o seqüestro de Lindalva)

a malvada Saiam da frente porque aí vem Nazaré Tedesco. Renata Sorrah roubou a cena como a "ex-profissional do sexo", seqüestradora de bebê, torturadora de enteada, assassina de marido, de amante e de quem mais ousasse percorrer as escadarias de sua casa. Um de seus *hobbies* – enquanto não ameaçava dar tesouradas nos outros – era desfilar toda rebolativa, vestida em trajes hollywoodianos, soltando gargalhadas de arrepiar.

veneno Os outros, segundo a língua ferina de Nazaré Tedesco:

- Alberto (Thiago Fragoso): Macarrão sem molho
- Jacques (Flávio Migliaccio): Velho aposentado, pé na cova
- Maria do Carmo (Suzana Vieira): Anta nordestina
- Viviane (Letícia Spiller): Piranha arregalada
- Cláudia (Leandra Leal): Songa monga
- Josivaldo (José de Abreu): Flageladão

OLHA ELE ALI!

Aguinaldo Silva também deixou sua marca na abertura da novela. Ele é um dos 800 "anônimos" expostos em fotos em preto-e-branco. Os atores da trama, também misturados à multidão, surgiam coloridos no vídeo.

1968 SEM TRÂNSITO

Oitocentos figurantes participaram das gravações da passeata estudantil dos primeiros capítulos da novela, gravada no Centro do Rio. Para não atrapalhar o trânsito, o trabalho só pôde ser feito nos fins de semana. Foram necessários dois meses para a gravação das cenas.

MÚSICA

CANTE COM A GENTE

Ela é dona do jogo
Ela é dona da banca
Sabe que está podendo
E por isso brinca, brinca, brinca"

(*Dona da banca*, Aleh)

"ô, marinete"

Esta tá podendo. Líder da Associação das Diaristas do Brasil, uma das funcionárias mais atuantes da agência de domésticas do "seu" Figueirinha, Marinete (Claudia Rodrigues) trabalha cada dia numa casa e já passou por tudo quanto é perrengue.

As domésticas da vida real aplaudem de pé. Os depoimentos delas inspiraram algumas das histórias contadas no seriado *A Diarista*. Quem disse que lavar, varrer e passar não pode ser divertido?

FIGURAÇAS

- Seu Figueirinha (Sérgio Louzada): O dono da agência Dia-a-Dia Diaristas é um malandro daqueles incorrigíveis e irresistíveis. Atrasa os pagamentos, dá em cima de todas as funcionárias e já fez até a "tchutchuca" preferida dele, Marinete, virar estrela de *reality show*.
- Dalila (Cláudia Mello): Vizinha de Marinete, adora a mesa farta e tem uma relação de amor e ódio com o marido. Vive apanhando em casa, mas, como é parruda, bate ainda mais forte.
- Ipanema (Helena Fernandes): Como homem é "tudo frouxo", a bombeira fez questão de se emancipar. Conserta pia, troca encanamento e dirige uma Kombi por aí, fazendo frete. Mas os jeans surrados não escondem suas belas curvas, que deixam os homens do bairro de queixo caído.
- Solineuza (Dira Paes): Distraída e ingênua demais, para não dizer completamente "pôia", segundo definição da nada sutil Marinete, Solineuza fala uma bobagem depois da outra e sempre mete a amiga em enrascadas.

DICIONÁRIO DA MARINETE

Bom de cama: Marido que só deita e dorme.
Carro de Fórmula 1: Pessoa que pisa na balança e vai de zero a 100 em um minuto.
Homem café: Deixou esfriar, a coisa perde o jogo.
Homem morango: Gostoso, mas estraga fácil.
Jiboiar: Fazer a digestão daquilo que comeu no dia anterior.
Mulherão: Aquela que não chama atenção, parece alface em prato de gordo – Marinete, como vocês sabem, é *mignon*.

elas estão descontroladas

Pit (Ingrid Guimarães) está em crise. Indecisa, ela tem três cursos incompletos no currículo, não quer voltar para Brasília, onde nasceu, e não consegue arrumar marido.

Belinha (Heloísa Perissé) tem homem até demais. A ex-*socialite* carrega quatro casamentos frustrados nas costas. De um dos ex-maridos, herda um bar falido e um garçom desastrado.

As duas se conhecem e pronto: decidem unir forças – e fraquezas – em *Sob Nova Direção*.

OS BONS COMPANHEIROS

I Franco (Luiz Carlos Tourinho): Dublê de garçom, o baixinho invocado espanta a clientela que reclama de seus serviços. Como seu nome já anuncia, não agüenta esconder o que pensa. A língua ferina só é recolhida com as patroas, que vão continuar visitando o amigo depois de passarem o bar para Horácio.

I Horácio (Otávio Müller): "Franco, me serve um chope aí!" O sonho de Pit e Belinha é que, cada vez que ouvissem a ordem do beberrão, uma graninha pingasse no caixa. Que nada! Caloteiro, o freguês número um (e, muitas vezes, único) do bar aluga o estabelecimento depois de ganhar no bicho.

I Moreno (Luis Miranda): Nos "anos dourados", foi mordomo de Belinha. Agora sobe no palco e incorpora Carmen Miranda, tudo para encher o bar da antiga patroa. Os dotes artísticos vêm acompanhados de um jeitão todo especial na cozinha. A Muqueca da Virgem Baiana Quente, sua especialidade, tem público cativo.

fruto proibido Fãs de homens com uma boa "pegada", volta e meia Pit e Belinha quase partem para a ignorância na disputa por companhia. Faltou pouco para as duas saírem no tapa por causa de Bráulio (Rafael Calomeni), funcionário-modelo do bar. Não tanto pelos talentos como garçom, mas pela pinta de galã. O pior é que o rapaz surgiu quando as amigas estavam no meio de uma "greve de homens".

Guilherme (Alexandre Borges) também provocou um barraco. Primeiro ele se enroscou com Belinha em Paris, nos tempos em que a *socialite* ainda era casada. Anos depois, o *bon vivant* chamou Pit para bater pernas pela mesma cidade. A trintona carente ouviu os sinos da igreja e quase fez as malas. Só não decolou porque Belinha, irritada com o convite, baixou um ultimato: ou ele ou ela. Pit preferiu manter a parceria.

arquivo confidencial

Ser promovido a chefe do Fichário Ministerial de Documentos Obrigatórios, ou FMDO, não é para qualquer um. Tales (Selton Mello), arquivista zé-ninguém, fica deslumbrado com o novo cargo e assume o poder com Leda Maria (Andréa Beltrão), uma estagiária balzaquiana, a tiracolo. Espera festa, bolinho e bajulações, mas só encontra três funcionários, nenhum deles informado sobre quem é o novo manda-chuva da repartição.

Na ditadura, o FMDO era uma instituição importante, onde oitenta e tantas pessoas batiam ponto. Aos poucos, o trabalho foi diminuindo até que o novo governo desistiu de recolher os documentos dos cidadãos. Aí, não sobrou nada para o trio sobrevivente fazer, a não ser enrolar durante o horário do batente. Tales quer acabar com a mamata. Surge, assim, um escritório fundamental para a conscientização da sociedade brasileira: o Falar Mal Dos Outros, onde todos os egoístas, presunçosos, caras-de-pau e ex-amantes dos servidores são punidos pelos burocratas de plantão.

Está no ar o seriado *Os Aspones*, escrito pela mesma dupla de *Os Normais*, Fernanda Young e Alexandre Machado. Se você receber uma carta de convocação, cuidado. O FMDO sabe tudo.

ES. NOT. NA. TE. TI. (*Esta Nota Não Tem Título*)

Tales trouxe uma inovação revolucionária na comunicação dentro do FMDO: os memorandos cifrados. A chave desses relatórios, segundo o chefão, são as abreviações. O problema é que a mente maldosa dos funcionários tornava quase impossível decifrar os códigos. Será que você consegue entender as ordens do poderoso diretor do FMDO?

1. PAL. SÓB. SEXUAL. LOCA. FIC. AGORA.
2. CA. AGO. GERAL. TODOS FU.
3. TODOS S. M. COMO SE. XI. SHOP.

Respostas:
1. Palestra Sobre Sexualidade. Local: Fichários. Agora.
2. Cantinho do Café Agora. Reunião Geral. Todos os Funcionários.
3. Todos: Seminário Motivacional "Como se Xingar". Workshop.

2005

Sol e tião

Ela sonha "fazer a vida" nos Estados Unidos. Ele luta para ser um campeão dos rodeios no Brasil. Sol (Deborah Secco) e Tião (Murilo Benício) são os protagonistas da nova novela de Gloria Perez, *América*. E como sofrem! Sol vive os dramas de uma imigrante ilegal nos Estados Unidos. Tião enfrenta a fúria do touro Bandido. No meio do caminho, eles se perdem e se reencontram.

latina Para se despedir da deslumbrada Darlene de *Celebridade* e entrar na pele da sofrida Sol, de *América,* Deborah Secco chegou a trabalhar na filial de uma lanchonte *fast-food* em Nova York, sem se identificar como atriz. Para os funcionários, ela era apenas mais uma latina ilegal no país. Já nas primeiras horas de trabalho, Deborah sentiu o drama. O gerente a obrigou a esfregar o chão e, assim que ela concluiu o serviço, ele sujou tudo de novo, só de molecagem. Deborah descreveu o "laboratório" como "quatro horas de muita humilhação".

mão na cabeça! Deborah não foi a única a passar perrengue na terra do tio Sam. Quando foi gravar em El Paso, no Texas, a equipe da novela teve todo o material apreendido. O diretor Jayme Monjardim ficou detido por seis horas. Só foi solto depois de explicar aos policiais o que estava fazendo ali, na fronteira do México com os Estados Unidos.

piscinão da globo Como as diversas tentativas de entrar na América por terra ou pelo ar fracassaram, Sol aderiu ao jeitinho cubano de viajar e arrumou vaga em uma balsa. A chegada resultou numa saga para a produção da novela. Parte da seqüência foi gravada em uma piscina com 800 mil litros de água, com ondas "fabricadas" pela Divisão de Efeitos Especiais da emissora.

Como a travessia era feita em meio a uma tempestade, a equipe ainda teve de providenciar mais 3 mil litros de água para lançar sobre os personagens. Para que ninguém se afogasse durante as cenas, dublês, salva-vidas e mergulhadores profissionais ficaram de prontidão.

Edson Celulari e Cléo Pires

a musa da vez O quarentão Glauco (Edson Celulari) não resistiu. Bastava Lurdinha, a amiga de sua filha, dizer "Oooooooi, tio!" para ele sucumbir aos encantos da moça. Não era para menos.

Lurdinha era Cléo Pires (filha de Glória Pires), numa estréia retumbante.

terapia no ar Os modelitos caríssimos usados pela milionária Haydée (Christiane Torloni) abrigaram uma lista interminável de objetos furtados: estojos de maquiagem, isqueiro, caneta. Haydée demorou a confessar, mas sofria de cleptomania, mania incontrolável de surrupiar objetos alheios. *América* tornou o assunto popular. A cada ano, apenas uma vítima da doença procurava ajuda no Instituto de Psiquiatria da Universidade de São Paulo. Semanas depois da estréia da novela, dez pessoas já tinham iniciado tratamento no local.

um novo olhar Marcos Frota teve seis meses para aprender a lidar com a cegueira. Com ajuda de Ethel Rosenfeld, a primeira deficiente visual a ter um cão-guia no Rio de Janeiro, o ator reaprendeu a comer, atravessar

Christiane Torloni: a milionária Haydée

a rua, ir à praia, tudo de olhos fechados, para encarar a missão de dar vida a Jatobá em *América.*

O personagem perdeu a visão já adulto – mas não o ânimo. Na novela, ele treina para as paraolimpíadas e disputa o coração da advogada Vera (Totia Meirelles), uma antiga paixão. Para completar, ainda dá força a Maria Flor, menina cega sufocada – e intimidada – pelos cuidados excessivos da mãe. Um show de interpretação de Bruna Marquezine.

VOCÊ SABIA?

Enquanto a novela estava no ar, a Assembléia Legislativa da Bahia aprovou um projeto que garantia acesso irrestrito de cães-guia a instituições do estado. A matéria já tramitava na casa havia um ano.

por pouco! Junior (Bruno Gagliasso) bem que tentou agradar a mãe: namorou uma menina e, depois, se casou com outra, mas sempre fugia dos "finalmentes". Só o peão Zeca (Erom Cordeiro) conseguiu laçar a atenção do moço. Os olhares esquivos trocados pelos dois aos poucos foram dando lugar a algo mais. Só faltava a prova final de que o casal estava em paz com a homossexualidade: um beijo, algo inédito na TV aberta.

A cena exibida não mostrava o momento do beijo, mas revelava a aproximação dos personagens e sugeria a "intenção" do casal. Gagliasso foi alçado à honraria de amigo dos homossexuais e eleito, por um famoso *site gay,* o homem mais sexy do ano.

Hoje é dia de Maria

pela estrada afora

Maria (Carolina Oliveira) está sozinha. Os irmãos caíram no mundo para fugir da seca e buscar uma vida melhor. A Mãe (Juliana Carneiro da Cunha) foi vencida por uma "doença ruim" e o Pai (Osmar Prado), rendido pelos encantos da Madrasta (Fernanda Montenegro), sempre perversa com a menina.

Melhor arrumar as trouxas e procurar as "franjas do mar".

Nesta longa viagem, Maria depara com personagens mágicos e assustadores – o Maltrapilho, o Homem de Olhar Triste, os Meninos Carvoeiros. Até o coisa-ruim entra em cena para asssombrar a menina, primeiro como Asmodeu (Stênio Garcia) e, depois, sob vários disfarces.

Indignado com a esperteza da jovem viajante, Asmodeu rouba a infância de Maria, que acorda adulta (agora como Letícia Sabatella) e dá de cara com a Madastra. Ao escapar da megera, nossa viajante conhece um Príncipe (Rodrigo Rubik), com quem se casa, apesar de só ter olhos para Amado (Rodrigo Santoro).

inédito Criada e dirigida por Luiz Fernando Carvalho, a minissérie *Hoje é Dia de Maria* era diferente de tudo o que já tinha sido feito na televisão. Tea-

testando

Quem era o fiel protetor de Maria, inspirado em heróis medievais como Joana D'Arc e Dom Quixote?

a) Chico Chicote
b) Doutor Copélius
c) Pato

Resposta: a

tro, ópera, poesia, cinema, folclore, conto de fadas, marionetes criados e manipulados pelo grupo Giramundo. Tudo se misturava para dar vida ao mundo mágico de Maria, ao longo de oito capítulos. *Hoje é Dia de Maria* foi indicada como melhor minissérie (e Carolina Oliveira como melhor atriz) no prêmio Emmy Internacional de 2005.

A maior atração era o cenário de 360 graus, uma construção circular adaptada do palco do *Rock in Rio*. O domo foi todo pintado à mão. Uma façanha. A estrutura tinha 27 metros de altura e 54 metros de diâmetro. Lembra do céu que nós víamos o tempo todo? Pura pintura.

segunda jornada Em outubro, Luiz Fernando Carvalho levou a saga de Maria para a cidade grande. *Hoje é Dia de Maria, Segunda Jornada* teve cinco capítulos e personagens inesquecíveis, como o Gigante, criatura de 33 metros, com o corpo revestido de sucatas de papelão e o rosto construído com restos de alumínio usado em tubulações de ar-condicionado. Mecanismos de articulação semelhantes aos usados por ventríloquos foram instalados no boneco gigante para movimentar os olhos e a boca... que engole Maria!

amor sem fim

Amor à primeira vista, sintonia total logo de cara. E lá vem aquela sensação estranhamente romântica: a "gente se conhece há séculos". Será?

Em *Alma Gêmea,* nova novela de Walcyr Carrasco, dirigida por Jorge Fernando, o amor sem fim – herdado de "vidas passadas" – move a história de paixão entre o viúvo Rafael (Eduardo Moscovis) e Serena (Priscila Fantin), filha de índia com garimpeiro. Impressionante como ela se parece com o grande amor da vida dele, Luna (Liliana Castro), morta em um assalto 20 anos antes...

A reecarnação e a paixão indestrutível que resiste a tudo transformaram *Alma Gêmea* num fenômeno de audiência às 6 da tarde.

turma da pesada Pobre Rafael. O viúvo mais cobiçado da paróquia era perseguido pela incansável Cristina (Flávia Alessandra) e pela mãe dela, Débora (Ana Lúcia Torre), louca para ver a filha casada. As duas usavam o filho dele, o tímido e amedrontado Felipe (Sidney Sampaio), para assumir o comando da casa, enquanto esperavam dar o bote. Coitadas.

quem ama a feia... Enquanto os protagonistas vivem os mistérios da imortalidade da alma, outros só têm olhos para o corpo. Divina (Neusa Maria Faro) vive feliz da vida com a própria beleza e desfila por aí, toda metida, por ser alvo de tanta cobiça. O maridão Osvaldo (Fúlvio Stefanini) irrita-se com tanto assédio e faz de tudo para proteger a mulher dos olhares alheios.

Nada demais, se não fosse um detalhe: Divina é feia de doer. Walcyr usou a personagem para brincar com os padrões estéticos. Gordinha, nariguda e de cabelo desgrenhado, ela caiu nas graças do público e das mulheres brigadas com a balança. Abaixo as capas de revista!

"o homi qui casá cum eu..." Pobre Mirna... Desde o início da trama, a personagem de Fernanda Souza procura alguém para juntar os trapos. Pretendentes não faltaram, mas Crispim (Emílio Orciollo Netto), o irmão da caipira, é bastante seletivo. Quem não convencesse o rapaz de suas boas

intenções era jogado no chiqueiro. Vários candidatos a algo mais acabaram assim, cobertos de lama.

A menina só desencalhou no último capítulo, quando Zacarias Príncipe (Rodrigo Faro), primo distante e bem de vida, a chama de "formosa por demais" e propõe noivado. Mirna vai direto ao assunto: só quer saber de casamento. Minutos depois, lá vão eles, de aliança no dedo e em cima do cavalo, rumo à lua-de-mel.

testando

1. Deprimido desde a morte da mulher, Rafael se distraía cuidando de:
a) rosas
b) cavalos
c) orquídeas raras

2. Como termina a história de Serena e Rafael?
a) Os dois morrem.
b) Eles se casam e são felizes para sempre.
c) O amor termina quando Serena se apaixona pelo garimpeiro Amâncio.

Respostas: 1-a / 2-a

MÚSICA

CANTE COM A GENTE

"Carne e unha,
Alma gêmea,
Bate coração
As metades
Da laranja,
Dois amantes,
Dois irmãos"

(*Alma Gêmea*, Fábio Jr.)

quarenta anos!

Sim, senhor. A TV Globo, canal 4, Rio de Janeiro – que despontou lá na Rua Von Martius, no Jardim Botânico – completa quatro décadas de história. É hora de comemorar com programas retrospectivos, uma festa de gala, novas estréias e uma aventura amazônica, além da surpresa chamada *Hoje é Dia de Maria.*

se chorei ou se sorri...

Atores, diretores, funcionários, jornalistas. Todos foram à *Noite de Gala,* festa preparada pelo diretor Luis Gleiser, no Rio de Janeiro, para celebrar as quatro décadas da TV Globo. Entre um depoimento e outro, o público assistiu a duetos inéditos, como o de Xuxa e Ivete Sangalo ao som de *hits* infantis, e o de Sandy e Caetano Veloso no embalo de sucessos de novelas.

A festa começou com o Rei Roberto Carlos, ao vivo. A música: *Emoções,* é claro. Um dos grandes momentos da noite foi o show de Cláudia Raia, revivendo seus tempos de bailarina, enquanto encenava, no palco, coreografias da abertura do *Fantástico* desde os tempos da TV em preto-e-branco até hoje. Show da vida.

No palco, apresentando as atrações, Tarcísio Meira, Glória Menezes, William Bonner, Fátima Bernardes, Tony Ramos, Glória Pires, Lima Duarte, Antônio Fagundes, Faustão, Renato Machado, Glória Maria, Pedro Bial e muitos outros.

MÚSICA

CANTE COM A GENTE

Todo dia, a cada manhã
É o futuro chegando para nos despertar
Vem trazendo um novo amanhã
Mais uma chance de recomeçar
É o sol que vem iluminar
É a Globo que vem convidar
Diga bom-dia"

(*Jingle* Globo 40 Anos)

odisséia amazônica

Mais uma ousadia para festejar os 40 anos da TV Globo. E que ousadia: reconstituir, em plena selva amazônica, uma das obras mais grandiosas – e trágicas – do Brasil no início do século 20: a construção da ferrovia Madeira-Mamoré, planejada para atravessar florestas e levar a borracha colhida na Amazônia até os portos do litoral.

Escrita por Benedito Ruy Barbosa a partir do livro homônimo de Márcio Souza, com direção geral de Ricardo Waddington, *Mad Maria* foi uma saga também para o elenco e a equipe de produção.

por que mad maria? Este foi o apelido dado pelos operários norte-americanos à locomotiva durante as obras da ferrovia: Mad Maria, ou Maria Louca. Trabalhadores de vários países do mundo desembarcaram na floresta para pôr o trem nos trilhos e garantir um pedaço de terra no "paraíso tropical", naqueles anos 1910. O sonho virou pesadelo, em meio a epidemias de malária, ataques de animais, humilhação dos capatazes. A ferrovia Madeira-Mamoré ficaria conhecida como "A Ferrovia da Morte".

VOCÊ SABIA?

- A minissérie foi escrita por Benedito Ruy Barbosa vinte anos antes de ser produzida.
- Quando ela foi ao ar, o autor comemorava 40 anos de carreira (mesma idade da Globo).

trabalheira Nada de acampar na Floresta da Tijuca. Para gravar as cenas da construção da ferrovia era preciso desembarcar na Amazônia. E lá foi a equipe se hospedar em Guarajá-Mirim, em Rondônia, a 160 km do local de gravação. Boa parte do caminho só podia ser atravessado a pé ou a bordo de litorinas, pequenos carros automotrizes usados para transportar equipamento e comida às locações.

Como o tempo fez estragos nos trilhos originais, oito quilômetros de ferrovia tiveram de ser recuperados. Os técnicos contratados pela emissora também restauraram a locomotiva Mad Maria. Uma cópia da antigüidade foi retirada de um museu de Campinas e levada para o Rio de Janeiro, sede de parte das gravações.

segredos da cama Enquanto seus operários se matavam na construção da ferrovia, Percival Farquhar (Tony Ramos) dedicava-se à destruição. O empreendedor norte-americano, idealizador da obra, era um trator para quem atravessasse seu caminho.

Nem todos do governo aderiram ao projeto. O incorruptível J. de Castro (Antônio Fagundes), ministro da Viação, resistiu em entregar uma obra tão importante a um estrangeiro. Homem de confiança do presidente Hermes da Fonseca (Othon Bastos), J. de Castro seria um obstáculo intransponível para o empresário norte-americano, se ele não descobrisse que o rival tinha uma amante, a jovem Luiza (Priscila Fantin). Aliás, Luiza era disputada pelos dois adversários.

LEI DA SELVA

Perrengues e "que-tais" das gravações em plena floresta.

I *Calor? Que calor?*: Apesar do sol a pino e do calor sufocante da floresta, todos eram aconselhados a usar calças e camisas de manga comprida para evitar picadas indesejáveis. E nada de esquecer o repelente no quarto.

I *Olha o horário!*: Sem essa de o diretor determinar quando começa e termina o dia de trabalho. Ricardo Waddington, comandante da empreitada, era refém dos mosquitos. Os insetos só permitiam as gravações das 8h30 às 16h. Depois, o jeito era recolher acampamento ou encarar alguns dias na enfermaria.

I *Para ficar em forma*: Carro é mordomia impensável no meio da mata. O verde engole estradas e trilhos. A solução é calçar as botas e andar alguns quilômetros do *set* para casa, da casa para o *set*.

calouro Formar um triângulo amoroso com Fábio Assunção e Ana Paula Arósio não é para qualquer um. Em *Mad Maria*, a tarefa coube a Fidelis Baniwa, índio radicado em Manaus e já escolado no teatro. O ator debutou na TV como o último sobrevivente da tribo dos capiruna, internado numa clínica aos cuidados do doutor Finnegan (Fábio). A amizade entre o nativo e o jovem norte-americano é abalada pela chegada da bela pianista Consuelo (Ana Paula Arósio). E começa outra disputa amorosa.

a megera da vez

Stella Assumpção era a mulher mais bonita de seu tempo, mas morreu – no auge da beleza e da carreira – num acidente de avião. Seu sucesso ainda assombra a filha Júlia (Glória Pires), herdeira da marca de *lingeries* Belíssima. Empresária bem-sucedida, séria e aplicada, Júlia seria o orgulho de qualquer família, mas sua avó Bia Falcão (Fernanda Montenegro) discorda. Além de sujeitar a neta a comparações com Stella, a megera ainda tenta afastar Júlia de André Santana (Marcello Antony), um humilde funcionário da fábrica da família.

Pedro (Henri Castelli), irmão de Júlia, sofre tanto com as críticas da avó à sua mulher, Vitória (Cláudia Abreu), que se muda para a Grécia, mas a boa vida no Mediterrâneo tem fim trágico. O galã é morto misteriosamente por bandidos.

Para quem gosta de tramas policiais, *Belíssima*, de Silvio de Abreu, é irresistível. A lista de suspeitos cresce a cada mistério mal-resolvido... e uma nova vilã leva o Brasil à loucura: Bia Falcão é mesmo um terror.

"pobremão" Acostumado a interpretar galãs, Reynaldo Giannechini foi pego de surpresa ao ser convidado para viver o mecânico

Pascoal Silva em *Belíssima*. Para entrar no personagem, ele se despediu dos bons modos e tratou de se lambuzar de graxa. Quando não estava deitando e rolando na cama – ou na oficina – com boa parte do elenco feminino, o brucutu chorava suas pitangas com Jamanta (Cacá Carvalho), aquele mesmo de *Torre de Babel*. Era Jamanta quem ouvia os dilemas do colega de oficina, dividido entre a dona Safira (Cláudia Raia) e Rebeca (Carolina Ferraz).

E nada de chamar o rapaz de galinha. É como ele diz: "O pobrema é todo por carsa das mina, tá ligado?".

melhor idade O garotão Mateus (Cauã Reymond) ganha a vida prestando serviços sexuais a mulheres mais velhas. A cliente número um é a dondoca Ornela (Vera Holtz). A relação começa sem compromisso, os encontros vão ficando mais freqüentes e o michê passa a ficar dividido entre a prima Giovana (Paola Oliveira), seu amor de sempre, e a cliente cinqüentona. No final, ele fica com... Uma surpresa foi reservada para o fim da novela.

mundo cruel Taís (Maria Flor) se inscreve em uma agência que recruta dançarinas para trabalhar na Grécia, mas, ao chegar ao país, é obrigada a se prostituir. Para compor sua personagem, Maria Flor leu relatos de dezenas de vítimas do tráfico de mulheres e ficou chocada com os depoimentos. Sua Taís teve mais sorte do que a maioria. Localizada por Nikos (Tony Ramos), ela acaba entregue aos cuidados de Pedro e Vitória.

elas não são bolinho Sumidas da TV, as ex-vedetes Carmem Verônica e Íris Bruzzi voltaram com tudo como as atrizes e golpistas Mary Montilla e Guida Guevara. Desde os anos dourados, Mary e Guida viviam brigando pela herança de um amante. Entre as puxadas de tapete, muitas tiradas do arco da velha. Veja abaixo o que falavam – e, principalmente, o que queriam dizer – as senhorinhas desbocadas.

- *Vai chupar um pirulito:* Não me enche o saco!
- *Nerusca de pitibiribas:* Nada de nada.
- *Que maçada!:* Que coisa desagradável! ▌*Trombuda:* Emburrada.

FINAIS FELIZES

I No último capítulo, Safira e Pascoal, que viviam às turras, não resistem e se jogam nos braços um do outro com tanta violência que o prédio desaba e os vizinhos todos vêem o casal nu na oficina. Resultado: casamento.

I Na Grécia, o grego Nikos e a sofrida Júlia se encontram. Resultado: casamento grego, com cenário de cartão postal.

I E o Jamanta? Pois é. Ele engravida Regina da Glória (Lívia Falcão) e adentra a igreja ao lado dela, apesar de ficar repetindo o tempo todo que não poderia se casar. Não podia mesmo. Durante a cerimônia, sua verdadeira mulher adentra a igreja com vários filhos a tiracolo. É Luzineide (Eliane Costa), outra personagem de *Torre de Babel*.

I E a Bia Falcão, hein? Depois de matar André (Marcello Antony) e os cúmplices Medeiros (Ítalo Rossi) e Ivete (Angelita Feijó), ela termina seus dias num belo e amplo apartamento em Paris. Solitária? Nada disso – ao lado de Mateus (Cauã Reymond).

de mãe para filha No último capítulo, Vitória (Cláudia Abreu) descobre que é filha de Bia Falcão e do turco Murat (Lima Duarte). Diálogo entre mãe e filha:

Bia: Eu não quis você quando você nasceu e não quero você agora. Eu não quero você nunca na minha vida.

Vitória: Eu não sinto nem amor, nem carinho, nem nada por você. Vim aqui para olhar bem para você e dizer que eu sobrevivi. Eu venci, Bia Falcão. Eu venci você.

testando

1. Que atores participaram de *flash-backs* dublando Stella e Marcelo, pais de Júlia e Pedro?
   a) Regiane Alves e Eduardo Moscovis
   b) Carolina Dieckmann e Dan Stulbach
   c) Adriana Esteves e Fábio Assunção

2. E a pergunta que não quer calar: com quem André falava o tempo todo ao telefone enquanto tentava levar Júlia à ruína?
   a) Bia Falcão
   b) Vitória
   c) Medeiros, advogado de Bia Falcão

Resposta: 1-c/2-a e c

GLOBO NOTÍCIA

Um telejornal com apenas quatro minutos de duração, dedicado aos fatos mais importantes no Brasil e no mundo. *O Globo Notícia* é assim, pequeninho. Mas não se deixe enganar pelo tamanho. É tempo suficiente para o telespectador ser informado dos principais fatos do Brasil e do mundo.

De segunda a sexta-feira, o jornal tem duas edições. A primeira vai ao ar às 9h25, depois do programa *Mais Você*, e é apresentado por Sandra Annenberg. A segunda edição, ancorada por Fátima Bernardes, vai ao ar às 17h. Nos fins de semana, o *Globo Notícia* é exibido às 16h. Aos sábados, vai ao ar após o *Caldeirão do Huck* e, aos domingos, logo depois de *Temperatura Máxima*. Atrás da bancada, um rodízio de apresentadores.

2006

Esta antena aí do lado inaugura um novo capítulo na história da TV que nasceu carioca, em preto-e-branco, num edifício de três andares no Jardim Botânico.

Instalada no topo de um prédio na alameda Santos, em São Paulo, ela vai captar e transmitir sinais da TV digital, com imagens seis vezes mais nítidas do que as atuais.

E este é só o início de uma revolução que vai unir televisão, computador e celular, num mundo de interatividade total.

Em 2007, a saudosa TV Globo, canal 4 – lembram dela? – já estará pronta para exibir a primeira novela em HDTV do Brasil.

Mas vamos com calma. Estamos em 2006 e é dele que vamos falar agora.

O ano começou com o sexto *Big Brother* (finalista do Prêmio Emmy Internacional na categoria de programa não roteirizado), com Angélica à frente do *Estrelas* e com Luiz Fernando Guimarães em *Minha Nada Mole Vida*. E também com *JK* – o presidente "bossa nova", retratado em mais uma bela minissérie histórica.

Brasília em construção na ficção em homenagem a Juscelino Kubitschek, e em crise na realidade dos mensalões e sanguessugas.

Ano de campanha eleitoral para presidente da República e de Copa do Mundo – com a seleção brasileira como franca favorita.

E não deu outra: voltamos para casa de mãos abanando.

Um final melancólico, que ficou ainda mais deprimente com a notícia da morte de Bussunda na Alemanha, durante a cobertura do campeonato.

Perdemos. Mas bola pra frente.

Na novela de Manoel Carlos, *Páginas da Vida*, Regina Duarte dá voz a uma nova Helena, e Lília Cabral, imbatível, estala o chicote como a vilã mais inclemente da temporada.

Às sete da noite, gargalhadas garantidas com *Cobras & Lagartos*, de João Emanuel Carneiro, e *Pé na Jaca*, mais uma comédia rasgada de Carlos Lombardi. E que tal voltar no tempo? O passa-

do marca presença em *Sinhá Moça* (*remake* da obra de Benedito Ruy Barbosa e primeira novela entre os finalistas ao Emmy Internacional na categoria série dramática) e em *O Profeta* (nova versão da obra de Ivani Ribeiro), sucessos das seis da tarde.

No *Jornal Nacional,* é hora de apertar os cintos e embarcar no ônibus da caravana conduzida por Pedro Bial e ancorada por William Bonner e Fátima Bernardes. Quinze mil quilômetros de estrada, 75 cidades no roteiro e um só desafio: refletir os "Desejos do Brasil".

No *Domingão do Faustão,* campeonatos de dança de salão e patinação no gelo com famosos. Todos deslizando ao vivo, diante das câmeras. Quem vai ganhar?

É *Fantástico!* Na sua "revista eletrônica", o documentário *Falcão, Meninos do Tráfico,* de MV Bill e Celso Athayde, exibe 58 minutos de imagens e depoimentos chocantes de crianças e jovens envolvidos no tráfico de drogas.

No "Profissão Repórter", Caco Barcellos e um grupo de jovens repórteres vão às ruas para mostrar, ao mesmo tempo, diferentes ângulos do mesmo fato e da mesma notícia.

E aos sábados, uma vez por mês, em "Central da Periferia", Regina Casé mostra o que se apronta – na música e na vida – longe dos grandes centros urbanos.

Uma novidade depois da outra, em meio a atentados de grupos criminosos em São Paulo, ações terroristas pelo mundo, denúncias de corrupção em série, enfim, essas mazelas todas do nosso dia-a-dia.

Que venham os próximos anos! E que eles nos tragam belas histórias, excelentes personagens, capítulos inesquecíveis.

Porque a fábrica não pára. E cada dia é dia de estréia.

Cobras & Lagartos
Páginas da Vida
O Profeta
Sinhá Moça
Pé na Jaca
Estrelas

JN
DOMINGÃO DO
FAUSTÃO
PROFISSÃO
REPÓRTER
MINHA
NADA MOLE
VIDA

bibliografia

A vida cotidiana no Brasil Nacional: a energia elétrica e a sociedade brasileira. Coordenação Marilza Elizardo Brito. Centro da Memória da Eletricidade no Brasil, Rio de Janeiro, 2003.
ALBUQUERQUE, Carlos e LEÃO, TOM. *Rio Fanzine – 18 anos de cultura alternativa.* Record, Rio de Janeiro, 2004.
AMARAL, Maria Adelaide. *Dercy de cabo a rabo.* Editora Globo, São Paulo, 1994.
BARBOSA, Florinda e RITO, Lucia. *Quem não se comunica se trumbica.* SP: Editora Globo, 1996.
CARDOSO, Maurício. *Os arquivos das olimpíadas.* Editora Panda Books, São Paulo, 2000.
CARDOSO, Régis. *No Princípio Era o Som.* Madras, São Paulo, 1999.
CARNEIRO, Marília. *No camarim das oito.* Aeroplano editora, Rio de Janeiro, 2003.
CASTRO, Ruy. *Ela é carioca.* Companhia das Letras, Rio de Janeiro, 1999.
______. *O melhor do mau humor.* Companhia das Letras, Rio de Janeiro, 1989
______. *O poder de mau humor.* Companhia das Letras, Rio de Janeiro, 1993.
CLARK, Walter CLARK e PRIOLLI, Gabriel. *O Campeão de Audiência.* São Paulo, Editora Best Seller, 1991.
Coleção *O GLOBO 2000. O Globo,* Rio de Janeiro, 2000.
Coleção *NOSSO SÉCULO, 1960/1980.* Abril S.A. Cultural, São Paulo, 1980.
DENNIS, Felix e ATYEO, Don. *Muhammad Ali, o santo guerreiro.* Etcetera, 1975.
Dicionário Histórico-Biográfico Brasileiro – pós – 1930. Coordenação: Alzira Alves de Abreu. Editora FGV, CPDOC, Rio de Janeiro, 2001.
DUARTE, Orlando. *História dos esportes.* Editora Senac, São Paulo, 2003.
DONNER, Hans. *The universe of Hans Donner.* Salamandra, Rio de Janeiro, 1997.
Enciclopédia da música brasileira. Art Editora, São Paulo 1977.
ESQUENAZI, Rose. *No Túnel do Tempo: Uma memória afetiva da televisão brasileira,* Porto Alegre, Artes e Ofícios, 1993.
FILHO, Daniel. *O Circo Eletrônico.* Jorge Zahar Editor, Rio de Janeiro, 2001.
FILHO, Pedro Paulo. *Grandes Advogados, Grandes Julgamentos.* Depto. Editorial OAB-SP.
FRANCIS, Paulo e PIZA, Daniel. *Waal - Dicionário da Corte.* Companhia das Letras, Rio de Janeiro, 1996.
GABEIRA, Fernando. *O que é isso companheiro?.* Coleções edições Pasquim, Codecri, Rio de Janeiro, 1980.
GOMES, Dias. *Apenas um subversivo.* Bertrand Brasil, Rio de Janeiro, 1998.
JÚNIOR, Gonçalo Silva. *Pais da TV.* Conrad Editora do Brasil, São Paulo, 2001.
KUCINSKI, Bernardo. *Jornalistas e revolucionários nos tempos da imprensa alternativa.* Editora Edusp, São Paulo, 2003.
LÔREDO, João. *Era uma vez... a televisão.* Editora Alegro, São Paulo, 2000.
MEDEIROS, Benicio. *Otto Lara Resende: a poeira da Glória.* Relume Dumará/Prefeitura RJ, Rio de Janeiro, 1998.
MEMÓRIA GLOBO. *Dicionário da TV Globo, volume 1: programas de dramaturgia & entretenimento.* Jorge Zahar Editor, Rio de Janeiro, 2003.
______. *Jornal Nacional, a notícia faz história.* Jorge Zahar Editor, Rio de Janeiro, 2004.
MORAES, Denis. *Vianinha, cúmplice da paixão.* Nordica, 1991.
PONTE PRETA, Stanislaw. *Primeiro festival de besteira que assola o país: Febeapá.* Civilização Brasileira, Rio de Janeiro, 1980.
RIXA. *Almanaque da TV - 50 anos de memória e informação.* Objetiva, Rio de Janeiro, 2000.
SACCHI, Rogério e XAVIER, Ricardo. *Almanaque da TV, 50 Anos de memória e informação.,* Objetiva, Rio de Janeiro, 2000.
SILVA, Arlindo. *A Fantástica História de Silvio Santos.* Editora do Brasil, São Paulo, 2000.
PIZA, Daniel. *Paulo Francis: Brasil na cabeça.,* Relume Dumará, Rio de Janeiro, 2004.
TINHORÃO, José Ramos. *A pequena história da música popular brasileira: da modinha ao tropicalismo.* Petrópolis: Vozes.
VELOSO, Caetano. *Verdade tropical.* Companhia das Letras, São Paulo, 1998.
VENTURA, Zuenir. *1968, O ano que não terminou.* Nova Fronteira, Rio de Janeiro, 1988.

Imagens

Arquivo Videographics, Centro de Documentação da TV Globo – CEDOC e Arquivo de Mídia – CGP (Central Globo de Produção). Foram pesquisadas também imagens dos seguintes programas: *A Próxima Vítima, Anos Rebeldes, Armação Ilimitada, Balança Mas Não Cai, Brava Gente* – episódio Palace II, *Chico city, Chico Anysio Show, Comédia da Vida Privada, Deus nos Acuda, Elas por Elas, Fantástico, Fique por Dentro, Globo de Ouro, Globo Serviço* (Plano Brasil Novo); *Guerra dos Sexos, Jornal Nacional, Jornal Painel, Arquivo N, Mário Fofoca, O Bem-amado, Programa Legal* e *TV Pirata.*

Scripts

A Indomada, A Próxima Vítima, Balança Mas Não Cai, Cambalacho, Celebridade, Chico City, Terra Nostra, O Auto da Compadecida e *Os Normais.*

Artigos e periódicos

ALBUQUERQUE, João Luiz. *Uma sacudida no campeão de audiência.* IN: Jornal do Brasil, 25/11/1995; ARRUDA, Lilian. *Lima Barreto pelas ruas de Tubiacanga.* IN: O Globo, 08/11/1993; AWI, Felipe. *Guga em carreira solo.* IN: O Globo, 15/03/2005; BARROS, Ambar de. *Arakem, anti-herói que está virando moda.* IN: Folha de S. Paulo, 01/10/1984; BIAGGIO, Jaime. *Cinemão à moda brasileira.* IN: O Globo, 22/08/2003; BIONDO, Sonia. *Show-man Araquém, a fama súbita num comercial de TV.* IN: O Globo, 12/09/1984; CASTRO, Daniel. *Consagração.* IN: Folha de S. Paulo, 25/08/2003; CARDEAL, Fátima. *Os melhores de 97.* IN: Estado de S. Paulo, 21/12/1997; CARVALHO, Carlos Alberto. *Big Boy. O silêncio do 'crazy people'.* IN: Jornal do Brasil, 10/03/1977; CORRÊA, Elena e THEVENET, Claudia. *Serginho Groisman assina com a Globo.* IN: O Globo, 20/07/1999; CROITOR, Claudia. *Perfil – Serginho Groisman.* IN: Folha de S. Paulo, 05/11/2005; DANNEMANN, Fernanda. *Casados com o Brasil.* IN: Folha de S. Paulo, 05/01/2003; ETERNA, Heloísa. *Dono da ilusão.* IN: O Globo, 08/08/1987; ESQUENAZI, Rose. *O rei das festas do interior.* IN: O Dia, 30/06/1989; FERREIRA, Mauro. *Receita para adocicar a cidade.* IN: O Globo, 13/02/1990; FONSECA, Rodrigo. *De volta ao mundo nonsense.* IN: Jornal do Brasil, 02/10/2001; FONSECA, Rodrigo. *Ali, o rei do mundo.* IN: Jornal do Brasil, 08/01/2001; FREIRE, José Ribamar Bessa Freire. *A Cabra Vadia e o Jacaré Cotó.* IN: Diário do Amazonas, 04/04/2004; GAMA, Júlio. *Faustão muda menu para manter o ibope.* IN: Estado de S. Paulo, 20/03/1994; GAMA, Júlio. *Groisman terá dois programas na Globo.* IN: Estado de S. Paulo, 22/07/1999; GARCIA, Lauro Lisboa. *Kaoma converte lambada light em dólar.* IN: O Estado de São Paulo, 29/06/1990; GARCIA, Sérgio. *A fábrica de produzir sonhos.* IN: *Veja,* 20/04/2005; GIL, Felipe. *Sergio Groisman – Só ver TV é um equívoco.* IN: Isto é, 18/05/2005; GUIMARÃES, Cléo. *Imagens de um bom vivant.* IN: 22/04/2001; LAJOLO, Mariana. *Bernard é o primeiro brasileiro no Hall da Fama do vôlei.* IN: Folha de S. Paulo, 09/07/2005; LEME, Lúcia. *Queda de braço.* IN: O Globo, 29/03/1989; LICHOTE, Leonardo. *Sucessos na voz de Nana são reunidos em livro.* IN: O Globo, 16/12/2002; LIMA, Eduardo Souza. *Cartum em carne e osso.* IN: O Globo, 24/01/2001; LIMA, Rosa. *Faustão massacra Sílvio.* IN: O Dia, 13/03/1996; LOBATO, Elaine. *Mago Donner renova a tela.* IN: O Globo, 13/04/1987; MAUAD, Isabel. *O Reino de Avilan.* IN: O Globo, 23/01/1989; MESQUITA, Vinícius. *Os socos que faziam o Brasil parar.* IN: Estado de S. Paulo, 26/09/1993; MORAES, Denis de. *Vianinha: 13 anos de ausência. Que saudade.* IN: O Globo, 13/07/1987; MOREIRA, Ricardo. *20 anos de esporte.* IN: O Dia, 13/08/1998; MOURA, Roberto e REYS, Aloysio. *Big Boy. Era um garoto que, como os outros, amava os Beatles e os Rolling Stones.* IN: Última Hora Revista, 10/03/1977; MOUSSE, Simone. *Cidade que nunca dorme.* IN: O Globo, 29/05/2005; NEUFVILLE, Jean-Yves de. *Cantora do Kaoma diz que é brega e lamenta sexualização da lambada.* IN: Folha de S.Paulo, 20/06/1990; NEVES, Tânia. *Arte na telinha.* IN: O Globo, 05/04/1989; PAGLLARO, Maria Tereza. *Eric, o alquimista dos astros.* IN: Folha de S. Paulo, 21/05/1986; PAIVA CHAVES, Christiane. *A Globo não é a mesma. Chegou Faustão.* In: O Estado de S. Paulo, 18/05/1989; PLATT, Larry. *Mito Ali sofre golpe duro. Será que ele cai?.* IN: Jornal do Brasil, 09/062001; REGIS, Rachel e CASTRO, Tamar. *Adeus!, 'crazy people'.* IN: Folha de São Paulo, 10/03/1977; RODRIGUES, Macedo. *Cômica Baronesa.* IN: O Globo, 07/07/1989; SANCHES, Neuza. *O romance das 8.* IN: Veja, 12/01/1994; SENNA, Paulo. Coluna *Nostalgia.* IN: O Globo, 10/12/2000; SOARES, Mônica. *Fera Ferida usa humor e absurdo para falar dos costumes nacionais* (SEM VEÍCULO E DATA); TÁVOLA, Artur. *Os cinco marcos na história do telejornalismo no Brasil.* IN: O Globo, 30 e 31/08/1977; TOGNONI, Reni. *Madrugadas animadas por Serginho Groisman.* IN: O Globo, 08/10/2000; *30 anos de emoção.* IN: Isto É, 04/04/2001; *40 anos de sonho.* IN: O Globo, 24/04/2005; *A buzina silencia.* IN: *Veja,* 06/07/1988; *A choldra no palácio.* IN: *Veja,* 13/09/1989; *Afrodisíacos da audiência.* IN: *Veja,* 02/02/1994; *A farsa do telecatch.* IN: Veja, 09/04/1969; *As saramanovelas da telemandaia (ou a realidade fantástica).* IN: Jornal do Brasil, 30/04/1976; *Araken na Copa 86.* IN: Jornal do Comércio, 20/01/1986; *Big Boy estréia segunda como cronista de música bem quente.* IN: O Globo, 14/03/1970; *Boas jogadas.* IN: *Visão,* 14/02/1983; *Borjalo, o cartunista do 'plim-plim'.* IN: O Globo, 19/11/2004; *Brazil nuts about graphics.* IN: Broadcast, 14/06/1982; *'Carlota Joaquina' abriu o caminho.* IN: O Estado de São Paulo, 25/09/2004; *Carne e circo.* IN: Veja, 27/11/1985; *Caso Lou-Van marcará a estréia de 'Justiça'.* IN: O Globo, 06/04/2003; *Chacrinha leva Cz$ 1 milhão da Roquete Pinto.* IN: *Tribuna da Imprensa,* 30/11/1987; *Contrato de Groisman com a Globo terá três anos de duração.* IN: O Globo, 21/07/1999; *Domingão do Faustão bate Sílvio Santos.* IN: O Estado de S. Paulo, 28/03/1989; *Emoções lá do fundo do Baú.* IN: Jornal do Brasil, 25/11/1995; Espaço Globo – Falecimento Borjalo, 18/11/2004; *Falecimento.* IN: O Globo, 23/03/1993; *Fernandão – O Jornada Popularizou o vôlei.* IN: Jornal do Brasil, 29/05/2005; *Globo cria* *centro de computação gráfica*. IN: Folha de S. Paulo, 14/05/198; *Globo Esporte comemora bodas de prata com especiais*. IN: Diário de S. Paulo, 02/062003; *Hilton Gomes, aos 75*. In: O Globo, 18/10/1999; *Hoje na TV*. IN: O Globo, 1966-1971; *Justiça barra episódio de 'Justiça'*. IN: Folha de S. Paulo, 01/05/2003; *Linha Direta: pendenga na edição*. IN: Estado de S. Paulo, 30/05/2003; *Linha Direta: prometido para hoje*. IN: Estado de S. Paulo, 05/06/2003; *Linha Direta 'Justiça': caso Ângela Diniz/Doca Street*. IN: Jornal da Tarde, 29/05/2003; *Lisbela atrai 1 milhão de espectadores*. IN: Folha de S.Paulo, 09/09/2003; *Luzes do vídeo*. IN:Veja, 12/04/1989; *Marajá da lambada*. IN: Veja, 15/08/1990; *Mas podem me chamar de Barrinhos*. IN: O Globo, 13/01/1985; *No ar, há sete anos*. IN: O Globo, 17/05/1974; *No sepultamento de Big-Boy, o pranto dos amigos e irmãos*. IN: O Globo, 10/03/1977; *Notícia x Imagem*. IN: Veja, 04/08/1970; *O acaso levou Paula ao jornal da TV*. IN: Amiga, 05/051977; *O campeão de audiência*. IN: Isto É, 02/02/1997; *O espetáculo do crescimento*. IN: O Globo, 16/11/2003; *O fim do AI-5*. IN: O Globo, 31/12/1978; *O futuro de um império*. IN: *Veja*, 05/10/1976; *O improviso que anima o comentário*. IN: O Globo, 17/05/1987; *O palhaço mais querido*. IN: Época, 13/12/1999; *O rei da maquiagem*. IN:Veja, 04/01/1984; *O seu sucesso é fruto de muita leitura e pesquisa*. IN: O Globo, 05/11/1972; *O som preservado do 'crazy people'*. IN: Jornal do Brasil, 17/08/1996; *Os ideais de nossos filhos não morreram*. IN: Caros Amigos, novembro de 2002; *Os magos do plim-plim*. IN:Veja, 12/01/1983; *Pequeno notável*. IN:Veja, 28/11/1984; *Rei desde Criança*. IN: Época, 04/12/2000; *Renovador do rádio*. IN: Contigo, 30/07/1982; Revista Imprensa, junho 1992; Revista *Flashback*, 08/2004; Revista *Intervalo*, Ano VII, Nº 346, p.59; *Sai Pacheo entra Araken, arma da Globo para mobilizar espectadores*. IN: Folha de S. Paulo, 23/03/1986; *Tele Catch Montilla*. IN: O Globo, 11/03/1967; *Uma fórmula garantida*. IN: *Época*, 18/08/2003 e *Visual mais moderno*. IN: O Globo, 15/07/2001.

Boletins de Programação da *TV Globo* Nºs: 61, 172, 292, 539 e 840

Informações cedidas por: Agildo Ribeiro (sobre Topo Gigio), Luiz de Carvalho (sobre o programa *Tevefone*) e Mauro Franco (sobre o Projac).

Depoimentos concedidos ao Memória Globo:
Agildo Ribeiro (06/12/2001) / Aguinaldo Silva (01/08/2000) e (30/01/2006) / Alfredo Marsillac (29/08/2001) / Amauri Soares (24/10/2001) / Ana Paula Arósio (05/06/2006) / Ana Paula Padrão (13/05/2002) / André Luiz Azevedo (03/11/2003) / Andréa Beltrão (31/03/2006) / Antonio Calmon (20/02/2002) / Antonio Fagundes (06/03/2002) / Aracy Balabanian (08/04/2002) / Arlete Salles (30/01/2002) / Armando Nogueira (27/04/2000), (29/11/2001) e (10/12/2003) / Beatriz Segall (03/06/2002) / Betty Faria (11/05/2001) / Benedito Ruy Barbosa (04/12/2000) / Berta Loran (26/11/2001) / Boni – José Bonifácio de Oliveira Sobrinho (04/05/2000) / Borjalo – Mauro Borja Lopes (25/02/2000) / Bussunda (20/03/2002) / Caco Barcellos (07/02/2006) / Carlos Dorneles (29/01/2004) / Carlos Henrique Schroder (26/07/2000) e (22/12/2003) / Carlos Lombardi (01/04/2002) / Carlos Manga (27/07/2000) / Carlos Nascimento (10/05/2002) / Carlos Vereza (14/06/2002) / Celso Freitas (02/02/2004) / Chico Anysio (02/08/2000) / Chico Pinheiro (15/05/2002) / Chucho Narvaez (10/02/2003) / Cid Moreira (22/03/2000) / Ciro José (06/04/2001) / Claudia Raia (17/04/2002) / Cláudio Cavalcanti (16/01/2006) / Daniel Filho (19/07/2000) e (31/07/2000) / Dante Matiussi (30/01/2004) / Denise Bandeira (23/07/2001) / Domingos de Oliveira (03/10/2005) / Durval Honório (09/11/2000) / Eduardo Moscovis (24/04/2006) / Emiliano Queiroz (15/12/2000) / Ernesto Paglia (15/05/2002) / Eva Wilma (11/05/2001) / Evandro Guimarães (27/03/2000) / Fábio Assunção (04/04/2006) / Fábio Sabag (28/01/2002) / Fátima Bernardes (30/05/2001) / Fernando Bittencourt (16/03/2001) / Flávio Migliaccio (10/05/2002) / Francisco Cuoco (03/04/2002) / Geraldo Casé (07/11/2001) / Gilberto Braga (06/06/2001) / Giulia Gam (22/05/2006) / Glória Maria (24/08/2000) / Glória Menezes (14/03/2005) / Gracindo Júnior (23/05/2001) / Guel Arraes (07/12/2001) / Hans Donner (14/06/2000) / Hélio Costa (30/11/2001) / Herbert Fiuza (24/01/2000)
Hermano Henning (06/04/2004) / Homero Icaza Sanchez (24/01/2000) e (29/11/2001) / Ida Gomes (23/04/2001) / Ilka Soares (09/05/2001) / Isabela Assumpção (28/01/2004) / Jô Soares (19/11/2002) / João Loredo (25/02/2002) / João Paiva Chaves (08/10/2001) / Joana Fomm (30/01/2002) / Joe Wallach (19/12/2001) / Joelmir Betting (03/04/2004) / Jorge Dória (11/03/2002) / Jorge Fernando (20/02/2002) / Jorge Pontual (08/03/2004) / José Aleixo (21/03/2000) / José Mayer (10/06/2002) / José Ricardo (12/03/2001) / José Wilker (30/05/2005) / Kadu Moliterno (29/05/2006) / Lauro César Muniz (12/11/2001) / Léo Batista (26/07/2000) / Lilian Witte Fibe (06/04/2004)
Lima Duarte (22/05/2001) / Lúcio Mauro (18/06/2001) / Lucélia Santos (04/11/2002) / Luis Fernando Silva Pinto (20/12/2002) / Luís Lara (22/02/2000) / Luiz Fernando Lima (21/07/2000) / Luiz Gonzales (07/11/2001) / Luiz Guimarães (02/04/2001) / Luiz Lobo (29/10/2001) / Luiz Mendes (23/02/2001) / Luiz Nascimento (22/01/2001) / Malu Mader (05/08/2002) / Manoel Carlos (30/03/2001) e (19/12/2005) / Maria Adelaide Amaral (09/02/2006) / Marcelo Rezende (25/06/2001) / Marco Nanini (07/12/2001) / Marcos Paulo (27/03/2006) / Marcos Uchoa (14/08/2001) / Marieta Severo (31/03/2006)
Marilena Chiarelli (17/02/2004) / Marília Pêra (11/04/2001) / Mário de Moraes (30/05/2001) / Mário Lago (30/06/2000) / Mário Marona (02/05/2005) / Marluce Dias (06/07/2000) / Maurício Sherman (14/05/2001) / Mauro Salles (30/03/2000) / Milton Gonçalves (22/06/2000) / Nelson Motta (10/05/2002) / Neuza Rocha (26/01/2004) / Norma Blum (15/10/2001) / Orlando Moreira (19/12/2001) / Osmar Prado (14/06/2002) / Paulo César Ferreira (06/08/2001) / Paulo José (21/06/2000) / Paulo Goulart (03/04/2002) / Pedro Bial (25/05/2001) / Pedro Rogério (18/02/2004) / Raul Cortez (19/06/2002) / Regina Casé (20/03/2002) / Regina Duarte (14/03/2005) / Reginaldo Faria (19/06/2002) / Renato Machado (23/11/2001) / Renata Sorrah (20/03/2002) / Renato Aragão (26/09/2005) / Reynaldo Cabrera (17/03/2004) / Ricardo Pereira (18/03/2004) / Roberto Buzzoni (13/07/2000) / Roberto Cabrini (03/04/2004) / Roberto Feith (24/11/2003) / Roberto Irineu Marinho (23/08/2000) / Rosamaria Murtinho (12/06/2002) / Ruy Mattos (04/05/2001) / Ruth de Souza (09/05/2001) / Sandra Annemberg (27/01/2004) / Sandra Passarinho (19/07/2000) / Sebastião Azambuja (27/05/2003) / Sérgio Chapelin (29/05/2002) / Sérgio Gilz (09/03/2004) / Sérgio Motta Mello (12/06/2002) / Silio Boccanera (05/04/2004) / Silvio de Abreu (17/04/2002) / Stênio Garcia (19/06/2002) / Suzana Vieira (30/11/2001) / Tarcísio Meira (14/03/2005) / Teixeira Heizer (22/11/2001) / Tonico Ferreira (16/03/2004) / Tony Ramos (06/06/2001) / Walter Negrão (18/04/2001) / William Bonner (06/04/2001) e (19/01/2004) / Wilson Ibiapina (29/03/2004) / Woile Guimarães (03/10/2001) / Yoná Magalhães (14/06/2000) / Zilka Sallaberry (07/07/2000)

Sites (acessados entre maio e novembro de 2005)
www.ali.com
www.adorocinema.com.br
www.adorocinemabrasileiro.com.br
www.apagina.pt/arquivo
www.an.uol.com.br/1998/jan/26
www.atarde.com.br
www.bricabrac.com.br
www.canalkids.com.br
www.cifrantiga.hpg.ig.com.br
www.cliquemusic.com.br
www.conhecimentosgerais.com.br
www.construindoosom.com.br
www.ctjovem.mct.gov.br
www.dw-world.de
www.dvdversátil.com.br
www.e-biografias.net/biografias
www.educaterra.terra.com.br
www.educaterra.terra.com.br/almanaque/historia/israel_arabes1.htm
www.elkemaravilha.com.br
www.elvisworld.com.br/elvisnews/01%202005.html
www.estadao.com.br [Os 30 anos do AI-5, acessado em 24/6/2005)
www.estadao.com.br/ext/divirtase/jorgeamado/cinema.htm
www.expedicoes.tv
www.felipex.com.br
www.fivb.ch
www.focusfoto.com.br
www.formula1.com
www.forum.direitos.org.br
www.gazetaesportiva.net
www.geocities.com/altafidelidade/festicancao
www.geocities.com/vilardemouros1971/hippies.htm
geraldofreire.uol.com.br
www.grandprix.com
www.gtp.org.br/pages/12_onder.htm
www.guga.com.br
www.guiadoscuriosos.com.br
www.historychannel.com
www.hipupiara.org.br/noticias35.htm
www.icd.com.br/yahoo/artista
www.imdb.com

www.infantv.hpg.ig.com.br
www.infowester.com
www.jmachado.com
www.lancenet.ig.com.br
www.lalarantes.uol.com.br
www.linhadireta.globo.com
www.klickeducação.com.br
www.kuerten-fr.com
www.mamrio.com.br
www.marcelobandeiraassessoria.com.br/perfil/beto
www.memorychips.com.br
www.memoriadapropaganda.org.br/proj_500anos.html
www.mitosdorock.ubbbi.com.br
www.mundodostrapalhoes.hpg.ig.com.br
www.museu.boselli.com.br
www.nytimes.com
www.news.bbc.co.uk
www.noolhar.com
www.noolhar.com/opovo/fortaleza/133281.html
www.oglobo.com.br
www.olympic.org
www.piquetsports.com.br
paginas.terra.com.br/lazer/trapalhoes/didibio.html
radioclick.globo.com/cbn/colunas/jinglesinesqueciveis.asp
www.retrotv.com.br
www.revistasenhorf.com.br
www.riodejaneiro-turismo.com.br/pt
sampa3.prodam.sp.gov.br/ccsp/tvano50
www.terra.com.br/istoegente
www.terra.com.br/istoegente/100mulheres/politica/margareth.htm
www.thebeatles.com.br
www.trapalhoes.hpg.ig.com.br/curiosidades.html
www.tribunadonorte.com.br
www.turistaacidental.com/pages/B/pgB04.html
www.tvcultura.com.br
www.tvcultura.com.br/aloescola
www.tvebrasil.com.br/paranaodizer/txt_mus_fic.htm
www.tvseries.com
www.tvtome.com
www.unicef.org/brazil/18demaio.htm
www.widesoft.com.br
www.wikipedia.org.com
www1.folha.uol.com.br
www1.folha.uol.com.br/folha/ilustrada/ult90u25772.shl
www2.tvcultura.com.br/festivalcultura/videos.asp
www2.uol.com.br/tropicalia

Crédito de imagens

Acervo pessoal Adriano De Martini: 21 (c)
Acervo pessoal Alice-Maria: 61
Acervo pessoal Hans Donner: 149
Acervo pessoal Jayme Monjardim: 468, 470 (a)
Acervo pessoal Milton Gonçalves: 64
Acervo pessoal Roberto Marinho: 18 (a/b)
Acervo pessoal Yoná Magalhães: 40
Acervo Videographics/TV Globo: 311
Adalberto Diniz/Agência O Globo: 78 (c)
Agência O Globo: 12 (c/d/f/f1/m), 14, 20 (a), 21 (a/b), 31, 36(f), 39, 47, 51 (a), 75, 84, 95, 114, 124 (b/k/r), 168 (c), 193b, 230 (a/d/h/h1/k/r/r1/r2), 354 (e), 355 (p), *contracapa (b)*
Anibal Philot/Agência O Globo: 124 (e/e1/e2/e3)
Antonio Guerreiro/TV Globo: 184
Antônio Nery/Agência O Globo: 76, 105
Arley Alves/TV Globo: *capa (t/t1)*, 251 (b), 253 (b), 283 (b/c), 284 (a), 298 (b/c/d/e/f), 364, 369, 375, 380, 386, 387, 395
Avani Stein/TV Globo: 334 (c)
Bazilio Calazans/TV Globo: 166, 224, 225 (a/b), 240, 242, 244, 245, 247, 254, 255 (a), 258 (b), 269, 270, 272, 273, 274, 276, 282 (a), 283 (a/d), 284 (c), 290, 291, 294, 306, 340, 341 (a), 342, 343, 344, 350 (c)
Carlos Ivan/Agência O Globo: 348 (a), 365 (c)
Cedoc/TV Globo: *capa (f/i/o/q)*, 22 (a/b), 25 (a/b), 27, 29, 30 (a), 36 (b/c/d/i/j/h), 37, 41 (a/b), 42, 44, 45, 46 (a/b), 48, 49, 50, 58, 65, 67, 68, 70 (b/c/d), 72, 73 (a/b), 74, 79 (a/b), 80, 81, 88, 89, 90 (a/b/c), 93, 94 (b), 97 (a/b/c/d), 99 (b), 100, 102 (a/b/c/d), 106 (b/c/d), 124 (t), 125 (l/l1/l2/p), 128, 129, 131 (a/b), 134, 135, 138, 139, 143 (a), 144, 146, 147, 154, 155 (a/b/c/d/e/f/g/h/i/j), 156, 157 (a/b), 165 (b/c), 167, 169, 179, 180, 181 (c) 192, 198 (a/b/c), 206, 209, 210 (c), 211 (a/b), 213, 216, 255 (f), 271 (c), 282 (b), 301, 307 (a)
Cezar Loureiro/Agência O Globo: 230 (l/l1)
Cida Souza/TV Globo: 377
Cristiana Isidoro/TV Globo: 439 (c), 442
Dil Márcio/TV Globo: 346 (d/e/f), 347 (d/e/f)
Editora Globo: 12 (i/g/h/h1/h2/h3/k/l/n/n1/n2/o/p/r/r1/s/s1/t), 13 (a/b/b1/b2/c/e/f/f1/f2/g/i/j/j1/j2/l/l1/n/n1/n2/o/p/q/r), 19, 23 (a/b/c), 24 (a/b/c/d), 26, 30 (b), 32 (a/b/c), 35, 36 (a/g), 43, 53, 55 (a), 55 (b), 56, 57, 58, 59 (b), 63, 92 (a/b), 96, 124 (a/a1/a2/a3/a4/a5/c/d/j/n/n1/n2/n3/o/q), 125 (a/b/b1/b2/b3/h/k/o/o1/o2/q), 230 (b/e/e1/f/i/i1/i2/m/n/s/t/u), 231 (b/c/c1/d/d1/l/l1/l2/m/n/o/s), 354 (k/m/p/p1/q/s), 355 (c/w)
Edson Gomes/TV Globo: *capa (m)*, 122, 132, 133, 160, 161
Eduardo França/TV Globo: 334 (a/b/d/e)
Eliane Heeren/TV Globo: 438, 439 (a/b)
Eurico/Agência O Globo: 12 (a/j)
Fernando Miceli/TV Globo: 409 (a)
Fernando Pereira/Agência O Globo: 231 (f), 232, *contracapa (h)*
Gabeira/Agência O Globo: 124 (p)
Gianne Carvalho/TV Globo: *capa (g)*, 320 (c/f), 323 (b), 355 (i/r), 419 (a/b), 433 (a/c), 441, 444 (c/f), 460 (a), 463 (b/c/d), 464, 465 (a), 466 (a), 467, 469, 470 (b), 471, 477, 478, 480, 482 (a), 483 (c/d/e), 485 (b), 487 (a), 492, 493, 497 (b)
Ivo Gonzalez/Agência O Globo: 332 (a/b/c/d)
Jaq Joner/TV Globo: 451 (a/c/d/e)
Jarbas Oliveira/TV Globo: 473 (a)
João Miguel Júnior/TV Globo: *capa (c/n)*, 320 (a/d), 354 (f/f1/v), 355 (t), 435 (a), 444 (h), 447, 452, 454, 455 (a/b), 460 (c), 461, 462 (f)), 463 (a), 465 (b/c), 466 (b/c/d/e), 472 (b), 473 (b), 474 (b/m), 481 (a), 483 (a), 484, 485 (c), 486, 487 (b), 489, 490 (a), 491 (a/c), 498 (a), 501 (c), 502 (b)
Jorge Baumann/TV Globo: *capa (e/u)*, 241, 243, 252, 258 (a), 278, 282-283, 284 (b), 292, 296 (d) 298 (g), 299, 300, 310, 317, 320 (b/e), 322 (a), 323 (a), 326, 327, 328, 329, 330, 331, 332 (e), 333, 336, 349, 352, 354 (i), 355 (x), 358, 359, 360, 361, 362, 365 (a/b), 370, 371, 374, 376, 384, 385, 389, 397, 398, 399 (a), 400, 401, 406, 408, 409 (b), 437 (a)
Jorge N. Freitas/TV Globo: 36 (e)
José Luís Faria/Agência O Globo: 125 (r)
Juscelino Sorrentino/Agência O Globo: 77 (a)
Kiko Cabral/TV Globo: 448, 451 (f), 503 (b)
Luciana Leal/Agência O Globo: 230 (j), 341 (e)
Luís Alberto/Agência O Globo: 143 (b)
Luiz Pinto/Agência O Globo: 124 (g), 125 (d/d1/d2/d3)
Madalena Sturvart/TV Globo: 193 (a)
Marcela Haddad/TV Globo: 437 (b)
Márcio de Souza/TV Globo: *capa (h)*, 413 (a), 444 (a/b/d), 482 (b), 490 (b), 491 (b), 494, 496, 500, 501 (b/d), 502 (a)
Marco Antonio Rezende/TV Globo: *capa (b)*, 432
Nellie Solitrenick/TV Globo: 218 (a)
Nelson di Rago/TV Globo: *capa (a/j/l)*, 77b, 87, 125 (j), 126, 143 (c/d), 151 (b), 157 (c), 163 (a/c), 164 (a/b/c), 165 (a), 170, 172, 174, 176, 177, 181 (a/b), 182, 183 (a/b), 185, 186, 190 (a/b/c/d), 194 (b/c), 195, 201 (a), 203, 204, 207 (a/b), 210 (b/e/d), 220, 227, 234, 237, 248, 250, 251 (a), 253 (a), 260, 262, 266, 267, 268 (a), 271 (a/b), 280, 281, 282 (c), 285, 286, 288, 289, 295, 298 (a), 302, 303, 304 (a/b), 305 (a/b), 339, 345, 350 (a/b), 354 (g), 355 (g/v), 366, 368, 372, 373, 390, 391, 392, 393, 399 (b), 402, 407, 414, 416, 417, 420, 421 (b), 426 (b/c), 428
Orlando Brito/Agência O Globo: 124 (i)
Otávio Veiga/TV Globo: 475
Paulo Giandalia/TV Globo: 474 (e/g/h/i)
R. Marques/TV Globo: 264, 312, 354 (a/b/r) 378, 379, 404, 413 (b), 403, 418
Redi/TV Globo: 346 (a/b/c), 347 (a/b/c)
Renato Rocha Miranda/TV Globo: *capa (o/r)*, 355 (d), 444 (e/g), 446, 451 (b), 462 (a/b/c/d/e), 485 (a), 488, 497 (a), 498 (b), 499
Ricardo Bakker/Diário de S.Paulo/Agência O Globo: 355 (k/k1/k2)
Roberto Steinberger/TV Globo: 436
Roberto Stuckert Filho/Agência O Globo: 354 (l)
Rogério Domingues/TV Globo: 460 (b)
Ronald Fonseca/Agência O Globo: 59 (a)
Sebastião Marinho/Agência O Globo: 124 f, *contracapa (i)*
Sérgio Berezovsky/Agência O Globo: 124 (h), 125 (f)
Sérgio Borges/Agência O Globo: 355 (f/f1)
TV Globo: *capa (d/k/s)*, 12 (b/e), 13 (d/h/k/m), 20 (b), 28 (a/b), 32 (d), 34, 51 (b), 58, 60, 69 (a/b), 70 (a), 78 (a/b), 85 (a/b), 91 (a/b/c), 94 (a), 99 (a), 101, 103 (a/b), 106 (a/e/f), 107, 110 (a/b), 113, 115, 117, 118, 119, 123, 124 (l/m/s), 125 (e/i/n/n1/n2/s/t), 130 (a/b/c/d/e/f), 137 (a/b/c/d/e/f/g), 140, 141, 142 (a/b/c/d/e/f), 145 (b/c/d/e/f), 148, 149, 150 (a/b/c/d), 151 (a), 152 (a/b/c), 158, 159, 162 (a/b/c/d/e/f/g/h/i), 163 (b/d), 168 (a/b), 173 (a/b/c/d/e/f/g/h/i), 175, 187, 188, 189, 191, 194, 199, 200 (a/b), 201 (b), 202 (a/b), 208 (a/b), 210 (a), 212 (a/b), 214, 217 (a-d), 221 (a/b), 226 (a/b), 230 (c/g/o/p/q), 231 (a/a1/e/g/h/h1/i/j/k/p/q/q1/r), 236, 238, 239, 246, 255 (b/c/d/e), 256, 257, 259, 261, 263, 265, 268 (b/c/d/e/f), 275, 277, 293, 296 (a/b/c/e), 297, 304 (c/d/e), 305 (c/d/e/f/g/h), 307 (exceto a), 308, 313, 314 (a), 316, 318, 321, 322 (b), 324, 337, 341 (b/c/d), 348 (b), 351, 353, 354 (c/d/e/h/j/j1/n/o/t/t1/u), 355 (a/b/h/j/l/m/n/o/q/s/u), 363, 367, 381, 382, 383, 388, 394, 419 (c/d/f), 421 (a), 422, 425, 426 (a), 427, 431, 434, 440, 445, 453, 455 (c), 456, 457, 458, 472 (a), 483 (b), 495, 503 (c/d), 507, *contracapa (a/c/d/e/f/g/j)*
Wander Malagrine/TV Globo: 410, 411
Zé Paulo Cardeal/TV Globo: 423, 424, 433 (b), 435 (b), 474 (a/c/d/f/j/k), 481 (b), 501 (a), 503 (a)
Ziraldo/TV Globo: 346 (g/h/ij/k/l/m/n/o), 347 (g), 512

EDITORA GLOBO

DIRETORIA
Diretor Geral: Juan Ocerin
Diretor Editorial: Paulo Nogueira
Diretor de Finanças e Recursos: Frederic Zoghaib Kachar
Diretor de Mercado Leitor: Stravos Frangoulidis Neto

LIVROS
Diretora da Unidade de Livros: Sandra R. Ferro Espilotro
Coordenadoras editoriais: Aida Veiga e Maria Cristina Fernandes da Silva
Assistentes editoriais: Lilian Scutti Santos e Paula Korosue
Produtor gráfico: Rogério Luiz dos Santos
Assistente de arte: Clayton da Silva Viana

COLABORADORES
Preparação de texto: Kanji Editoração
Revisão: Renato Potenza

EDITORA GLOBO S.A.
Av. Jaguaré, 1485 – São Paulo, SP, Brasil
CEP 05346-902
www.globolivros.com.br

Impressão: Prol gráfica

CIP-BRASIL. CATALOGAÇÃO-NA-FONTE
SINDICATO NACIONAL DOS EDITORES DE LIVROS, RJ.

S71a

Souto Maior, Marcel, 1966-
Almanaque TV Globo / Marcel Souto Maior ; pesquisa Memória Globo. - São Paulo : Globo, 2006
il.

Inclui bibliografia
ISBN 85-250-4280-3

1. Rede Globo de Televisão - História. 2. Televisão - brasil - História. I. Memória Globo. II. Título.

06-3795. CDD 791.455
CDU 791.4

16.10.06 19.10.06 016605

MEMÓRIA GLOBO
Gerência
Sílvia Fiuza

Coordenação de pesquisa
Ana Paula Goulart Ribeiro

Pesquisa de texto
Ana Cristina Figueiredo de Frias
Juliana Alves Pinto Saba
Juliana Peres Gomes
Leandro Paz Ramalho
Lilian Arruda
Mariana Campello Torres

Pesquisa Iconográfica
Ana Cristina Figueiredo de Frias
Anna Beatriz Durão
Clarice Pamplona

Supervisão editorial
Mônica Albuquerque

Aprovação final
Luis Erlanger
Central Globo de Comunicação

Agradecimentos Clarinha Landolfi, José Land, Luiz Cláudio Saes, Luis Santiago, Alexandre Lourenço, Suzana França, Paulo Amorim, Márcio Vieira, Ana Donadio, Rafael Fernandes, Benedito Rizzo, João Rodrigues, Rogério Linhares, Adriano de Martini, Rodrigo Gomes, Alexandre Pit Ribeiro e Renato Grandelle.

RURRRU
CRASH
PLIM